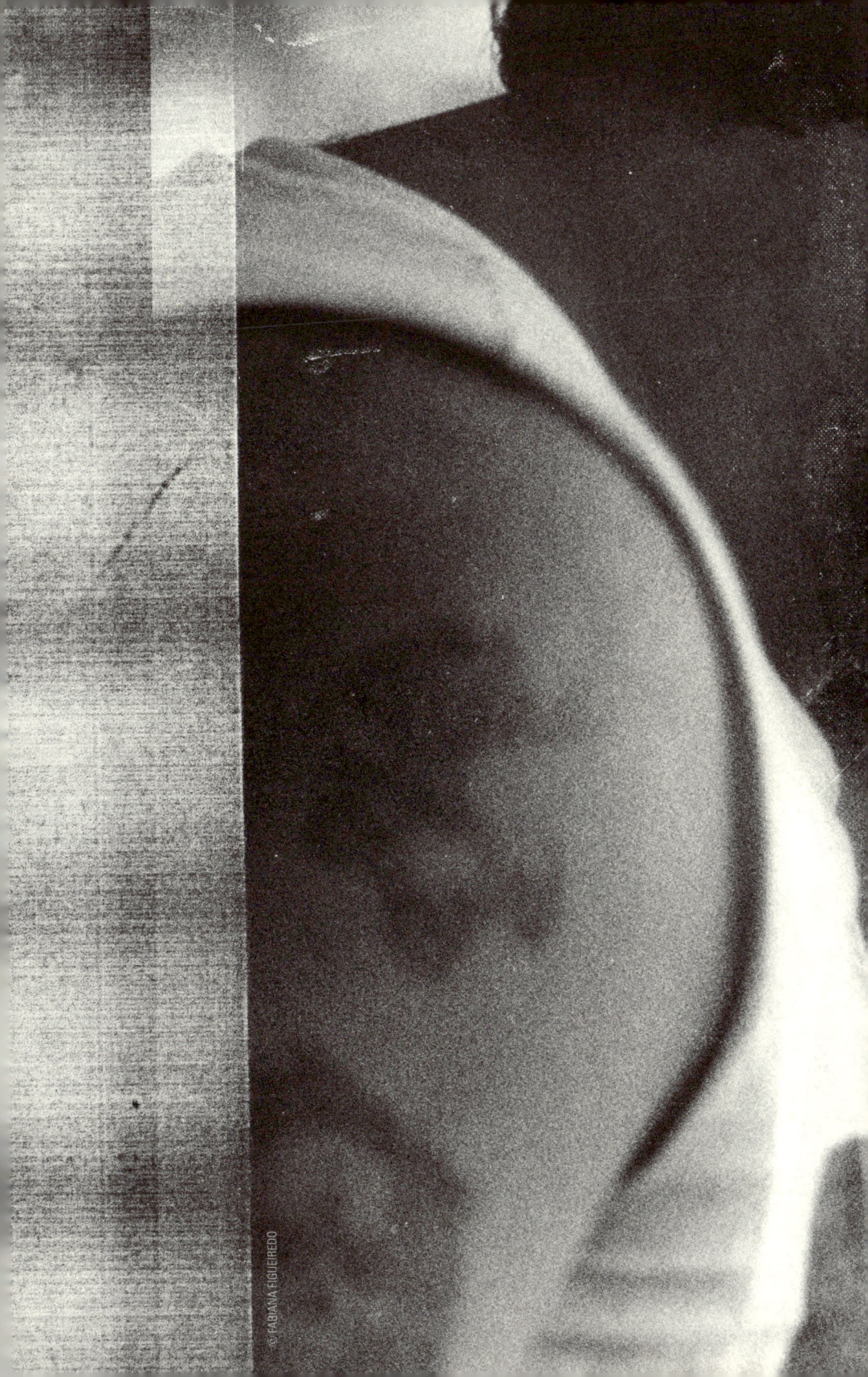
© FABIANA FIGUEIREDO

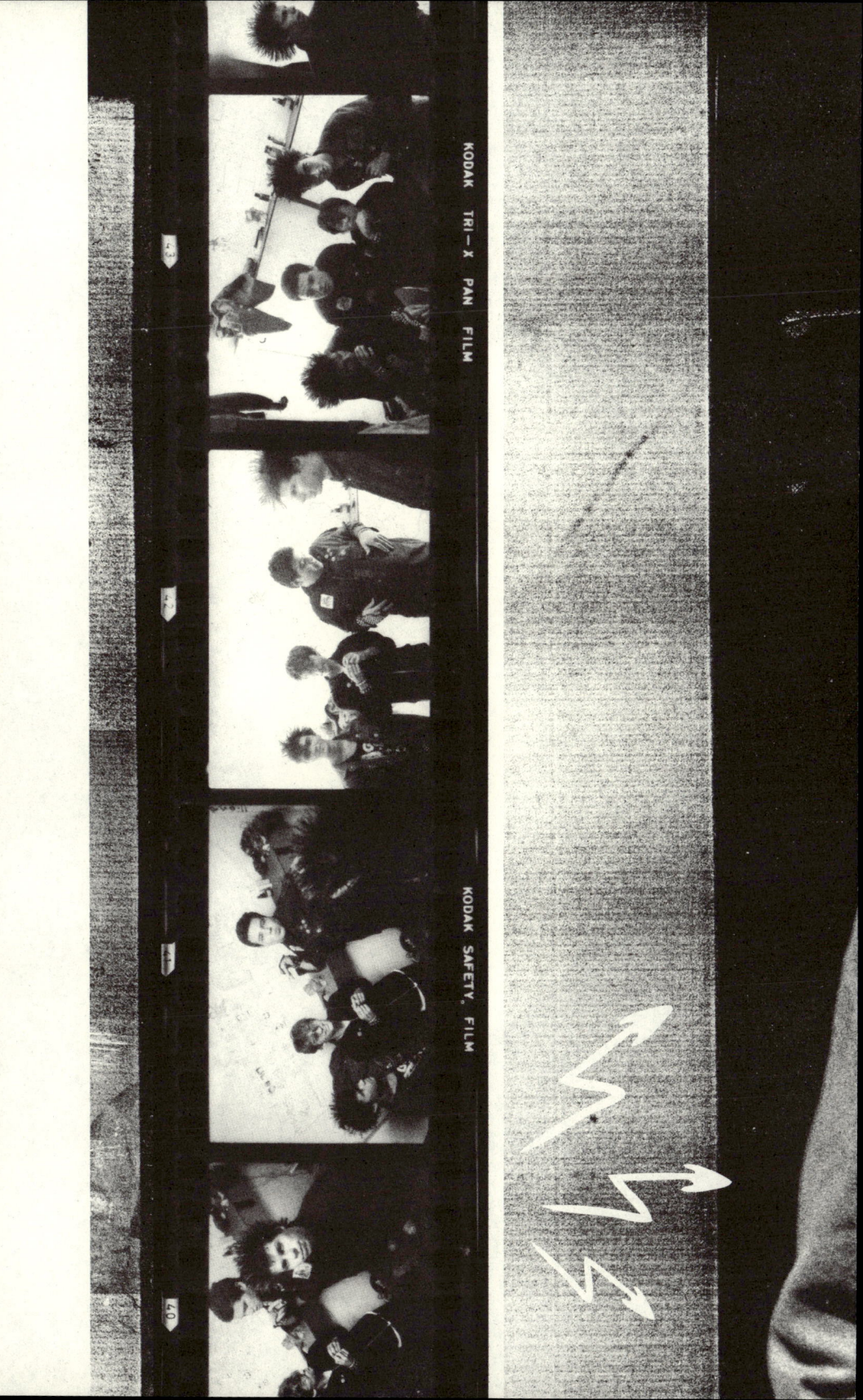

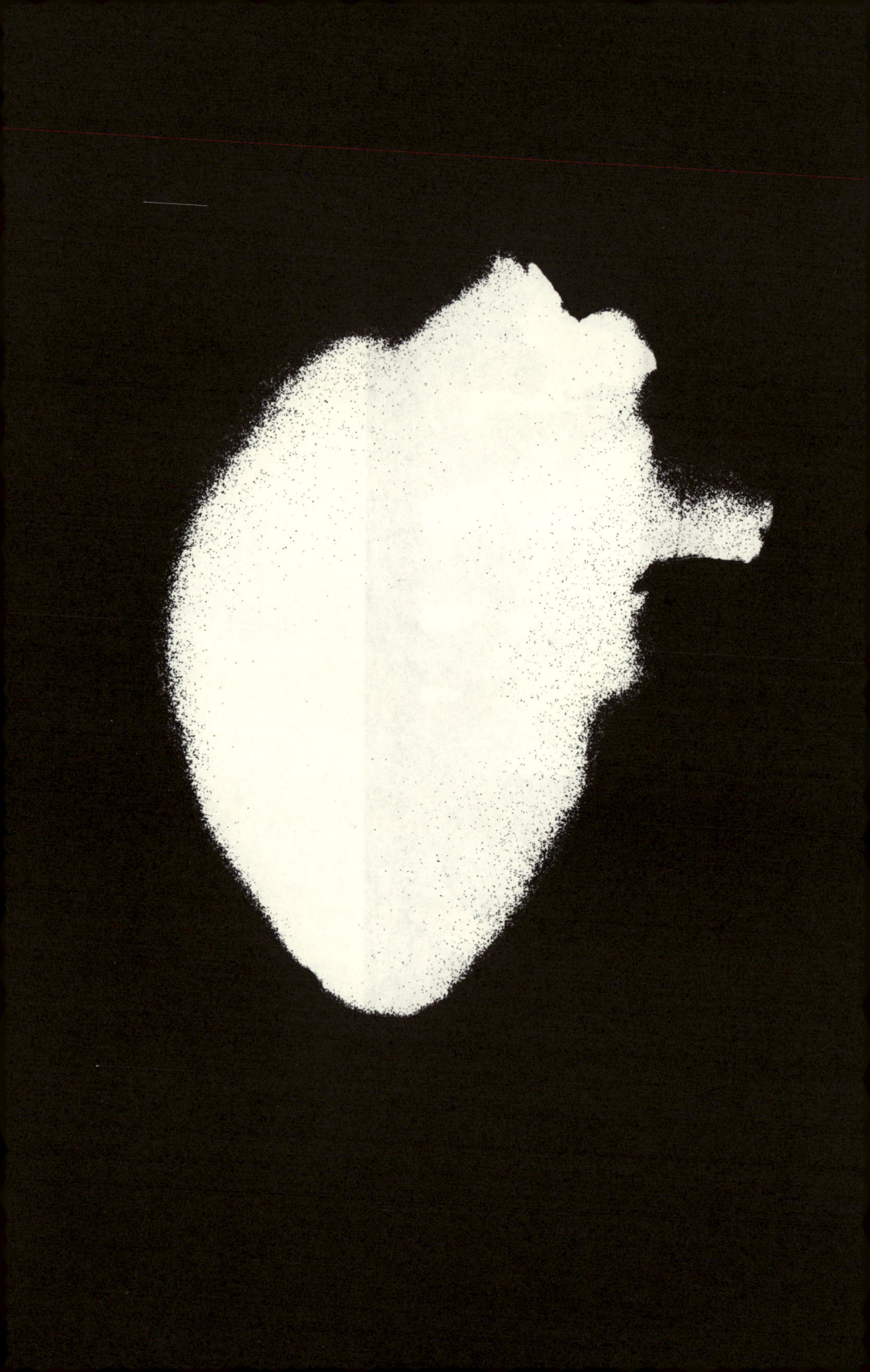

[Agradecimentos] A meus Filhos queridos Victoria e Pietro; sejam gentis e felizes! A minha amada esposa Viviana Torrico, a Dona Laura, minha mãe, e a Cristina Apipo, minha sogra querida. Aos meus eternos benfeitores, sr. Alberto Hiar e família, Dona Miryan Abicair, dra. Paloma Franceschi, Fabiana Figueiredo e Sonia Maia. A meus três irmãos do RDP, Jão, Boka e Juninho; a meu amigo sr. Mario Pinheiro. A meus dogs Ñuka (RIP), Porko e Clara, à gata Humita, ao galo El Gato (RIP) e ao porco Atum. Aos amigos, camaradas e os fãs de todas as quebradas do mundo. Sou feliz por causa de vocês!!!

Copyright © 2016 by João Gordo e André Barcinski
Foto de capa © Rui Mendes
Fotos de quarta capa © Rui Mendes
© Acervo João Gordo
Guarda Godzilla, em *Destroy All Monsters* (1968)
Dir. Ishirõ Honda © Stockphotos
Reproduções de Fotos UM2 | Estúdios

Diretor Editorial
Christiano Menezes

Diretor Comercial
Chico de Assis

Gerente de Novos Negócios
Frederico Nicolay

Editor
Bruno Dorigatti

Editor Assistente
Ulisses Teixeira

Capa e Projeto Gráfico
Retina 78

Designers Assistentes
Pauline Qui
Raquel Soares

Revisão
Isadora Torres
Retina Conteúdo

Impressão e acabamento
Gráfica Geográfica

DADOS INTERNACIONAIS DE CATALOGAÇÃO NA PUBLICAÇÃO (CIP)
Angélica Ilacqua CRB-8/7057

Barcinski, André
 João Gordo : viva la vida tosca / André Barcinski, João Gordo.
 — Rio de Janeiro : DarkSide Books, 2016.
 320 p. : il.

 ISBN: 978-85-945-4014-0

 1. João Gordo, 1964- Biografia 2. Música 3. Punk rock
 4. Rock I. Título

 16-0970   CDD 927

Índices para catálogo sistemático:
1. Músicos - biografia

[2016]
Todos os direitos desta edição reservados à
DarkSide® *Entretenimento LTDA.*
Rua do Russel, 450/501 - 22210-010
Glória - Rio de Janeiro - RJ - Brasil
www.darksidebooks.com

DARKSIDE

© RUI MENDES

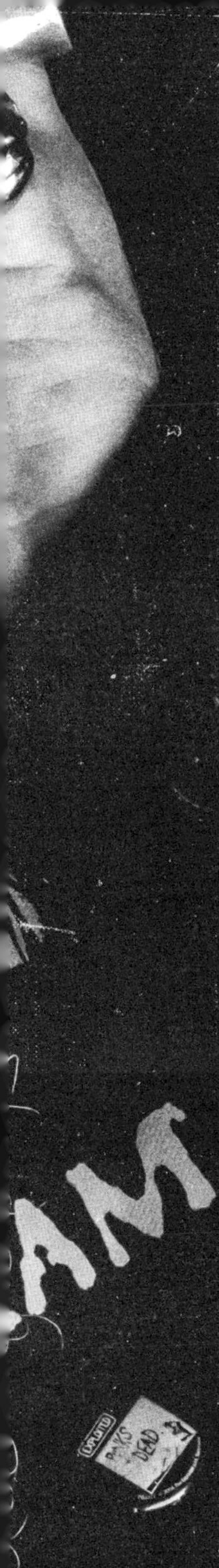

JOÃO GORDO — VIVA LA VIDA TOSCA

PREFÁCIO
POR FERNANDA YOUNG   12

PRÓLOGO   17
1. O TREMENDÃO
   DA VILA GUSTAVO   21
2. BEM-VINDO, ROCK N' ROLL!   39
3. O PUNK CAIPIRA   57
4. COMO ME TORNEI
   UM RATO DE PORÃO   73
5. VIVA O METAL!   103
6. NOIABAS NA EUROPA   147
7. NO PALCO COM
   OS RAMONES   181
8. KURT E COURTNEY   207
9. GORDO POP SHOW   237
10. FAMÍLIA PUNK   289
EPÍLOGO   317

SUMÁRIO

PREFÁCIO
POR FERNANDA YOUNG

Esta é a autobiografia de João Francisco Benedan. Um cara que, com esse nome elegante, poderia passar como um intelectual, um médico – Dr. João F. Benedan, cardiologista – ou mesmo um músico da mais engajada MPB – "Chico Benedan, violão e voz, interpretando Pixinguinha". No entanto, o nome não aguentaria a vida incomum que ele teve, e a vida deve ser bem mais que um nome, então esta é a autobiografia de João Gordo. Punk, roqueiro, detentor de uma história tão doida que, se ele não fosse tão "do contra", provavelmente estaria louco. E eu não falo louco doidão, falo louco maluco, mesmo.

Conheci João Gordo ano passado, mas na verdade o conheço desde que sou adolescente. Também punk, só que de Niterói, meu sonho era ir para São Paulo e cruzar com ele na Galeria do Rock. São Paulo era a minha ideia de uma Londres possível, porém ainda bem distante, e só em 1987 consegui conhecer a cidade dos meus sonhos. Não encontrei João Gordo na Galeria do Rock, mas confesso que tentei. Só em 2002 o encontrei numa noitada – eu entrei, ele se levantou parecendo bem puto com a minha presença, e saiu blasfemando. Diz que não se lembra. Eu fiquei paranoica, porque afinal sou uma punk genuína, que fazia as próprias roupas, cuspia, dançava chutando, abria garrafa de cerveja com os dentes, mas, com o passar do tempo, tornei-me um tipo de "punk literata", passsando a organizar os andrajos, o linguajar; como poderia João Gordo, líder e vocalista da banda Ratos de Porão, gostar de mim?

Foi preciso mais de uma década para, enfim, eu e ele nos reencontrarmos. Fui até a casa dele gravar o *Panelaço*, conheci a sua família – linda família –, pude ver uma parte das cacarecadas que ele acumula. Incrível memorabilia que ilustra algumas das ótimas histórias que estão neste livro. Sentei no sofá da casa, entramos no assunto em comum: o movimento punk, drogas e tal. Ele havia acabado de voltar de uma longa turnê internacional e confessou que não soube se comportar, que era difícil ficar limpo na estrada. Vivi, sua esposa, uma argentina que parece uma deidade inca, deu umas alfinetadas carinhosas, e começamos a gravar.

João Gordo é um excelente entrevistador, um dos melhores do Brasil. Ele escuta, interrompe, sabe o que está falando, e onde quer chegar. Alguns meses mais tarde, era minha vez de entrevistá-lo. Em meio a isso, trocamos muitas mensagens, e descobri coisas bastante curiosas sobre o meu ídolo punk. João é uma pessoa extremante culta, de um conhecimento amplo, porém nada raso. Entende de política, de economia, e disfarça seu engajamento social – para manter a iconoclastia de um arnaquista – mas se importa. É uma pessoa doce, extremamente educada, mesmo que não siga a cartilha, quase sempre hipócrita, da boa conduta. Genuinamente engraçado, não é do tipo piadista, mas a sua crueza, a calma e a coragem com que conta as histórias mais doidas, faz todo mundo rir. Bom pai, acreditem. Quando esteve em minha casa, veio com a filha Vic, que é poeta. Uma adolescente parecida com a mãe, que leu um poema para mim. Um belo poema.

Ler este livro me comoveu. E isso talvez não seja uma boa coisa para se dizer sobre a biografia de um punk. Mas eu gosto pra caralho do João Gordo, e me comove saber que sou, nessa altura do campeonato, da gangue dele. Na próxima biografia dele, faço questão de constar.

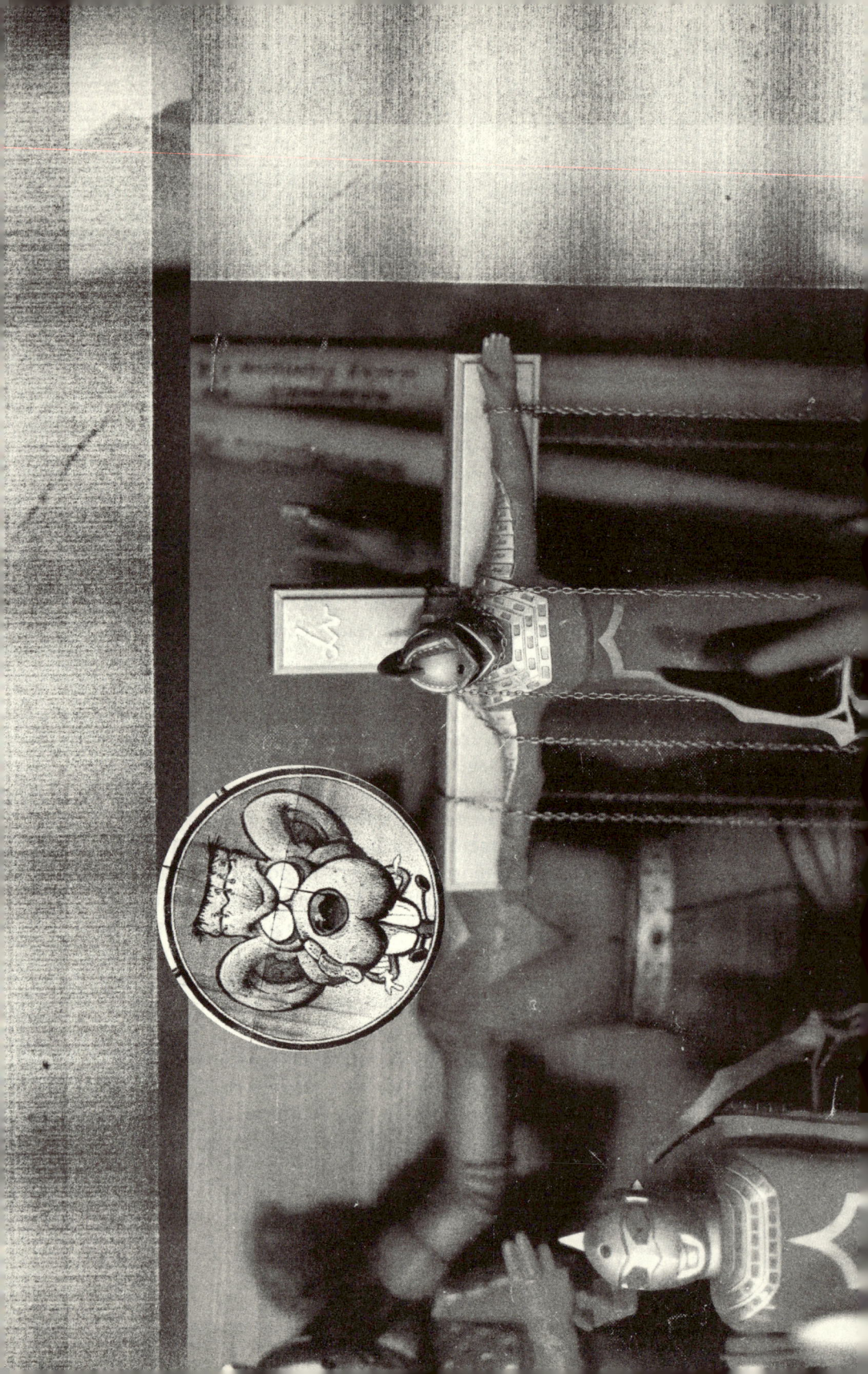

I LOVE YOU!
KISS
AC/DC
MONDAY
OCT 27th
motörhead
AGNOSTIC FRONT +
ST. BERNARD CIVIC CENTER
8245 W. JUDGE PEREZ DR.
CHALMETTE, LA.
8pm

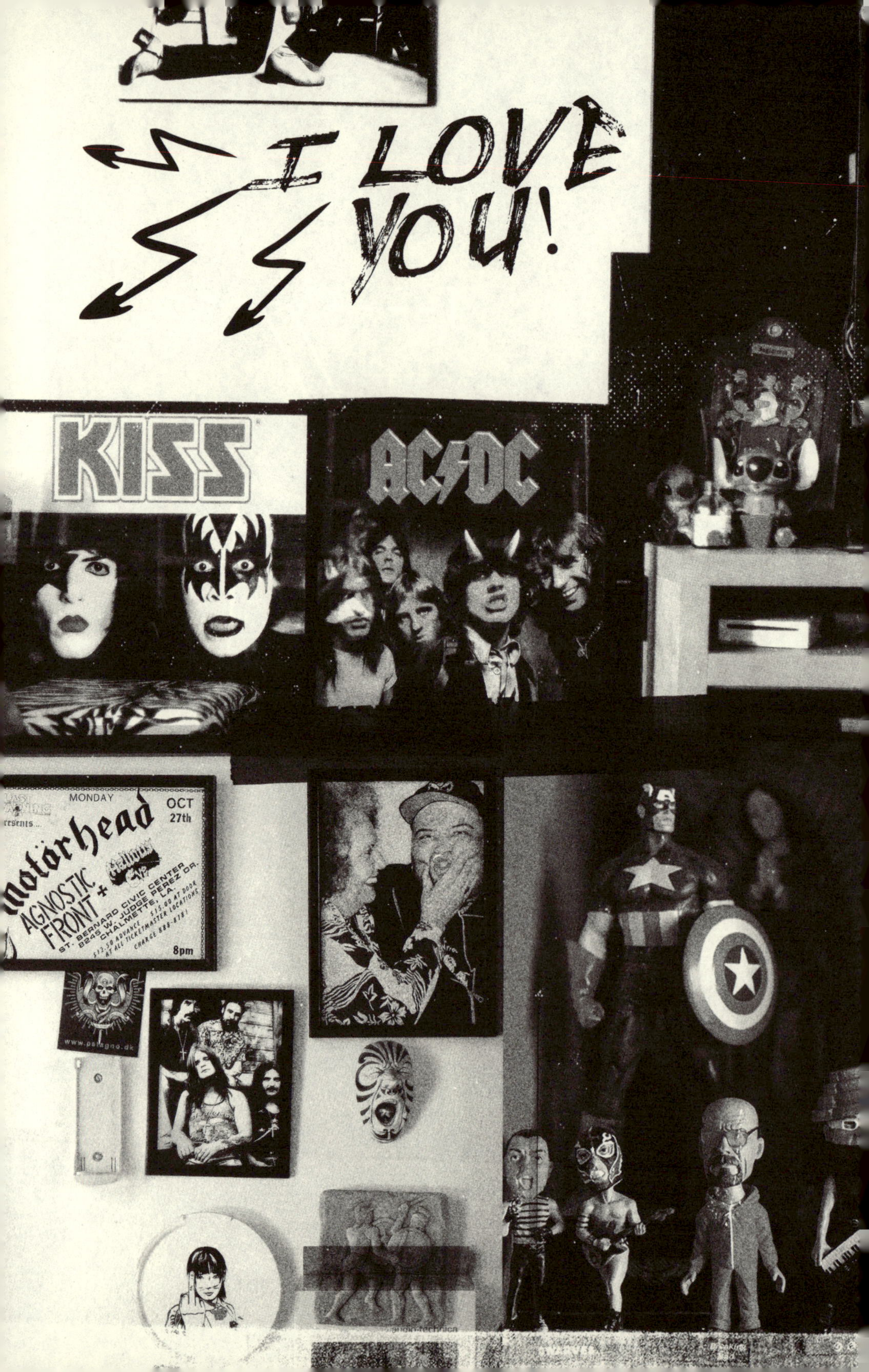

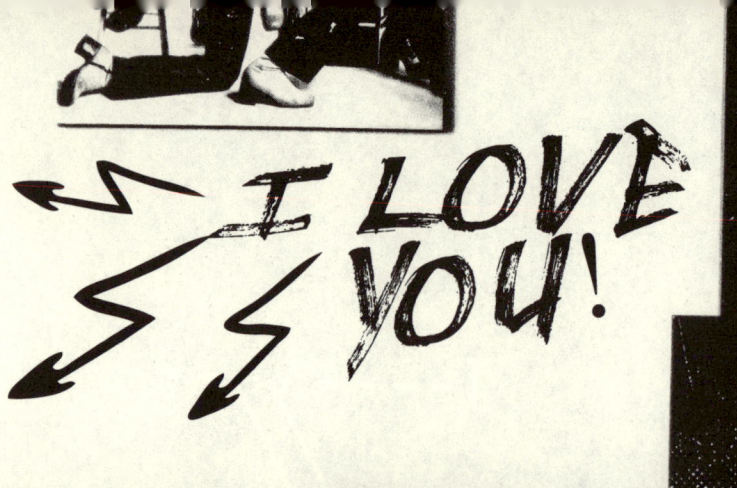

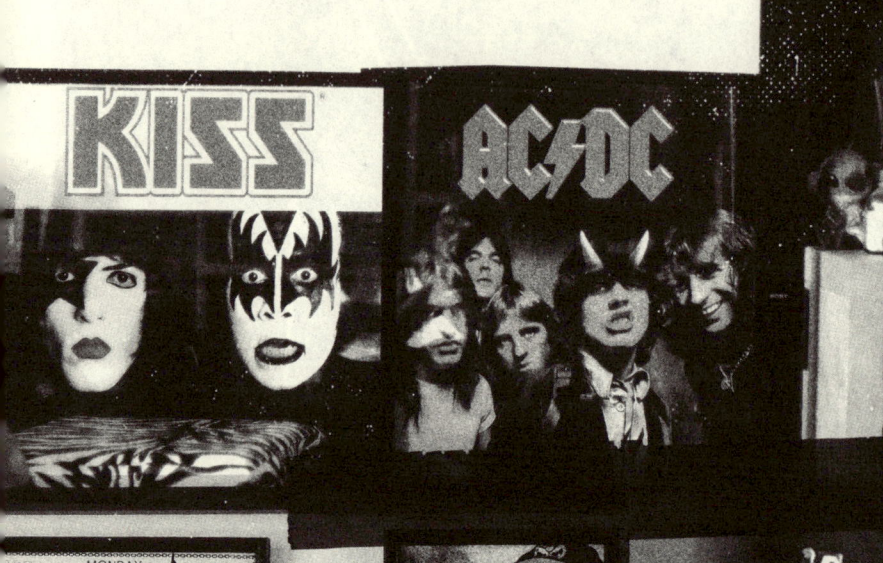

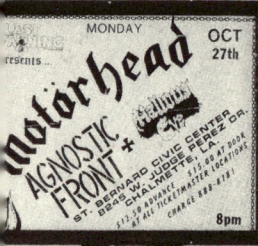

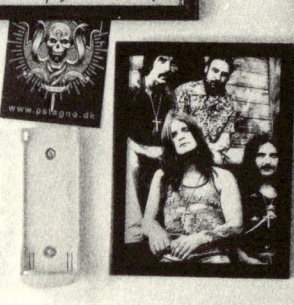

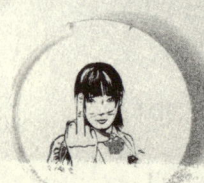

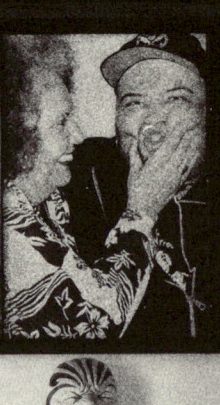

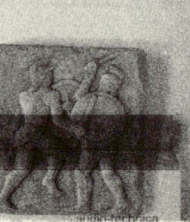

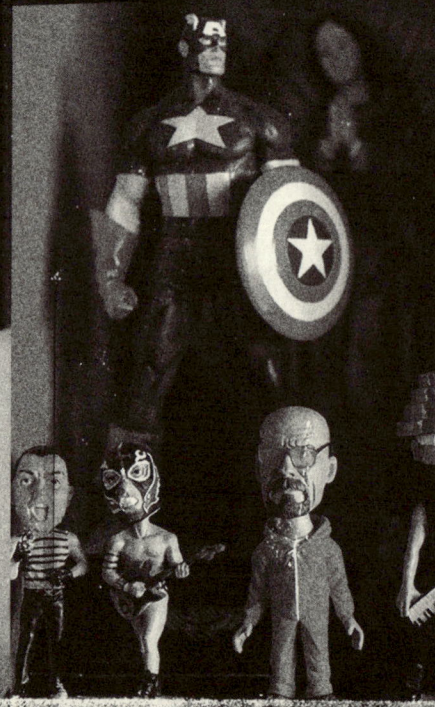

PRÓLOGO

Sempre fui um moleque muito sonhador. Quando era criança, sonhava que era o Ultraseven ou o National Kid. Depois virei adolescente, comecei a gostar de rock e passei a sonhar que estava no palco com meus ídolos: Kiss, Black Sabbath, Queen e Ramones.

Olhando pra trás, bem que algumas das experiências que tive parecem sonhos. Nunca, em um milhão de anos, eu poderia imaginar que um dia cantaria num palco junto com os Ramones. Mas aconteceu. Lembro como se fosse hoje: os quatro — Joey, Johnny, Marky e C.J. — me cercaram e perguntaram se eu queria cantar "Commando" com eles. Chorei.

Ao longo dos anos, conheci muitos dos meus ídolos. Cantei ao lado de Jello Biafra, do Dead Kennedys, rastejando pelo palco ao interpretar seu hino "California Über Alles". Joguei futebol com o Exploited. Anunciei show do Nirvana e passei uma noite delirante com Kurt. Fumei maconha com Jeff Hannemann e Tom Araya, do Slayer. Ajudei Robert Plant a levantar um fã bêbado e choroso que tinha se jogado aos seus pés. Fui ao aniversário do Gene Simmons, do Kiss, e vi ele meter a língua gigante no bolo em formato de bunda. Dei a mão pra ajudar o batera do Sabbath, Bill Ward, a subir no palco. Antes de soltá-la, fiz questão de dar um beijo na mão do coroa, pra agradecer os muitos anos de companhia que os discos da banda me proporcionaram. Obrigado, Bill, minha vida foi muito menos tediosa por causa de vocês.

Num dia glorioso em Washington, D.C., fui à sede da gravadora punk Dischord e passei uma tarde com meu ídolo e amigo Ian MacKaye, líder do Minor Treath e do Fugazi. Ele é um alucinado e coleciona tudo sobre a cena hardcore americana. O cara tem a camisa que Henry Rollins usou no primeiro show do Black Flag em Washington, a lista de custos de gravação dos discos do Scream, a primeira palheta do guitarrista do Fugazi. É insano. Pra mim, aquilo era a Disneylândia punk.

Ian nos levou a um pequeno estúdio que fica dentro da casa, onde muitas bandas clássicas da Dischord ensaiavam. Lá, senti uma energia diferente. Parecia que eu estava pisando em solo sagrado. Fiquei muito orgulhoso de estar ali, de fazer parte, mesmo que de longe, da cena punk. Orgulho de ser um pedaço daquela história.

Eu disse pro cara: "I love you, Ian!". E ele respondeu: "I love you too, Gordo!".

O Joãzinho com 1 ano e meio

1 aninho

O TREMENDÃO
DA VILA GUSTAVO

Meu nome é João Francisco Benedan. O João veio de João Benedan, pai do meu pai, e o Francisco veio de Francisco da Silva, pai da minha mãe. Benedan é italiano. Meu avô era filho de italiano. A família dele veio de Pádua, no nordeste da Itália. Já a família da minha mãe era cearense. Eles eram pobres pra cacete, tinham dezoito ou vinte filhos, essas coisas. Sabe aquela música, "Peguei um Ita no norte"? Um "Ita" era um barco da Companhia de Navegação Costeira, que fazia toda a costa do Brasil. Todos os nomes dos navios começavam por "Ita": Itapuca, Itajubá, Itatinga, Itagiba... Os parentes da minha mãe vieram num desses. Pegaram um Ita pra tentar a sorte no Sul Maravilha. Demoraram uns três meses pra ir de Ceará a Santos, parando em todos os portos. Ficaram um tempão de quarentena numa ilha depois de um surto de sarampo. A família toda tinha sido contratada pra trabalhar numa fazenda de café em Tambaú, no nordeste de São Paulo. Muitos morreram de tifo ou sarampo durante a viagem. Sobraram meu avô, o Francisco, e umas três ou quatro irmãs dele.

DONA LAURA, MÃE DE JOÃO: Meu pai contava que o pai dele tinha quinze filhos quando a família foi do Ceará pra São Paulo, mas muita gente morreu na viagem de navio, a maioria de sarampo. Foi um terror. Eles vieram no porão do navio, que nem escravos. A única coisa que tinha pra comer era bacalhau seco. Eles ficaram quase três meses de quarentena no Rio de Janeiro. No fim da viagem, dos quinze filhos do meu avô, só cinco tinham sobrevivido.

A família do meu pai morava em Piraju, no leste de São Paulo, quase Paraná. Meu avô, João Benedan, trabalhava na estrada de ferro Sorocabana. Ele era casado com Ana Maria de Jesus Benedan. Sabe aquela mãe da *Família Buscapé*? Minha bisavó, Dona Sebastiana, mãe da Dona Ana, era igualzinha: o mesmo cabelo, o mesmo vestido de caipira, os mesmos cambitos de botina. Ela picava fumo e fumava cigarrinho de palha. Eu a conheci bem. Ela fumou até morrer, aos oitenta e tantos anos.

João morreu muito cedo. Eles eram pobres, moravam naquelas casinhas de barro e chão de terra e morriam de doença de Chagas. Meu pai se chamava Milton e foi criado pra ser padre. Ele chegou até a fazer seminário, mas, com a morte do meu avô, teve que cuidar dos irmãos menores: Cida, Maria do Rosário, que hoje mora na Alemanha, e meu tio Antônio Luiz, que depois foi tenente da Rota e hoje é desembargador. Meu pai era magro e escuro, parecia um árabe ou um siciliano. Era um homem forte e superinteligente. Ele pegava coisas no ferro-velho — relógios, gramofones — e consertava. Aprendeu tudo sozinho. Ele criou os irmãos, que puderam estudar porque ele trabalhou pra sustentar todo mundo.

Meu pai mudou a família pra São Paulo e foi trabalhar na região da rua 25 de Março, vendendo tecidos. Ele era ajudante nas lojas, carregava encomendas e fazia entregas. De tanto lidar com os turcos, aprendeu a falar um pouco de turco, árabe e armênio. Depois entrou pra Guarda Civil e virou polícia. Em 1970, o governo juntou a Guarda Civil com a Força Pública, criando a Polícia Militar de São Paulo. E meu pai virou PM.

Tem um episódio curioso na vida dele, que o marcou pra sempre e acabou influenciando bastante a nossa relação, que nunca foi tranquila: um dia, ele comeu uma feijoada e foi trepar com uma namorada, mas teve uma congestão e um surto epilético. O negócio foi tão feio

1964
com a bisa 10 dias
Bisa Sebastiana

Tio Antonio Luiz, meu pai barbudo, minha mãe e eu, 1972

1972

que ele precisou tomar Gardenal pelo resto da vida, e isso era a maior vergonha pra ele. Era um grande segredo. Ele não gostava nem de falar sobre isso. Com os remédios, ele ficou superexplosivo, hiperativo, uma pilha de nervos. Nunca mais foi o mesmo. Se não tomasse os remédios, ficava pior ainda: mordia a língua, o beiço, rasgava a boca toda e tinha uns ataques horríveis. Meu pai virou um sujeito agressivo, explosivo, ultrapatriarcal, o protótipo do policial nazi, aquele pra quem você nem pode responder nada que ele te cobria de porrada. Era só eu falar "Mas, pai..." que ele me enchia de tapas na cara: "Não me responde, seu filho da puta!".

> DONA LAURA: No início dos anos 1960, a gente já morava em São Paulo. Conheci o Milton na minha casa. Ele era amigo do meu irmão, Otaviano. Os dois eram policiais e estudavam juntos. Um dia, o Otaviano levou o Milton pra estudar lá em casa. Quando ele saiu, eu disse: "Que amigo bonito você tem, hein, Otaviano?". Meu coração balançou assim que eu vi o Milton. Nós namoramos por um ano e casamos em 1962. Na minha lua de mel, o Milton sofreu uma convulsão. Fiquei assustada. Nunca tinha visto nada igual, achei que ele ia morrer. Minha sogra disse que ele sofria do Pequeno Mal, que era um tipo de epilepsia. Ele tinha umas crises repentinas. Estava tudo bem e, de repente, ele ficava meio que hipnotizado e começava a se debater. Ele me contou que, quando tinha dezoito anos, tinha comido uma feijoada e foi transar com uma namorada, quando teve uma convulsão. Isso o acompanhou até o fim da vida.

Eu nasci no dia 13 de março de 1964, filho do golpe militar e da "Geração Televisão". Tenho uma irmã, Ana Laura, sete anos mais nova. Minha mãe, Laura Vitalina, era cabeleireira. Nós morávamos na rua da Nascente, 147, que hoje se chama rua Caracaxá, na Vila Gustavo, nos fundos da casa da minha avó, Ana Maria de Jesus Benedan, mãe do meu pai. Na casa moravam também minha bisavó, Sebastiana, meus tios, Antônio Luiz, Maria do Rosário e Cida. A Cida casou cedo e foi embora logo. No canto do terreno, num barraquinho, morava o meu padrinho, Carlos Gonzaga, primo do meu pai.

Minha avó Benedita morava bem perto, na avenida Júlio Buono. Ela era umbandista, gostava de fazer despacho em cachoeira, essas coisas. Era do espiritismo, curtia o Caboclo Sete Flechas. Já a família do meu pai era ultracatólica. Minha avó, Ana Maria, era beata da Igreja Nossa Senhora das Neves. Meu pai não gostava da Benedita, a sogra macumbeira, e não deixava minha mãe me levar pra visitá-la. Vó Benedita morreu muito nova, aos cinquenta e poucos anos, numa cachoeira. Lembro porque foi no dia do meu aniversário de cinco anos.

Depois de algum tempo, meu pai economizou uma grana e conseguiu comprar uma casinha na frente da casa da minha avó. A gente morava ao lado de um córrego, que hoje foi tapado. Uma das primeiras lembranças da minha infância era, nos dias de tempestade, ficar na janela vendo o córrego transbordar. Eu vi cada coisa passando: um sofá vermelho, pedaços de janela, roupas, pneus, um cachorro morto...

Meu pai comprou a casa da Dona Irene e do Seu Dito, dois velhos nojentos. A véia era gorda pra caralho, tinha as pernas inchadas, cheia de varizes, passava o dia todo andando de camisola e tinha uma porrada daqueles cachorros pequineses, que cagavam a casa toda. Como os velhos não conseguiam abaixar pra catar o cocô dos bichos, eles só cobriam a merda com um jornal. O cheiro era insuportável. Dava pra sentir da rua.

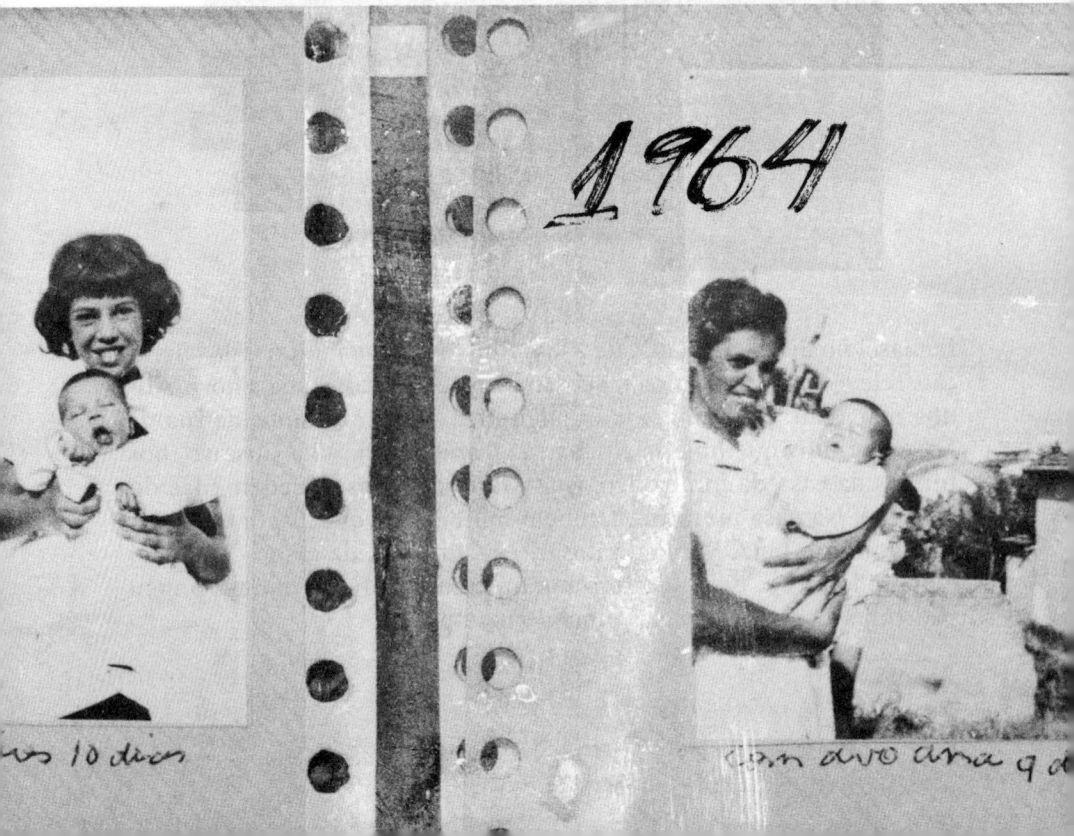

Nos fundos morava a Marluce, uma negra muito pobre que tinha cinco filhos: Ju, Gu, Gerson, Nem e Teresinha. Eles eram tão fodidos que a casa só tinha um cômodo e nem tinha banheiro, só um ralo e um tanque. Todo mundo cagava no ralo e tomava banho no tanque, onde também lavavam a louça e a roupa. Era um muquifo dos infernos. Lembro que a Marluce botava a cabeça pra fora da janela e gritava a fórmula matemática: "Gu mais Nem mais Gerson mais Teresinha mais Julinho... vem cumê, seus merda! Seus nójento!". Cada semana tinha um sujeito diferente dormindo com a Marluce. Ela e os filhos dormiam uns em cima dos outros, era muito pobre o bagulho. Sem contar que ouviam a mesma música o dia inteiro, um forró insano do saudoso Lilico, chamado "Panelada de Bochecha", que até hoje ecoa no meu cérebro. Do lado direito, beirando o córrego, morava um casal de coroas, que vou chamar de Seu Tonico e Dona Maricotinha. O véio era marceneiro e tinha perdido o polegar direito. De manhã, o tarado ficava vendo as meninas irem pra escola e se masturbava no portão da casa, mandando ver no quatro contra um.

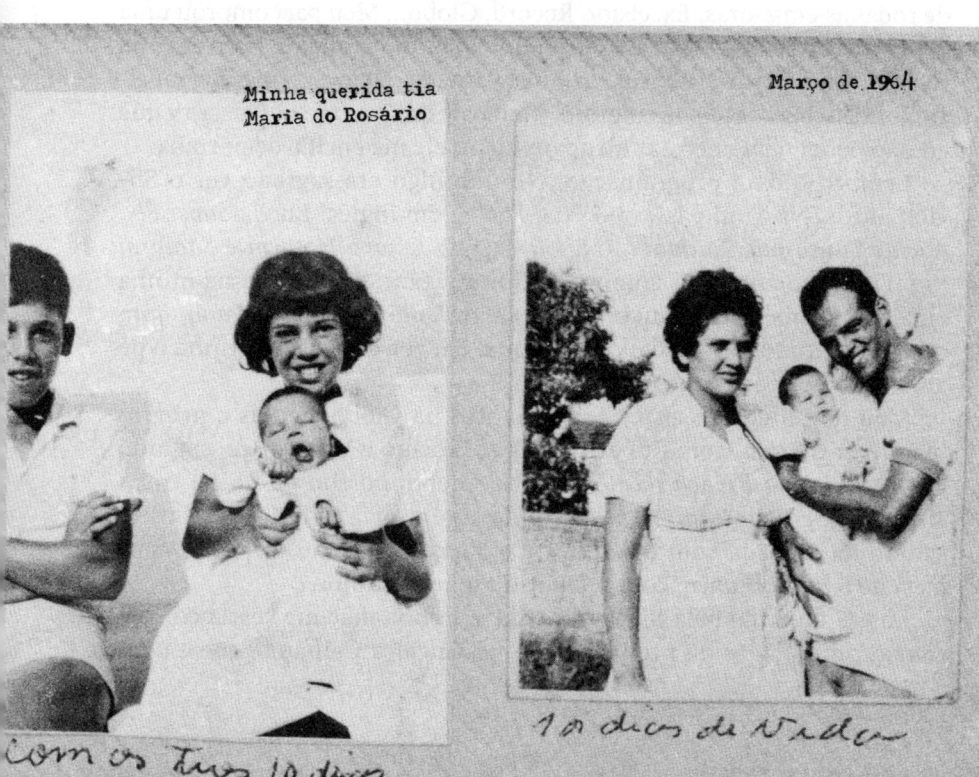

Minha querida tia Maria do Rosário

Março de 1964

com os teus 10 dias

10 dias de vida

Assim que comprou a casa, meu pai começou a fazer umas reformas malucas. Ele fez uma barreira pra impedir que a água do córrego alagasse a nossa casa. O bagulho era uma verdadeira muralha. E ele me obrigava a ajudar, mandava carregar tijolo e virar massa. Porra, eu tinha cinco, seis anos, era uma criança, e ele não tinha dó, me botava pra carregar balde!

Nosso bairro era de classe média bem baixa, com ruas de terra. A molecada soltava balão, jogava bolinha de gude e futebol, empinava quadrado e pulava sela. Meu pai já era bem turrão e não gostava que eu fosse pra rua. Ele era muito bravo. Minha mãe era mais tranquila, mas também soltava os bichos em cima de mim de vez em quando. Ela trabalhava num salãozinho de cabeleireiro e fazia a unha das mulheres. Um dia, eu derrubei a caixa de esmalte e ela ficou tão puta da vida que me amarrou no poste com o cinto da Guarda Civil do meu pai. Eu era uma peste. Foi nessa época — eu devia ter uns quatro ou cinco anos — que comecei a ficar tarado por pé de mulher. Eu ficava vendo a minha mãe pintando a unha da mulherada e aquilo me deixava louco. Lembro claramente de ter passado o pinto no pé da minha mãe. A tara por fetiches já começa desde cedo, não é mesmo?

Desde pequeno fui viciado em TV. Lembro a programação completa de todas as emissoras: Excelsior, Record, Globo... Meu pai comprou uma TV da marca ABC — A Voz de Ouro, um aparelho grandão. Na frente da tela tinha um plástico — azul em cima, verde no meio e vermelho embaixo — pra dar sensação de colorido. Meu pai tinha tanto xodó pela TV que eu não podia nem encostar no aparelho ou ele me enchia de porrada.

Lembro toda a programação. No domingo era sagrado ver o Silvio Santos. Na Tupi passava o *Pica-Pau* — em inglês! Eu via *Super Six*, *Agente Fantasma*, *National Kid*, *Ultra Q*, *O Oitavo Homem* e *Samurai Kid*. Fica fácil entender como o Japão teve tanta influência na minha vida. Eu também era louco pelo *Quartelzinho do Pé com Pano*, com o Mario Alimari, um soldado tosco que, em vez de coturno, tinha o pé amarrado com um pano.

Meu domingo era assim: Silvio Santos na Globo, depois o programa *Jovem Guarda*, com Roberto Carlos, Erasmo e Wanderléa, seguido por *Perdidos no Espaço* na Record. Na Globo, no fim da noite, tinha ainda o *Telecatch Rum Montilla*, onde a gente via o Ted Boy Marino saindo na porrada com o Aquiles e o Tigre Paraguaio, depois *O Homem do Sapato Branco*, com o Jacinto Figueira Júnior.

Eu era fanático pela Jovem Guarda, e minha mãe me vestia com as roupas anunciadas no programa. Eu usava calça Calhambeque e chapéu Tremendão e tive meu primeiro contato com o rock vendo aquele programa. Lembro, como se fosse hoje, do Roberto Carlos cantando "Lobo Mau", de óculos escuros redondos e usando uma cartola. No Natal de 1968, ganhei uma guitarra de plástico. Minha tia Francisca, que era costureira e fazia vestidos de noiva, fez pra mim uma camisa igualzinha à do Roberto Carlos, toda cheia de babados. Eu era desinibido e ficava na porta de casa, vestido de Jovem Guarda, cantando "Que Tudo Mais Vá Pro Inferno".

O pessoal hoje não tem ideia de como a Jovem Guarda foi radical pra época. O bagulho era pauleira, era muito doido, uma brasa, mora. Foi a primeira vez que ouvi guitarra numa música. Era isso ou passar o dia ouvindo o Osvaldo Nunes cantando "Segura esse samba, não deixa cair". Meu pai tinha muitos discos, mas quase todos de calypso, música mexicana, discos de saxofone e harpa. De vez em quando, ele ouvia um Bill Halley e Seus Cometas, mas era raro. No meio de um monte de bosta, era possível achar *singles* dos Monkees, Byrds, Chubby Checker e Beatles.

A vizinhança só tinha figura: ao lado de casa morava a Dona Aparecida, e ela tinha um bando de filhos — Wilson, Luiz, Álvaro e Nenê, que era o maior cachaceiro. Nos fundos morava a filha, Dona Nêta, e seu filho Leonardo, que veio a ser meu amigo. Ao lado da Dona Irene, morava a Zelita, uma negona peituda muito gente fina que era mãe da Soninha, uma mulata linda que inspirava os sonhos da molecada, e do rei da rua, o Zé Carlos, o mais velho dos moleques, que vivia empinando quadrado e fazendo cortante. A Zelita fazia bailinhos memoráveis, regados a muita pipoca e tubaína, e sempre baixava o santo em alguém quando rolava "O Sino da Igrejinha", do Martinho da Vila. Na esquina morava outro cara que veio a ser um grande amigo da rua, o Felippo Mauro, e seu irmão Joãozinho. Eles eram filhos de italianos e eu não saía da casa deles. A mãe dos dois, Dona Imaculata, forçava a gente a ler a Bíblia. Isso era uma bosta, mas pelo menos eles tiveram grande influência na minha transformação em palmeirense.

Aos quatro anos, meus pais me colocaram na Escolinha do Padre Lourenço, na Igreja Nossa Senhora das Neves. Eu não queria ir. No primeiro dia, mijei nas calças de medo. Quando foram me buscar, eu tava grudado no cabelo de uma neguinha, brigando com a infeliz. Dois anos depois, em 1970, quando eu tinha seis anos, fui pro Colégio Passionista São Paulo da Cruz, no Tucuruvi. Minha avó, Dona Ana Maria,

1973

EU e MINHA MÃE em Praia Grande.

tinha sido faxineira lá e tinha bolsa de estudos pros filhos e netos. Foi assim que eu, um garoto pobre, acabei estudando em escola de rico.

No primeiro dia de aula, aconteceu a mesma coisa: minha mãe me deixou no colégio, e eu passei o dia todo chorando que nem um retardado. Fiquei lá até o terceiro primário, em 1973. Como toda boa criança cristã brasileira dos anos 1970, fui alfabetizado pela cartilha *Caminho Suave*. Eu odiava a escola. Pra piorar, minha mãe me deu uma lancheira cor-de-rosa, e a turma toda ficava me zoando. A merda da garrafa térmica não fechava direito, e eu sempre me molhava de água com groselha. Era a maior humilhação. Foi um dos piores períodos da minha vida. No recreio eu bebia água com groselha e comia sanduíche de mortadela da Sadia. Até hoje, quando sinto o cheiro daquela mortadela, entro em depressão na hora.

Meu pai achava que eu ia tomar jeito numa escola religiosa, mas foi o contrário: fiquei uma peste pior ainda. Eu só fazia merda. Comecei a me interessar por bombinha. Comprava aqueles cabeções de nego, tirava a pólvora e jogava uma pedra em cima. Fazia um esporro fodido. Eu só queria saber de destruir as coisas.

Meu pai era polícia e saía cedo pra trabalhar. Minha mãe arrendou um salão de manicure e cabeleireiro dentro do Clube de Regatas Tietê, na Marginal. Eu aproveitava que eles não estavam em casa, cabulava aula e ficava o dia todo vendo desenho na TV. Eu era viciado em *Três Patetas* e *Globo Cor Especial* e matava aula pra ver *O Gordo e o Magro* na Tupi.

Eu fazia de tudo pra ficar doente, mas não conseguia: tomava banho quente e depois ia pra frente da geladeira e passava gelo no peito, fingia que estava gripado e com febre, fazia atrito no termômetro, mas nunca dava certo. Tudo isso pra faltar a escola e ficar vendo TV.

> DONA LAURA: O João tinha uma técnica pra matar aula: ele pegava o uniforme da escola e amassava ele todo, como se tivesse sido usado. Quando eu voltava do trabalho e via a roupa daquele jeito, achava que ele tinha ido à escola, mas na verdade ele tinha ficado o dia todo vendo filme do Mazzaropi na TV. Só descobri quando a escola me avisou que ele não aparecia lá fazia quinze dias. Ele também tinha um ciúme danado da irmã. Uma vez, uma vizinha encontrou o João na rua e perguntou: "Oi, Joãozinho, como vai a sua irmã?". E ele disse: "A senhora não soube? Ela morreu ontem!". A mulher ficou desesperada.

Meu pai tinha uma maleta que guardava em cima de um armário e dizia pra eu não mexer de jeito nenhum. Mas era só ele sair que eu subia numa cadeira, pegava a mala e ficava vasculhando. Tinha de tudo lá: dinheiro velho, balas de revólver, medalhas, um monte de quinquilharia. Um dia, achei o revólver dele, um Taurus prateado calibre 32, de cabo branco. Eu tirava as balas e ficava brincando. Achei também uma braçadeira da Guarda Civil que tinha as bandeiras do México e da Turquia, porque ele falava espanhol e turco, e os turistas viam as bandeiras e sabiam que podiam se comunicar com ele.

Não me pergunte por quê, mas meu pai tinha uma coleção de fitas isolantes de todas as cores. Ele era vidrado em fita isolante. Eu sempre fui viciado em filme épico, esses filmes de gladiador, e usava as fitas pra fazer espadas, machados, capacetes e escudos, colando pedaços de madeira, cacos de telha e metal que eu achava no lixo. Ele ficava louco com aquilo.

Quando eu tinha uns sete anos, dei uma resposta meio atravessada pro meu pai e ele me deu um cacete de cinto que nunca esqueci. Foi tão forte que fiquei gago até hoje, de trauma daquela surra. Fiquei todo arrebentado. Não consegui nem ir à aula. Quando ele voltou, à noite, fardado, olhou pra mim, me levou pra cama e começou a passar salmoura nas minhas feridas. As lágrimas dele escorriam. Aquilo me marcou muito. Nunca esqueci a cena dele chorando, de farda.

Meu pai odiava que eu ficasse na rua. "Se eu voltar pra casa e você estiver na rua, vou te descer o cacete!" Mas eu não aguentava ficar em casa, a molecada toda na rua, zoando, e eu acabava saindo também. Um dia, tava empinando quadrado e o Zé Carlos, falou: "João, não é teu pai vindo lá?". Eu saí correndo pra dentro de casa, mas ele já chegou tirando a cinta. A molecada toda tinha medo dele, me apelidaram até de "Mentecapto" por causa das surras frequentes que eu levava. Meu pai era conhecido como o policial reaça do bairro.

Ele também era antissemita e gostava de ler uns livros tipo *Os Protocolos dos Sábios de Sião* e *Holocausto: Judeu ou Alemão?*. Aquilo foi motivo de brigas terríveis comigo. Ele dizia que o Holocausto era uma farsa e tinha simpatia por Hitler e pela suástica. Mas um dia meu pai fez uma árvore genealógica e descobriu que um dos bisavôs dele assinava Bennedan, com dois "n", e que era judeu. Aquilo mexeu demais com a cabeça dele. Ele acabou indo pra Israel, se encantou com o lugar e ficou muito sentido quando o confundiram com um árabe. Começou a estudar hebraico e logo estava pagando de judeu, lendo jornais em hebraico.

Em 1974, ele comprou uma TV colorida, mas me proibiu de tocar no aparelho. Não me deixava nem sentar no sofá de calção, dizia que o suor das minhas pernas estragava o estofado e me mandava sentar em cima de um pano. Às vezes, me colocava de castigo ajoelhado com os braços pra cima no carpete da sala, que era um desses carpetes de sisal, duros pra cacete. Era pior que ajoelhar no milho. Eu fui me revoltando com aquilo. Fui virando um monstrinho cada vez pior. Virei um piromaníaco, gostava de botar fogo em formigueiro e fingir que eu era um gigante. Não sei como não incendiei a casa. Um dia, um litro de álcool explodiu na minha mão. Eu me tornei um maloqueiro. Só andava descalço, furei o pé com prego uma porrada de vezes, levei muita mordida de cachorro e tomei trinta injeções antirrábicas, quinze de cada lado da barriga. A cada merda que eu fazia, mais meu pai me batia e mais nervoso ele ficava. Minha mãe dizia: "João, seu pai é nervoso, não responde ele". O nervosismo dele ficou tão grave que ele acabou se aposentando da PM por doença.

Quando cheguei ao terceiro ano no São Paulo da Cruz, acabou a boiada da minha avó, e meus pais não tinham dinheiro pra me deixar lá. Meu pai me colocou na escola pública Davi Eugenio Lima, na Vila Gustavo. Foi um choque sair de uma escola particular tão boa pra uma podreira daquelas. Minha professora do quarto ano, Dona Nilza, inventou um esquema absurdo: ela dividia a turma em cinco categorias e distribuía os alunos na sala por níveis de inteligência: na frente os mais inteligentes, depois os mais ou menos inteligentes, seguidos dos mais ou menos burros, depois os tapados e, no fundo, os retardados completos. Eu comecei na fileira do meio, depois subi uma, mas voltei pra trás por causa da bagunça. A fila dos retardados era de dar medo. No vértice da sala, lá no fundão, encostado na parede, ficava um grandão chamado Israel, que tinha dois anos a mais que todo mundo e passava a aula toda comendo meleca e batendo punheta. A mesa dele tinha um buraco na tampa. Ele desenhava um rosto no dedão do pé, enfiava o dedão no buraco e ficava batendo papo com o próprio dedão.

A gente tava numa fase braba da ditadura, 1973, 1974, e a escola era totalmente nazi. A gente tinha que cantar todos os hinos. Até hoje sei de cor e salteado qualquer hino: da Independência, da República, da Bandeira — o "Salve lindo, peidão da esperança" —, qualquer um. Nessa escola o horário era de três da tarde às sete da noite, bem no meio do horário de trabalho dos meus pais, e eu comecei a cabular aula direto. Também comecei a roubar dinheiro da bolsa da minha mãe.

A coitada ralava o dia inteiro no salão e voltava com a bolsa cheia de dinheiro vivo. Um dia, roubei uma nota de mil cruzeiros da bolsa dela, fui à lanchonete e comi uma esfiha e tomei um suco de limão que vinha numa caixinha triangular, o clássico Gut. Só que eu, burro pra cacete, esqueci o troco no bolso da camisa. Quando ela foi lavar o uniforme, voou uma dinheirama no chão, um monte de notas e moedas, e eu tomei uma surra daquelas. Quando percebi que minha mãe não notava os roubos, a coisa foi piorando. Eu roubava dinheiro pra comprar carrinho Matchbox, linha de empinar quadrado, bolinha de gude, bombinha, qualquer coisa.

O relacionamento com o meu pai, que já era uma merda, ficou ainda pior depois que eu resolvi ser palmeirense. Ele não ligava muito pra futebol, mas era corintiano, e tava na cara que eu virei palmeirense só pra sacanear ele. Ele tinha me dado até um uniforme do Corinthians, camisa número 9. Mas também, naquela época, o Palmeiras tinha um timaço, com Ademir da Guia, Leivinha, Luiz Pereira, e a bosta do Corinthians tava no meio de uma fila de vinte anos, não ganhava uma. Acho que já tinha "traído o movimento" muito tempo antes...

Quando eu tinha uns dez ou onze anos, comecei a me interessar por música. A gente escutava rádio AM — não tinha FM ainda —, e eu ouvia direto o programa policial do Gil Gomes. Sou o maior fã do cara, até chorei quando o conheci, muitos anos depois. De manhã, a gente ouvia o Zé Bétio na rádio Record, que tocava música caipira. De tarde, rolavam os programas de música brega. Até hoje sei de cor todos os sucessos de Odair José, Waldick Soriano, Nelson Ned, Agnaldo Timóteo, Carlos Alexandre, Amado Batista. Pode perguntar qualquer um que sei a letra. Eu cantava umas tranqueiras tipo "Aonde a Vaca Vai o Boi Vai Atrás", do João da Praia, "Bilu Teteia", "Tu Tá Comendo Vrido, Menino?", "A Velha Debaixo da Cama", essas coisas. Eu também conhecia todas do Raul Seixas, da Suzi Quatro, do Silvio Brito e do Zé Rodrix. Mas foda mesmo foi o choque cultural causado pelos Secos e Molhados. Os caras andróginos, com as caras pintadas, em plena ditadura, eram brutos e extremamente "prafrentex".

Perto da minha casa tinha um cortiço onde moravam uns irmãos chamados Cidão e Falador, uns negões de cabelo black power que curtiam um som. No fim de semana, eles botavam uma vitrolinha Philips na calçada e ficavam tomando cerveja e ouvindo Creedence, Raul Seixas, Martinho da Vila, Secos e Molhados, Suzi Quatro e Led Zeppelin. Meu pai ficava puto: "Vê se pode, você andando com esses negros maconheiros?". Mas eu me amarrava nos caras e ficava ali, curtindo.

Vô Ana, bisavó
Sebastiana,
tio Aparecido,
meu padrinho
Carlos Gonzaga
e eu, 1970

1970 com 5 anos

com 14 anos

MEU PAI
Milton
e EU, 1970

Eu tinha uma camisa do Roy Rogers, aquele caubói, com um peitoral cheio de flores, e usava também um chapéu do Erasmo Carlos. Era ridículo, mas eu achava que estava abafando. Me sentia o maior roqueiro. Lembro um dia em que eu estava com os negões ouvindo "Molina", do Creedence, e fazendo *air guitar* com um cabo de vassoura e os olhos fechados, curtindo o som, quando meu pai chegou por trás de mim e começou a me encher de porrada: "Seu vagabundo! Ridículo! Fica aí se enturmando com essa cambada de preto! Vai pra casa agora!".

Não posso dizer que todos os momentos com o meu pai foram ruins. Um dia, ele foi fazer a guarda do Obelisco do Ibirapuera e me levou. Eu adorava ir lá. Aquele lugar é um mausoléu, cheio de ossos dos heróis da Revolução Constitucionalista de 1932, e eu achava demais aquilo. Havia outra razão pra eu gostar tanto do monumento: é que lá tinha uma caixa de coleta de doações, e eu descobri um jeito de tirar umas notas da caixa usando um fio de náilon e uma fita durex. Quando não tinha ninguém olhando, eu tirava uma grana e ia pro Ibirapuera comer uns bagulhos que nunca tinha experimentado antes: X-bacon, X-salada, ice cream soda, coxinha, quibe...

Nesse dia eu estava lá soltando um quadrado, quando dois trombadinhas me enquadraram, roubaram o meu quadrado e ainda chutaram a minha bunda. O que eles nunca poderiam imaginar é que eu era filho do guarda que tomava conta do bagulho. Eu saí correndo e avisei ao meu pai. Ele não só pegou os dois moleques e recuperou meu quadrado, como ainda trancou os dois numa salinha sem luz, que tinha uns restos mortais de alguns soldados da Revolução. Eu fiquei do lado de fora, fazendo barulho de fantasma e ouvindo os gritos de desespero dos trombadinhas. Foi demais. Naquela hora não foi tão ruim ser filho do policial reaça...

Educandário São Paulo da Cruz 1970

BEM-VINDO ROCK 'N' ROLL!

Meu complexo de ser gordo começou quando eu estava com uns dez anos. Eu tinha acabado de ir pra escola estadual e fui fazer um exame físico. Na escola de freira, a gente não ficava pelado na frente da turma, mas na escola pública era diferente. Lá era que nem exército: todo mundo sem roupa e em fila indiana. O bagulho era muito constrangedor. Entrei numa sala gigante com um monte de moleques de doze, treze, quinze anos, todo mundo pelado. Eu já era gordinho e comecei a ser zoado na hora. Pra piorar, nunca fui muito bem-dotado, e tinha um cara mais velho lá na sala que passou a me sacanear. Em todo recreio, ele virava pra todo mundo e dizia: "Tá vendo esse gordinho? Ele tem o pinto desse tamanhinho!". Que filho da puta! Tá certo que eu não sou nenhum Long Dong Silver, mas o cara começou a pegar pesado e a me perseguir na escola. Um dia, xinguei o cara e ele disse que ia me esperar na saída. Ele era bem mais velho que eu, tinha a maior cara de maloqueiro. Me esperou na esquina de casa e me encheu de tapa na cara. O pior é que eu não podia chegar chorando em casa porque senão tomava outro cacete, só que do meu pai. Que terror!

Nessa época, meus pais começaram a se preocupar com a minha gordura. Eu tinha pré-diabetes e tive que fazer exame de curva glicêmica. Foi horrível. Mas o pior mesmo era o bullying na escola. Só tinha marginal, e os caras não tinham dó. Apanhar na rua virou uma constante pra mim. Eu sempre fui meio bunda-mole, me cagava de medo.

1972

com 7 anos

Tambaú, 1972

com dois anos

Bisavó Sebastiana
e vó Ana, mãe,
pai e eu, 1966.

Eu era um grandão bobo. Meu sonho era entrar no judô pra aprender a me defender, mas a gente não tinha dinheiro pras aulas.

Minha reação foi virar CDF. Eu era um aluno médio, mas comecei a ler sobre muita coisa diferente. Comecei a me esconder nos livros. Eu era um moleque curioso, gostava de ler enciclopédias, adorava saber sobre história, geologia e zoologia, e passava os dias devorando as enciclopédias *Os Bichos*, *Conhecer* e *A Grande Aventura do Homem*. Eu decorava tudo aquilo. Quando não estava lendo, estava assistindo *Ultraseven*, *Pernalonga*, *Super Dínamo*, *Guzula* e *Fantomas*. Eu nunca gostei de esportes. Eu era gordinho e não jogava bola muito bem. Aliás, eu era péssimo em todo esporte que tinha bola e rede. O que eu gostava mesmo era de jogar xadrez. Li uns livros do Mequinho, que foi o maior jogador de xadrez do Brasil nos anos 1970. Em 1977, ele foi o terceiro do mundo, atrás de dois russos, Karpov e Korchnoi. Eu era fanático pelo Mequinho, lia tudo dele e estudava os jogos. Muitos anos depois, eu tava viajando com o Ratos de Porão e vi o Mequinho no aeroporto, entrando num avião. Cheguei perto dele, me apresentei e disse que era fã dele. "Seu Mequinho, posso apertar sua mão?" Ele tinha virado religioso, tava vestido de frade, mas eu reconheci o cara. Quase chorei de emoção.

O xadrez era uma válvula de escape pra mim. Quando minha mãe tinha o salão de cabeleireiro no Clube de Regatas Tietê, eu ficava andando por lá, fingindo que era sócio, só pra ficar na sala de xadrez jogando com os coroas. Eu era um jogador mediano e cheguei a ganhar um torneio na escola. Até hoje gosto muito de xadrez e coleciono tabuleiros e peças. Tenho tabuleiros de romanos contra bárbaros, tabuleiro do *Senhor dos Anéis*, dos *Simpsons*, de incas contra espanhóis, franceses contra ingleses...

Outra coisa que eu adorava fazer pra passar o tempo era ler o *Notícias Populares*. Fiquei louco quando o NP começou a série do Bebê-Diabo. Eu ia à banca e ficava babando com aquelas manchetes. Era uma época de muita superstição e a molecada acreditava em qualquer coisa. Lembro quando começou a história da Loira do Banheiro, uma mulher gostosona que atacava as crianças no banheiro. Ninguém ia mijar sozinho, todo mundo morria de medo.

Na 5ª série, bombei em matemática e fui reprovado. Eu tinha onze anos e já estava mais saidinho na escola, deixei de ser só o gordinho bobão. Aquele cu de burro que ficava enchendo meu saco sumiu do colégio, e eu fiquei mais à vontade pra começar a zoar os outros. Meu pai não aceitou a reprovação e ficou puto comigo: "Ah, é, vagabundo?

Agora você vai ver o que é bom pra tosse!", e me colocou no Instituto Dom Bosco, uma puta escola difícil, um colégio de padre semi-interno e sem mulher. Começava às sete da manhã e ia até as cinco da tarde. A gente tinha aula das sete ao meio-dia, depois almoço, e de tarde tinha cursos profissionalizantes. Os alunos podiam escolher entre mecânica, eletrotécnica e marcenaria. Marcenaria eu não gostava, imagina ficar pegando em pau o dia todo? Também não gostava de mexer com eletricidade, então decidi fazer mecânica.

O Dom Bosco era muito puxado, parecia um quartel. O uniforme era calça cinza, blusão vermelho e uma faixa azul no braço com um escudo escrito "Dom Bosco — Bom Retiro" e uma mão segurando uma tocha. Nessa época, o conselheiro era o padre Rosalvino Morán Villaño. Eu amo esse padre até hoje, nos falamos por telefone sempre, somos amigões. Ele dava aula de geografia e história e foi o melhor professor que eu já tive. Era brabo pra cacete. Naquela época, quando os filhos mais rebeldes entravam no Dom Bosco, os pais liberavam pros padres sentarem a mão nos moleques, e eles batiam mesmo. Vi garoto tomar surra de cinto. Eu mesmo cansei de levar tapa na cara. O padre Rosalvino dava tabefe na cara e puxão de orelha. Doía pra caralho.

As salas tinham janelas pro corredor, e o padre Rosalvino ficava andando de um lado pro outro, tipo polícia. "Ô, Seu Benedan, o que o senhor acha que está fazendo? Encosta no meu escritório!" O esquema era militar. Se chegasse atrasado, não entrava na aula. Cansei de ficar de castigo durante o recreio. Uma vez, uns filhos da puta colocaram tachinhas na minha cadeira. Eu sentei e furei a bunda toda. Dois foram expulsos na hora. O padre Rosalvino mandava os moleques copiarem mil linhas do livro *Proezas do Menino Jesus*. Ele pegou um aluno desenhando bolinhas azuis num caderno e, só de sacanagem, mandou o coitado fazer mil bolinhas iguais — e numeradas! Na aula de mecânica, eu fiz um dispositivo com três hastes, cada uma com uma caneta Bic. Quando o padre Rosalvino mandava escrever mil vezes alguma frase, tipo "Não devo ser leviano em sala de aula", eu usava aquele treco pra poupar trabalho. Anos depois, participei de um programa tipo *Essa é a Sua Vida*, com o Silvio Santos, e eles trouxeram o padre Rosalvino. Chorei.

No Dom Bosco tinha um seminarista, um nazi filho da puta que vou chamar de Escobar. Ele dava aula de religião e usava óculos fundo de garrafa, parecia da TFP [sigla para a Sociedade Brasileira de Defesa da Tradição, Família e Propriedade]. Uma vez, eu tava no vestiário e passou um cara da 8ª série, um grego chamado Araramis, que a gente chamava de Arara. O puto do Arara passou a mão na minha bunda. Eu mandei ele tomar no cu, mas não vi que o Escobar tava atrás de mim. Ele começou a me socar na cara, me deu uma surra pelas costas e me deixou ajoelhado num canto. Apanhei pra caralho. Quando cheguei em casa, contei pra minha mãe, mas a única reação dela foi dizer: "Com certeza você mereceu!".

Um tempão depois, lá por 1983, eu já era punk, andava todo cheio de arrebite, de coturno, todo podrão, tava na Galeria do Rock com um monte de outros punks, e quem vejo encostado no balcão de um boteco? O Escobar! Reconheci na hora. Juntei uma turma: "Tão vendo aquele filho da puta? Ele me bateu na escola". Cercamos o cara, que não entendeu nada. "Você não é o Escobar? Tá lembrado de mim, mano? Eu sou o Benedan, aquele gordinho que você bateu no vestiário, tá lembrado?" O cara só faltou mijar nas calças de medo. A gente começou a empurrar o cara, dar umas paulistinhas [joelhadas na coxa] na perna dele, ameaçar: "Você vai morrer agora, filho da puta!". Ele saiu correndo e nunca mais apareceu por lá.

No Dom Bosco eu comecei a tomar contato mais firme com a coisa que ia mudar a minha vida: o rock. O colégio tinha uma molecada mais inteirada, alguns alunos cheios da grana que tinham dinheiro pra comprar disco. Em 1976, eu tinha doze anos e me lembro dos alunos andando pra cima e pra baixo com discos do Kiss, do Led Zeppelin e o *A Day at the Races*, do Queen. Foi nessa época que comprei meu primeiro disco, uma coletânea do Elton John lançada pela gravadora K-Tel.

Meus tios ouviam rock. Às vezes, eu ia na casa deles, escondido do meu pai, só pra ouvir um som. Eles tinham o *Sticky Fingers*, dos Stones, muita coisa de Beatles, Creedence, o *Volume 4* do Black Sabbath. Eu gostava mais das músicas pesadonas do Sabbath, tipo "Supernaut" e "Tomorrow's Dreams", e achava um saco as lentinhas, tipo "Changes", que minha tia amava. Eu achava aquele pianinho um porre. Um dia ouvi "Somebody to Love", do Queen, e achei a música mais linda e foda do mundo. Fiquei alucinado.

Nessa época, fiz dois amigos que me ajudaram a descobrir muita música boa: Armando Balaminutti e Marco Antonio Mitidieri. O Armando me apresentou o *Destroyer*, do Kiss, o *Led Zeppelin 4* e os primeiros do Sabbath. Ele também mostrou Janis Joplin e Yes, mas achei duas merdas. O Mitidieri tava um ano na minha frente, na 7ª série, e tinha uma coleção grande de discos, com Sweet, Nazareth, Rush, o *Lights Out*, do UFO, todas essas coisas do "rock pauleira" da época. Foi ele também que me levou, pela primeira vez, a um lugar que virou uma meca pra mim: a Wop Bop Discos, na Galeria do Rock. Nessa época, eu tinha aula no

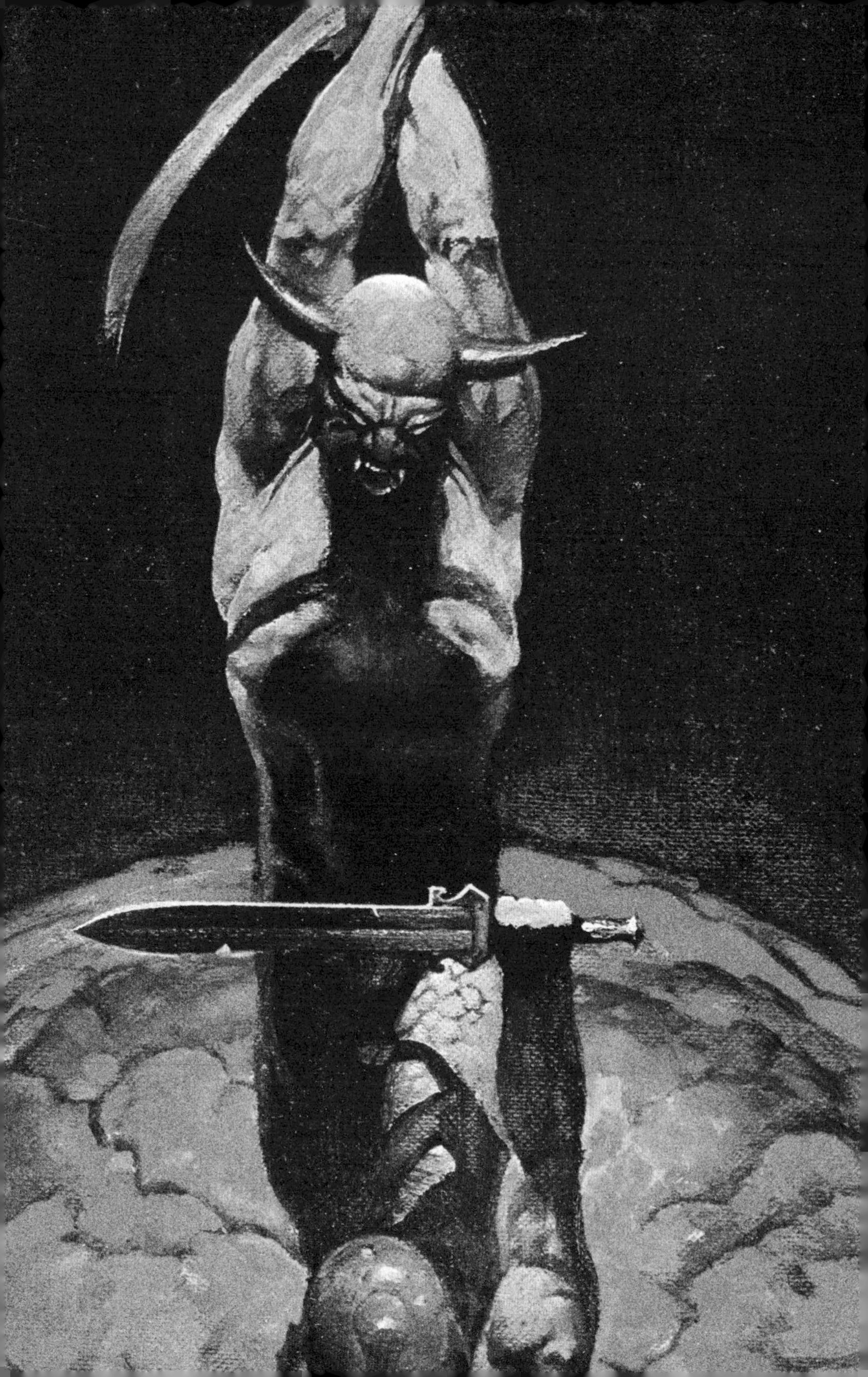

sábado de meio período no Dom Bosco, e não via a hora de chegar em casa pra assistir *Rock Concert*, um programa que passava na Globo todo sábado às duas da tarde. Lá, eu vi Kiss, UFO e Kansas. Também passou Ramones e Boomtown Rats, mas esses eu perdi. Ainda não conhecia o punk. Era incrível como o rock fazia parte do nosso cotidiano nos anos 1970, antes da discoteca foder com tudo.

Minha vida mudou de verdade quando ouvi o LP *A Revista Pop Apresenta o Punk Rock*, com Sex Pistols, Ramones, The Jam, Ultravox, London, Stinky Toys e outros. Foi a primeira vez que ouvi Ramones. Fiquei alucinado com aquilo. Não tinha solo, a guitarra parecia uma serra elétrica, era muito moderno o bagulho. As coisas mais loucas eu conheci pelos meios mais caretas: o Sex Pistols eu vi pela primeira vez na *Veja*, numa matéria do Okky de Souza. Lembro que li a revista no consultório de um dentista. Tinha uma foto de um monte de punks andando em Londres, todo mundo com aquele visual do Sid Vicious. Eu arranquei as páginas da matéria e levei pra casa. Depois, vi no *Fantástico* uma reportagem sobre o movimento punk. Eu não sabia nada sobre aquilo, não entendia nada, mas fiquei curioso. Pouco depois, fiz meu primeiro desenho punk: um cara de cabelo azul espetado e terninho quebrando um skate. Pra mim, aquilo era punk.

Num sábado fui à casa do Mitidieri, lá no Bom Retiro, ouvir um som. Ele me mostrou o *Love Gun*, do Kiss, e eu fiquei louco. Ele gravou uma fita pra mim, e eu ouvia baixinho em casa, porque a minha mãe achava aquilo a maior gritaria e o meu pai me enchia de porrada. O rock começou a me atrapalhar na escola e na vida. Eu continuava a roubar dinheiro da bolsa da minha mãe, só que agora pra comprar discos. A coitada não tinha controle nenhum da grana que recebia no salão e voltava com a bolsa cheia de notas. Eu metia a mão lá e depois fazia a festa na Wop Bop.

Logo montei uma pequena coleção. Eu tinha Kiss, AC/DC, Rush, Sabbath, Led Zeppelin, Sweet, e passava o dia todo ouvindo disco numa vitrolinha horrível. Depois que os Ramones apareceram na minha vida, é que despiroquei de vez: comecei a colecionar recortes de revista, qualquer coisa que saía na revista *Pop*. Eu pirava não só no som, mas nas capas dos discos. Vi a capa do *If You Want Blood*, do AC/DC, e pirei naquela guitarra matando o Angus. O que era aquele cara de bermuda? Outra capa que me marcou foi *High and Mighty*, do Uriah Heep, que tinha uma pistola voadora, e o *Expect No Mercy*, do Nazareth, com aqueles diabões com as espadas. Mas enlouqueci mesmo quando vi uma reportagem do Devo na revista *Pop*. Eu não sabia nem falar o nome dos caras, dizia "Dêvo". Comprei o primeiro disco, *Q: Are We Not Men? A: We are Devo*, e fiquei louco com aquele punk eletrônico deles. Fiz uma camiseta escrito "Devo" e uns malucos na escola me zoavam: "Ô, gordinho, tá devendo o quê?".

Comecei a ir pra escola todo zoado, com camisa rasgada, presa por alfinete. O padre perguntava: "O que é isso, Benedan, virou mendigo?". O pessoal da classe tirava uma da minha cara, me chamava de palhaço, mas eu não queria nem saber. Eu usava um blusão velho, todo riscado com nome de banda e cheio de alfinetes, e andava pela escola orgulhoso, me achando o fodão do pedaço. O rock me deu uma identidade. De repente, eu não era mais o gordinho bobão, era um *roqueiro*, e comecei a fazer bullying com todo mundo também. Virei um filho da puta. Tinha um moleque grego chamado Demetrius, coitado, com uma cabeça chata cheia de caspa e que usava a calça acima do umbigo. Ele parecia uma barrica. Eu dava tapa na cabeça dele, mandava buscar coisas pra mim, virei um demônio. Tinha o Oribe, um japonês meio retardado que eu só faltava matar. Mas meu alvo principal era o Gamba, um cara mais velho que estudava na oficina de ajustagem. Fizemos um complô contra ele e inventamos mil histórias mirabolantes pra foder com o cara. Por causa da zoeira sem noção, tomei uma semana de suspensão da mecânica. Pra mostrar que eu era mau, andava o tempo todo com disco de rock debaixo do braço. Eu ia pra padaria comprar pão carregando um disco do Kiss. Os vizinhos achavam que eu era maluco.

Um dia, fui buscar minha irmã na escolinha. Eu tava com uma camiseta laranja do AC/DC feita à mão, com um raio tosco, quando um tipo muito estranho se aproximou de mim: era um japonês de cabelo espetado e uns óculos tipo Pantaleão, e tinha no rosto uma suástica feita de chiclete. Era o Paulo Japonês, da Vila Constança. Foi o primeiro punk que conheci.

Depois, o Metidieri me apresentou pros primos dele, Orlando e Zé D'Angelo, que moravam em cima de uma gráfica no Bom Retiro e tinham vários discos dos Ramones. Ouvi os três primeiros — *Ramones*, *Leave Home* e *Rocket to Russia* — e esses discos mudaram a minha vida. O Orlando e o Zé eram loucos por música, trabalhavam pra comprar disco importado. Eles gostavam de metal e hard rock — Judas Priest, Van Halen, Scorpions, Triumph, The Godz, essas coisas. Por um tempo, foram os meus grandes gurus. Comecei a entortar de vez aí.

Conheci, na Vila Gustavo, um cara chamado Jordão, que morava numa ladeira perto da minha casa e dava som de baile. O Jordão tinha um puta equipamento de som, um toca-fitas Akai de rolo, um ampli-

1982

Significado de
R.D.P.H.C.S.P.G.J.J.E.B.M.S.V.:
Ratos de Porão Hard Core
São Paulo Gordo Jão Jabá
Espaguetti bando de
Maconheiro sem-Vergonha

DEVO
EU ♥ MEUS DISCOS
www.idealrecords.com.br
LOOKING FOR AN ANSWER
AGROTÓXICO
Cocô de Rosemary
SKA-SKA-SKA-SKA-SKA
Onisciente Coletivo
Ratos de Porão
RATOS DE PORÃO
EU ♥ DISTORÇÃO
OBSCENE
15
Lembrança do
Reino da Sarneylândia

ficador Marantz e umas caixas gigantes. Aos sábados, ele colocava as caixas na calçada e ouvia tudo no talo. Dava pra ouvir no bairro todo. Lembro que ele colocou "Honey Hush" ao vivo, do Foghat, tão alto que parecia que uma bomba atômica tava detonando a Vila Gustavo. Fiquei louco: "Meu Deus, o que é isso? Jordão, posso subir aí?".

O primeiro trampo que fiz pra ganhar dinheiro foi com ele. Um amigo meu tinha uma irmã de quinze anos e ela ia fazer uma festinha de aniversário. Convenci meu amigo a contratar o Jordão pra dar o som. Eu descarreguei tudo e ajudei a montar o equipamento. No final da noite, o Jordão falou que não tinha grana pra me pagar, mas me deu o *Rocks*, do Aerosmith. Foi a primeira vez que eu recebi por um trabalho. Eu tinha catorze anos.

Todo sábado, religiosamente, eu ia na Wop Bop. Nessa época, a Galeria do Rock não tinha nada, só umas quatro ou cinco lojas de discos. Não tinha nem a Baratos & Afins ainda. Só tinha a Grilo Falante, onde trabalhava o Akira S. (que depois se tornaria músico) e a loja do Marcião, a Music House. Eu pirava nos importados que chegavam na Wop Bop. Lembro até hoje quando vi o *High Voltage*, do AC/DC, e aquele primeiro do Damned, com os caras cobertos de sorvete. "Eu quero isso! Preciso desse disco!" Tudo me fascinava. Na Wop Bop trabalhavam três caras que foram marcantes pra mim: o René Ferri, que era especialista em música dos anos 1950 e 1960, o Toninho e o Walson, que era baixista do AI-5 e um dos primeiros punks de verdade que conheci. Ele tinha cabelo espetado e o apelido dele era Sid, porque andava com uma roupa igual à do Sid Vicious, vivia cuspindo e palitando a unha com um canivete. Eu tinha medo do Walson. Quem também vivia na loja era o Kid Vinil. O Kid já era antenado, ia pra Londres, trazia disco e tinha um programa na rádio Excelsior. A gente era tão tosco que, pra gravar o programa, botava um gravadorzinho de mão na frente do rádio e mandava a minha mãe calar a boca, ou a gravação saía com a voz dela. Que tosqueira...

Em 1979, abriu a Punk Rock Discos na Galeria do Rock. Fui um dos primeiros clientes da loja. Na vitrine tinha uma pele de bode, dois chocalhos e uma corrente. Eu entrei e, no balcão, tava o Fabião, que depois tocaria no Olho Seco. Eu perguntei o que ele tinha de punk e ele sacou o *Queens of Noise*, da Runaways, mas eu tava com o *It's Alive*, o duplo ao vivo dos Ramones, novinho debaixo do braço, e o cara ficou impressionado. Como o pessoal não tinha grana pra comprar os discos importados, o Fabião começou a gravar fitas cassete e vender na loja. Comprei um monte. Virei cliente assíduo da Punk Rock. No intervalo do almoço no Dom Bosco, eu ia a pé da escola até lá, quase todo dia.

Eu não tinha vida social nessa época. Passava os dias ouvindo discos na garagem de casa. Na minha rua tinha uma gostosa chamada Eliane, irmã mais velha de um amigo. A molecada toda da Vila Gustavo batia punheta pra ela. Claro que ela nunca olhou pra mim, o gordinho esquisitão do bairro, mas um dia fui chamar meu amigo e ela apareceu na janela. Eu tava com o *Led Zeppelin 4* debaixo do braço, e ela perguntou: "Ah, você gosta de Led Zeppelin?". Foi a primeira vez que ela me dirigiu a palavra. Fiquei tão nervoso que me deu um ataque de gagueira, não consegui nem falar com a mina. Ela me perguntou se eu poderia gravar o disco pra ela. "Cla...cla...claaaaro que gravo pra... pra... pra você!" Fui correndo pra casa, liguei o gravadorzinho de mão e gravei o disco todo. O esquema era tão tosco que, no intervalo das faixas, eu gravava a minha voz anunciando o nome das músicas: "Led Zeppelin... Black Dog... Led Zeppelin... Stairway to Heaven". Depois disso, a Eliane passou até a me cumprimentar na rua! Puta que pariu, eu existo! Naquela época nossa única companhia era a punheta. Eu nem sonhava em ter namorada. A gente era muito imbecil, não sabia nada de mulher. Pra ver um nu frontal eu tive que esperar até 1982, na *Playboy*, e mesmo assim precisava de uma lente de aumento, porque não aparecia quase nada.

Um dia, fui à casa do Paulo Japonês, na Vila Constança, e conheci um punk chamado Marcola, que me apresentou Generation X, Members, Rezillos, 999, Dead Boys e Sham 69. Foi aí que o bagulho entortou de vez. Comecei a frequentar a matinê punk do Construção, um clube de que tocava discos na Vila Mazzei. Todo domingo de tarde, o DJ Agnaldo botava Stooges, Nazareth, Sweet, Sex Pistols, e a galerinha punk ficava agitando na pista, dando jaquetada. A pista só tinha um *strobo* piscando. Foi ali que conheci o Clemente, dos Inocentes, e o Mauricinho Shit, uns punks de verdade. Eu dizia pro meu pai que ia estudar na casa de um amigo e saía de casa com o visual punk todo dentro de uma sacola. Depois, ia pra casa de alguém e me vestia: botava uma camiseta dos Ramones pintada à mão, pendurava uma pá de merda na roupa — pedaço de boneca, chupeta, lata de sardinha, tampa de garrafa — um visual todo amerdalhado feito de cartolina e canetinha Sylvapen. Eu tinha uma luva branca com suástica costurada e usava no pescoço a coleira do meu vira-lata, o Tico. Eu era protegido do Indião, vocalista do Condutores de Cadáver. Ele tinha uma loja de discos na avenida Nova Cantareira e eu não saía de lá.

GENERATION X
999 DEAD BOYS
SHAM 69
STOOGES
SWEET
SEX
PISTOLS
RAMONES

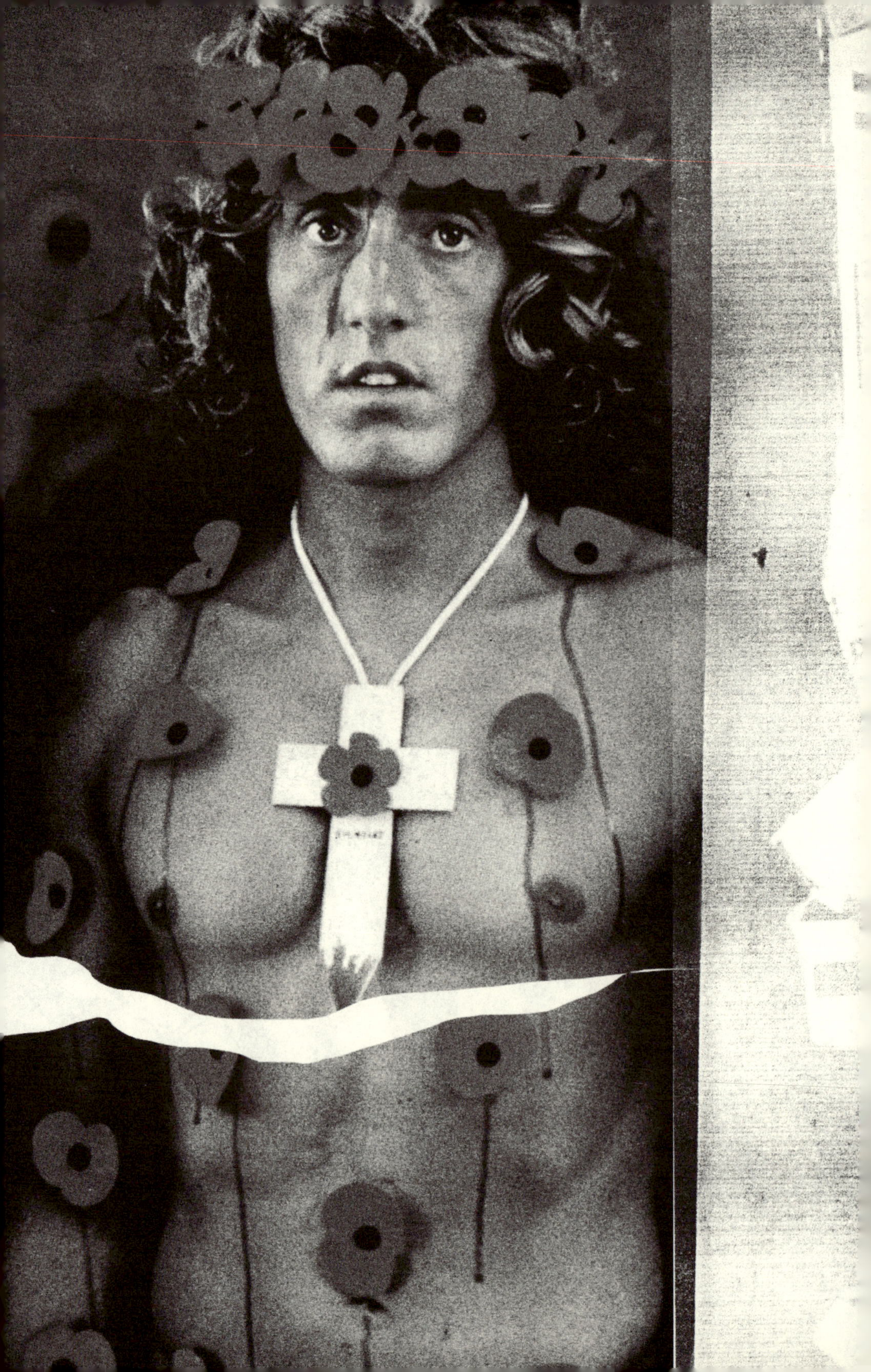

CLEMENTE (INOCENTES): Quem me apresentou o Gordo foi o Maurício, vocalista do Inocentes. A primeira vez que vi o João ele tava usando um capacete de criança e tinha pintado os dentes com anilina pra parecer podre. Acho que ele queria ser o Johnny Rotten. Pensei: "Eu não quero ser amigo desse gordo!".

Foi no Construção que bebi pela primeira vez. Eu tomava bombeirinho, que é cachaça com groselha, depois emendava um caldo de mocotó pra não ficar com bafo de cana. Foi ali que ouvi pela primeira vez a palavra "baseado": "Aí, gordinho, tem um baseado?". Fiquei desesperado. A gente lia que os punks cheiravam cola, então começamos a cheirar cola de sapateiro, tomar cerveja com sucrilhos, leite com limão, a botar alfinete na boca, essas merdas todas. A cola foi a primeira droga que experimentei. Quer dizer, a primeira droga que eu tomei conscientemente, porque eu já tomava uns remédios pra emagrecer, tipo Hipofagin. Engolia dois ou três e ficava louco, falando pra caralho. Mas a cola era mais forte. A primeira vez que cheirei, quase caí duro.

Com tudo isso, o meu relacionamento com o meu pai foi piorando cada vez mais. Ele ficou internado vários meses por causa dos problemas psiquiátricos e perdeu completamente a paciência comigo. Uma vez, fui na Wop Bop e o René Ferri me vendeu um pôster gigante do AC/DC, a capa do *If You Want Blood*. Era um pôster lindo e já emoldurado. Quando cheguei em casa, todo pimpão, meu pai surtou: "O quê? Tá achando que vai entrar aqui com essa merda?". Ele pegou um martelo e *moeu* o pôster. Não sobrou nada. Ele não suportava que eu chegasse em casa com uma revista *Mad* ou com um rabisco no braço, me enchia de porrada.

Mas teve um dia que a coisa passou do limite, e eu fui salvo por uma intervenção do Além. Não lembro que merda eu tinha feito, só que meu pai estava especialmente puto. Ele me colocou ajoelhado no chão da sala, foi no meu quarto e pegou minha coleção de recortes de revista. A primeira coisa que ele abriu foi um pôster da revista *Pop* com o Roger Daltrey, do The Who, em que ele tava de Jesus, todo cheio de espinhos, com sangue escorrendo do corpo todo: "Que merda é essa? Blasfêmia! Na minha casa, não!". E rasgou o pôster. Depois pegou um pôster do Led Zeppelin e rasgou também. Começou

Seu Milton e o seu
intocável Fuscão
amarelo ocre, 1973

a me bater e a rasgar toda a minha coleção de fotos: "Filho da puta! Não quero mais ver essas merdas na minha casa!". Eu implorava pra ele parar, mas ele foi ficando cada vez mais nervoso e começou a me estrangular. Eu tava chorando, com os olhos saltados, perdendo o ar, e ele apertando o meu pescoço. Achei que ele ia me matar. Eu tava quase desmaiando, sem ar, quando, de repente, ele parou. Vi o corpo dele sacudindo, como se fosse um boneco, um fantoche. Ele começou a falar sozinho. Tava com uma voz de índio, falando uns grunhidos estranhos numa língua que eu não entendia. Tinha baixado um santo nele, o espírito de um cacique chamado Suri, que era o guia dele. Foi só ali que descobri que meu pai era macumbeiro. Ele foi pro canto e continuou a grunhir e expulsar maus espíritos do lugar. Minha mãe chegou: "Filho, não se preocupe, fica calmo, teu pai tá bem, é o guia dele, é o guia dele", mas eu só conseguia chorar e gritar: "Calma o caralho! O que tá acontecendo com ele?". Eu não tava entendendo nada. Quando a situação se acalmou, minha mãe contou que meu pai era médium e que ele tinha vergonha disso.

> DONA LAURA: O Milton era espírita e frequentava terreiros de umbanda, mas me proibia de falar sobre isso com as crianças. A mãe dele era muito católica, e ele tinha vergonha que soubessem que ele frequentava umbanda. Mas ele era pai de santo, recebia vários espíritos, incluindo um cacique, um baiano e até umas crianças.

Eu pirei com essa descoberta. Depois entendi por quê, sempre que eu abria uma mala estranha do meu pai, achava uns colares, umas pembas e até cocar de índio, que cheguei a usar em brincadeiras de sioux. Mas eu não entendia pra que servia aquilo.

No final de 1978, repeti a 7ª série. No ano seguinte, fui repetente na 7ª do Dom Bosco e foi aí que peguei fama de maloqueiro mesmo. Meu pai disse: "Não aguento mais. Vamos nos mudar pra Angatuba!".

© ARQUIVO PESSOAL HELENA RUSSANO

O PUNK CAIPIRA

No início de 1980, meu pai decidiu que a gente ia morar em Angatuba. Ele tomou a decisão de repente, e não teve jeito. Alugou uma casinha e fomos pra lá. Angatuba fica a 210 quilômetros de São Paulo.
Hoje, tem pouco mais de 20 mil habitantes, mas, na época, devia ter uns 12 mil. Era uma cidadezinha típica do interior, pequena e tranquila. O povo era muito legal, mas eu tava numa fase bem rebelde e me revoltei. Não queria ir de jeito nenhum. Em Angatuba, virei o demônio, um vândalo. Aprendi um monte de coisa errada comecei a fumar e a beber.

Pensando bem, acho que o meu pai levou a gente pra lá só pra me punir. Eu tinha repetido a 7ª série, andava todo rasgado, só queria saber de fazer merda e ouvir música punk. Meu pai tinha se aposentado da polícia por invalidez, por causa dos problemas psiquiátricos. Ele comprou um pequeno sítio e me tirou do Dom Bosco, forçou a minha mãe a largar o salão no Clube de Regatas Tietê e arrastou a família toda pro interior. Minha irmã tinha oito anos.

Morar no interior foi um choque. Eu tava acostumado com o agito de São Paulo. Passava os dias na Galeria do Rock, tinha um monte de amigos na cena punk, e, de repente, tava no meio dos caipiras, sem conhecer ninguém. Lembro que nos mudamos para a cidade, mas nossa mobília ainda não tinha chegado, então passamos uns dias num hotel que era de uma tal de Maria Cachorro. Meu pai queria cortar as minhas "más influências". Ele deu um fim na minha coleção de discos

motörhead
in Angatuba

e vendeu a maioria na Wop Bop, mas eu consegui salvar alguns e levei na mala os quatro primeiros discos dos Ramones; o primeiro do Undertones; o *The Land of Milk and Honey*, do Adverts, e o *Bomber*, do Motörhead, que eu amava.

Fui estudar na Escola Estadual Ivens Vieira. O diretor era um japonês chamado Seu Henrique. Logo virei o maluco da cidade. "Quem é aquele gordinho folgado que anda todo rasgado?" Na escola, eu parecia um ET. Ninguém gostava de rock. O pessoal só gostava de sertanejo e MPB. A diversão era se reunir na praça pra beber ou tocar violão. O ídolo máximo da galera era o Fagner. Ouvi tanto as músicas dele que sei cantar todas de cor até hoje. "Revelação", "Noturno", pode pedir qualquer uma que eu mando na hora: "Aaaaaah... coração alado... desfolharei meus olhos... nesse escuro véu!". Era infernal.

Outro cantor que o pessoal gostava era o Zé Ramalho e — puta que pariu! — o Oswaldo Montenegro! Conheço essa renca toda: Belchior, Moraes Moreira, Cor do Som... Eu era obrigado a ouvir pra me integrar à cidade. Mas eu também tentava empurrar pros amigos algumas coisas que eu ouvia. Mostrei Ramones, Clash e Motörhead, e algumas pessoas começaram a curtir rock também.

Entrei no colégio na 8ª série, e foi muito diferente do Dom Bosco, porque tinha muita menina bonita, não era só aquela macharada feia do colégio antigo. Mas eu continuava na secura, era virgem, só sabia de punheta e de ler a *Status*. Rolava aquela coisa de ter amigas, de ficar abraçado com as meninas, mas era só amizade. Na hora do "vamos ver", nenhuma queria saber de mim, o gordinho esquisito da cidade. A gente tinha até um apelido pros punheteiros que nem nós: "Aiatolá", de "Aiatolá Comeninguém", uma piada com o Aiatolá Khomeini, do Irã.

Fiz amizade com um sujeito muito legal que é meu amigo até hoje. O nome dele é Sílvio Pedroso, mas só chamam ele de Cirilo. E me aproximei do Cirilo por uma única razão: ele era a cara do Johnny Ramone! Quando vi aquele sujeito de cabelo tigelinha e calça jeans, eu disse que ele ia ser meu amigo. Mostrei a capa do primeiro Ramones, e ele falou: "Porra, mas sou eu mesmo!".

Naquela época, em Angatuba, quem ouvia rock era maconheiro. E a cidade tinha a "Turma da Maconha", que eram uns cabeludos hippies que todo mundo na cidade odiava. Tinha o Pente Fino, o Jacaré, que era um gordão que tinha um Fusca incrementado verde-metálico rebaixado de tala larga, o Fole, o Monstrinho, o Amarelo e o Jajá. Esses caras ouviam rock e eram praticamente uma classe, a "classe dos maconheiros", e tinham até um bordão: "Sóóóóóó..." Como em toda cidade do interior, o pessoal bebia pra caralho. Era normal eu sentar num boteco com os amigos e a gente tomar cinquenta cervejas.

Foi em Angatuba que comecei a curtir carnaval. A cidade tinha dois blocos, o Penoso e o Maracatu. O Cirilo era primo de um pessoal que organizava o bloco do Maracatu, e eles montaram a torcida uniformizada do ADA, Associação Desportiva Angatubense, o time da terceira divisão de lá. Foi na torcida que aprendi a tocar repinique, pandeiro, surdo, todos os instrumentos de percussão. Eu tinha jeito pra coisa. Eu tocava tão bem que logo comecei a ensinar a molecada a tocar samba e virei mestre de bateria. Eu apitava, criava a evolução da bateria do bloco Maracatu, inventava os toques, fazia a chamada de repinique. Se me colocar no meio de uma bateria, eu comando tudo.

As noites na cidade eram um tédio do cacete. Não tinha nada pra fazer. A gente ficava ouvindo o alto-falante de lá anunciando promoções das lojas, do cinema ou algum rodeio. Toda noite eu saía às nove horas e ia pra Lanchonete Real, o ponto de encontro da moçadinha. Eu trombava as meninas, tentava paquerar alguma, mas só levava fora. Todo mundo ficava dando volta na Praça da Matriz de carro ou na garupa das motos. Foi ali que comecei a beber de verdade. Eu tinha dezesseis anos e tomava de tudo: cerveja, pinga e porradinha, que era cachaça com soda. Você bate o copo na mesa, aquela porra faz uma espuma, você toma de uma vez, e o negócio sobe na hora. Cheguei a Angatuba em março de 1980 e, em julho, tomei meu primeiro porre, uma overdose de Steinhäger. Fiquei com uma dor de cabeça que durou uma semana, até o porre seguinte.

Na cidade não tinha show, só baile. Eram festas com umas bandas que tocavam de tudo: MPB, hits de rádio, sertanejo, forró. Era a época do festival MPB-80, e me lembro de ir ao baile e ouvir a banda tocar Amelinha, "Foi Deus que fez você...", tinha aquela "A Massa", do Raimundo Sodré, e — puta que pariu! — "Agonia", do Oswaldo Montenegro. Essa música era tão ruim que o compositor se chamava Mongol! Enquanto o movimento hardcore explodia no mundo inteiro, eu tava em Angatuba ouvindo Oswaldo Montenegro e Mongol.

Eu ficava na secura pra ouvir coisas novas e vivia escrevendo pros amigos em São Paulo, pedindo pra eles mandarem umas fitas. Enquanto eu estava em Angatuba, o movimento punk comia solto em São Paulo. De vez em quando, o Mauricinho ou o Clemente, dos Inocentes, me mandavam alguma coisa. Eu ficava louco quando chegava o pacote no correio. Uma vez, falei pelo telefone com o Nelson, um punk amigo meu. Ele não sabia que eu tava morando em Angatuba.

Chefe de bateria do bloco Maracatu em Angatuba, 1982. Repare na camiseta da minha banda favorita na época, o COCKNEY REJECTS

1982

1982

Mario Vesgana, Cirilo,
Joãozinho 120, Bode
(agachado), **gordo**
do Lazinho e Juca.
Angatuba, 1982

Carnaval
de 1982, em
Angatuba

Ele disse que tinha uma tia que morava na cidade e que viria me visitar. "Porra, Nelson, pelo amor de Deus, traz uns disquinhos!"

Eu gostava muito dos meus amigos de Angatuba, mas pessoalmente não tinha nada a ver com a cidade. De vez em quando, batia uma depressão, e eu tomava um porre daqueles. Certa vez, fomos numa festa onde se apresentava um grupo de *mariachis* liderado por um mexicano chamado Sancho Delgado. Eu tomei tanta tequila que comecei a ter umas visões. Os *mariachis* lá, mandando umas músicas mexicanas, e eu comecei a pogar no meio do salão, como se estivesse num show do Varukers. O Sancho Delgado botava o microfone na minha boca e eu gritava "Iiiiihhhhhhááááááááá!!!!", que nem um caubói retardado. Terminei metendo a bica em todas as mesas, deixei o lugar destruído, e o pessoal da festa queria me encher de porrada. Bebi tanto que caí duro no meio do salão, desmaiado. "Quem é esse gordo débil mental?" "É o gordinho do Milton!" Me levaram pra casa, me botaram na cama, e eu vomitei tudo. Minha mãe chegou e começou a me dar tapa na cara. Acordei de ressaca e apanhando na cara. Não tem nada pior que isso.

Na noite de 8 de dezembro de 1980, eu tava na sala vendo TV, quando a Globo interrompeu a programação para um boletim de emergência: John Lennon tinha sido assassinado em Nova York. Eu gritei "Nãooooooooooo!!!!!", chorei pra cacete, fiquei arrasado. Eu amava os Beatles, e o John era o meu Beatle favorito. Comecei a ouvir de novo os discos, redescobri um monte de músicas que já não escutava há um bom tempo. Peguei minhas fitas velhas do *Help!* e do *Rubber Soul* e passei um tempão ouvindo só Beatles.

A primeira vez que fumei maconha foi em 1981. Foi com o meu amigo Fole, na porta da igreja. A maconha era forte demais, e eu fiquei zoado. Lembro que fui jogar fliperama e tava tão chapado que desmaiei. Depois, fumei com o meu amigo Bizorro, dentro de um Maverick verde-metálico que ele tinha. Ele tava ouvindo um som, "Bette Davis Eyes", da Kim Carnes. Eu olhei pra serra, pras montanhas, pras nuvens, e comecei a ver um cavalo branco alado, voando. "Bizorro, me deixa em casa, pelamor..." Cheguei em casa, minha mãe tava na cozinha tomando café. Eu sentei, passei manteiga num pão, depois derrubei uma xícara toda de café na mesa e nem percebi, de tão zureta que tava. Minha mãe ficou desconfiada e perguntou que olho vermelho era aquele. Eu disse que tinha bebido e entrou um cisco no meu olho... Mó guéla!

Eu e o Bode, os Rebeldes de Angatuba, 1982

Eu e minha eterna amiga Helena Russano. Angatuba, 1982

© ARQUIVO PESSOAL HELENA RUSSANO

Comecei a fumar maconha quase todo dia. Antes de dormir, eu fumava um beque gigante, depois ia voando pra casa bater punheta, deitava na cama, botava o disco ao vivo do Sham 69, fechava os olhos e imaginava os caras tocando ao vivo. Era como se eu estivesse no show.

A molecada de Angatuba tinha conta na lanchonete e depois precisava se virar pra pagar. Como eu não tinha emprego e meus pais nunca me davam grana pra nada, vivia duro e devia uma nota na lanchonete. Mas a minha mãe tinha dinheiro. Ela abriu um salãozinho de cabeleireiro e manicure na cidade, e o negócio começou a ir bem. Um dia, eu tava tão desesperado que fiz uma merda horrível: roubei um anel de ouro dela e fui numa cidade próxima, Itapetininga, e vendi o negócio num ourives. Com o dinheiro comprei uma coletânea da Som Livre chamada *25 Anos de Rock and Roll*, só com clássicos do rock dos anos 1950 — Elvis, Jerry Lee Lewis, Little Richard, Everly Brothers —, que tinha até a Xuxa na capa. Depois, paguei a conta da lanchonete e comi um X-salada. Claro que ela descobriu e veio pra cima de mim: "Seu vagabundo, desgraçado!". Não sei o que me deu, mas empurrei ela, e minha mãe caiu de bunda no chão. Foi a primeira vez que reagi. Fiquei me sentindo mal pra caralho, foi uma cena horrível. Por sorte ela não contou pro meu pai, ou ele teria dado um tiro na minha cara.

Nessa época, as minhas diversões começaram a ficar mais violentas. Eu tava bebendo muito e já era grande e forte. E quando a gente é adolescente, só faz merda, não pensa em nada de bom. Eu me juntava a uns amigos, o Bode, o Juca, o Bruno, o Joel, o Espanha, o Leocádio e o Silvio Araujo e saía pela cidade pra arrumar treta: botava fogo em orelhão, explodia caixa de correio, essas coisas. A gente pegava um moleque qualquer, amarrava ele com Silver Tape, jogava no quintal de uma casa e tocava a campainha. Aí, a dona da casa abria a porta e tinha lá uma múmia de Silver Tape no quintal dela.

O pai do Cirilo era dono da Autoescola Quirino, e a gente ficava ouvindo fitas e cheirando benzina dentro dos carros. Eu vi *Laranja Mecânica* no cinema da cidade, depois saí com uns amigos e demos um apavoro nuns bebuns tradicionais da cidade. Era de praxe bater nos coitados. Quando penso nisso hoje, sinto uma vergonha enorme. Aliás, naquela época, a gente era muito influenciado pelos filmes. Eu me lembro de ver *Warriors — Os Selvagens da Noite* e *Mad Max* e depois sair pela cidade, cheirando benzina e fazendo bosta.

© PRISCILA FARIAS

EXPLOITED

Como em qualquer cidade do interior, a gente tinha o maior ódio dos caras de fora. Se viesse alguém de São Paulo e folgasse com as meninas locais, apanhava feio. Uma vez, uns playboys de fora passaram a mão na bunda de uma amiga nossa. Juntamos uns doze, quinze caras e fomos de caminhão atrás dos sujeitos. Pegamos eles com o carro atolado numa estrada de terra e levamos os caras pro mato. Demos uma surra neles e alguém botou uma espingarda calibre 12 na boca de um deles. "Chupa a 12, filho da puta!" Foi violento demais o bagulho. Eles choravam: "Pelo amor de Deus, não mata a gente!", e a gente só dando tapa na cara e chute na barriga, queimando os caras com cigarro. No dia seguinte, descobrimos que um dos playboys era filho de um juiz de Tietê, uma cidade perto de Piracicaba. Ferrou geral. Vários amigos foram presos e tiveram que se explicar na delegacia. Deu uma merda gigante. Mas era tudo "di menó" e ficou por isso mesmo.

Outra diversão era ir pra casa de alguém jogar truco e fazer arroz com frango, que era um prato nojento, em que a gente picava um frango dentro de uma panela de arroz e cozinhava tudo junto. A gente ficava o dia inteiro enchendo a cara, tocando Fagner no violão e comendo arroz com frango. Mas o barato era roubar o frango de alguma casa, não valia comprar. Uma vez, tava chovendo e eu entrei num galinheiro pra roubar uma galinha. Quando eu tava saindo com a galinha, tomei um tombo num barranco cheio de lama, caí em cima da galinha e matei ela esmagada. No dia do meu aniversário, o presente que me deram foi me amarrar, me deixar pelado e fazer uma fila pra todo mundo cuspir no meu pinto. Eu só gritava: "Eu vou matar vocês, seus filhos das putas!".

Em Angatuba, eu conheci uma menina de São Paulo chamada Helena Russano, que hoje é professora de matemática no colégio Dante Alighieri. Ela tinha duas irmãs. O pai era fazendeiro, dono dos Queijos Russano. A Helena era roqueira, tinha um cabelão, usava óculos redondo e curtia Led Zeppelin, Deep Purple e Kansas. Ela me deu de presente de aniversário um ingresso pra ver o meu primeiro show internacional: o Queen, no Morumbi. E lá fui eu com ela pra São Paulo.

Lembro que ela me convidou pra almoçar na casa da família. Foi a primeira vez que vi uma família reunida na mesa, conversando e se tratando bem. O pai perguntava pra uma das meninas: "Filha, como foi seu dia hoje?", e a menina falava da aula de inglês, contava o que tinha feito, essas coisas. Parecia uma novela da Globo. Eu nunca tinha visto nada assim. Lá em casa não tinha essas coisas. Fiquei superamigo da família.

1982

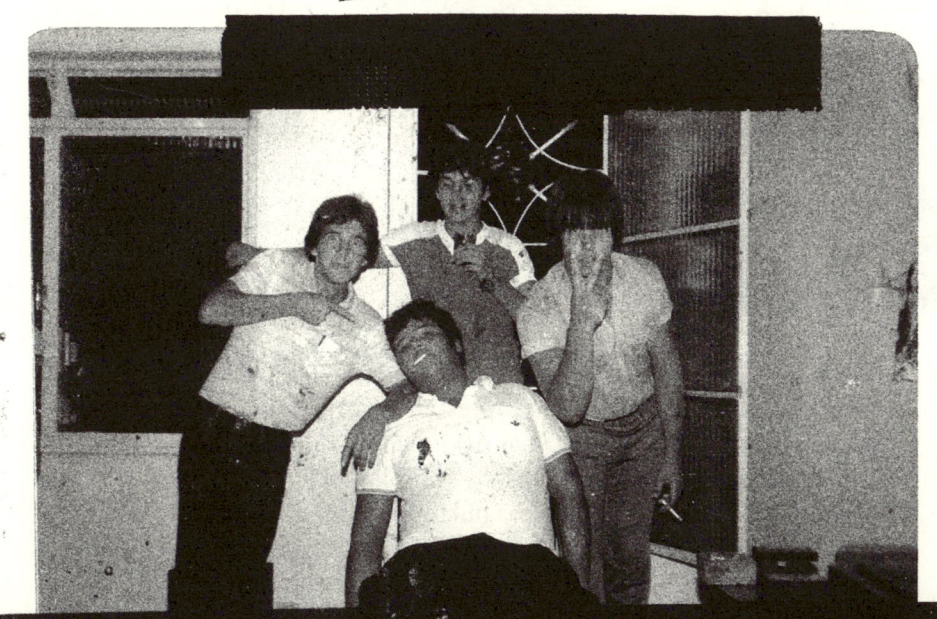

Marquinho, Maurício, Cirilo e Eu,
os Rebeldes de Angatuba, 1982

Casa da Helena em
Angatuba, 1982

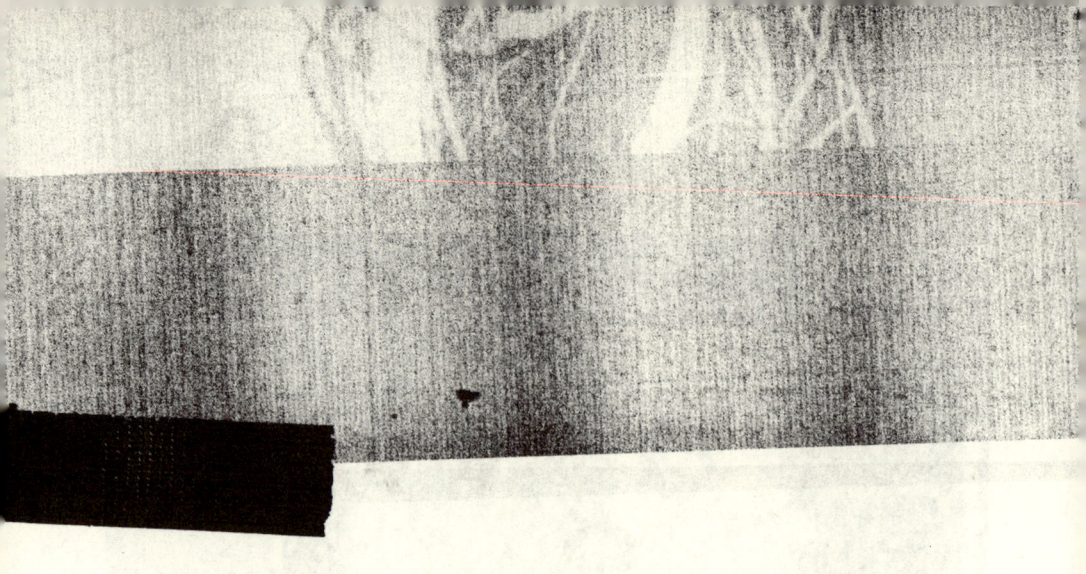

Vimos o show do Queen da arquibancada, longe pra caralho. Lembro que até pedi um binóculo emprestado pra poder ver o Brian May mais de perto. Adorei o show, mas dei uma brochada quando eles tocaram o meio da "Bohemian Rhapsody" no playback. Na saída tinha um mar de gente, um monte de noiaba pulando em cima de ônibus, e eu andando de mão dada com a roqueira gatinha. Os caras gritavam dos ônibus: "Aí, gordinho! Se deu bem!". Uma hora, um carro acelerou e quase passou por cima do meu pé. Eu xinguei o motorista — "Filho da puta!" — e quando olho pro carro, sabe quem tava dentro? A Regina Duarte!

Eu fui pro show do Queen de mão dada com a Helena, mas a verdade é que eu era o maior Aiatolá, não comia ninguém. Eu tinha dezessete anos e ainda era virgem. As meninas da escola só queriam saber dos bonitões, imagina se iam dar pra um gordinho feio que nem eu? A gente tinha uma empregada chamada Rosely, que era bem ajeitadinha. Eu diria que era até gostosa, e eu era meio que apaixonado por ela, mas não tinha coragem de tentar nada. Um dia, consegui agarrar a Rosely, dei uns malhos e chupei os peitos dela, isso me rendeu quilômetros de punheta. Mas eu continuava sem comer ninguém.

Naquela época, uma parte da molecada da cidade perdia a virgindade com uma mulher chamada Maria Reboque, uma tia feiona com uns peitos caídos até o umbigo. Uma noite, uns amigos decidiram que eu ia perder o cabaço com ela. "Vai, 120, come a véia!" — "120" era o meu apelido, porque eu pesava 120 quilos. Eu falei: "Nem fodendo!". A Maria Reboque tentando me agarrar, e eu bêbado e completamente apavorado, enquanto aqueles filhos da puta ficavam gritando e me zoando. A véia me lascou um beijo na boca. Fiquei com nojo, e a caipirada gritando e rindo: "Vai, 120, porra!". Foi traumatizante.

Semanas depois. eu tô ajudando uns amigos a montar o som de um baile, e quem me aparece? O Nelson, meu amigo punk de São Paulo. Foi uma festa: ele trouxe uma camiseta do Clash, um monte de revistas e uma pá de discos: o *Hanx!*, do Stiff Little Fingers; o *Crash Course*, do UK Subs; o Undertones novo — puta que pariu, que alegria! O Nelson disse que tava na casa da tia, e eu fui lá com ele. Chegamos na casa e ele tocou a campainha: "Tia, vem cá, deixa eu te apresentar meu amigo, o João!". Daí a mulher saiu da casa, e eu tomei um choque tão grande que fiquei até gago na hora: era a Maria Reboque! Que coincidência do caralho! Fiquei muito sem graça e jamais contei pro Nelson que a tia dele era a puta da cidade. Bom, agora ele vai saber, não é mesmo?

Mesmo com todos os problemas, o tempo que passei em Angatuba foi um dos melhores da minha vida. Eu adorava o povo de lá e fiz muitos amigos. Mas a verdade é que eu não tava legal. Em 1981 bombei o primeiro colegial. Eu só queria saber de bagunça, de zoeira, vivia matando aula. Um dia, tava matando aula no pátio da escola, brincando de jogar no muro uma bolinha canguru, aquela bolinha pula-pula da Estrela. Eu tava ao lado da cozinha e arremessei a bolinha com tanta força que ela bateu numa parede, quicou pra dentro da cozinha e caiu numa panela de sopa que a cozinheira Zoraide tava preparando pro primário. A mulher levou a concha de sopa com a bolinha pro Seu Henrique, diretor da escola. Ele já tava de saco cheio de mim e ameaçou chamar o meu pai. Ele pegou o telefone e eu arranquei o negócio da mão dele. Ficou um puta clima tenso, eu a ponto de explodir. Meu pai foi na escola e o Seu Henrique perguntou se eu tinha problema mental. Meu pai gritava: "Teu fim vai ser no hospício, na sarjeta ou na cadeia!". No Natal de 1982, eu fui passar o fim de ano em São Paulo e nunca mais voltei a Angatuba.

Mingau, Jaba e eu, 1983.

© PRISCILA FARIAS

COMO ME TORNEI UM RATO DE PORÃO

No Natal de 1982, saí de casa. Fui embora de Angatuba. Na verdade, meu pai me expulsou. A situação em casa tava horrível, eu brigava muito com ele e só queria saber de beber e fumar maconha. Eu tava desandado. Pra piorar, sumiu uma grana da minha mãe, e todo mundo me acusou de ter pego. Já tinha roubado bastante dinheiro dela, mas, daquela vez, eu era inocente. Claro que ninguém acreditou em mim. Minha mãe me enchia o saco: "Devolve o dinheiro, desgraçado!". Isso durou semanas, foi uma desconfiança da porra. Um dia, minha mãe foi mexer numa roupa e o rolo de dinheiro caiu de dentro de uma calça dela. Fiquei puto: "Tá vendo? Falei que não tinha sido eu!".

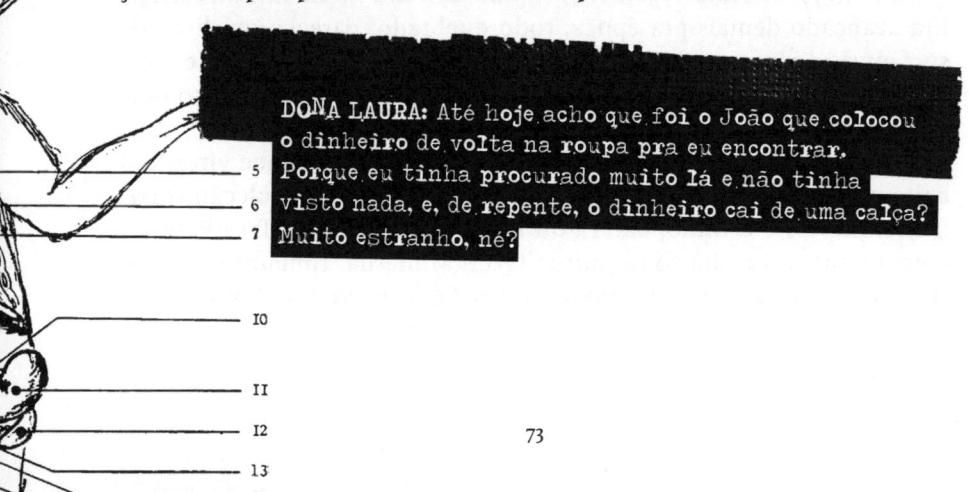

> **DONA LAURA:** Até hoje acho que foi o João que colocou o dinheiro de volta na roupa pra eu encontrar. Porque eu tinha procurado muito lá e não tinha visto nada, e, de repente, o dinheiro cai de uma calça? Muito estranho, né?

Voltei pra casa da minha avó, Ana Maria de Jesus Benedan, em São Paulo. Ela também me enchia o saco pra tomar jeito, me chamava de vagabundo e me mandava arrumar um emprego. Eu tinha um primo, o Celso, que era da Aeronáutica, e minha avó me convenceu a fazer um curso pra entrar lá. O curso era num prédio perto do viaduto do Chá. Eu cheguei a ir a algumas aulas, mas você acha que fiquei? De jeito nenhum! Eu matava aula e ia pra estação São Bento encontrar os punks. Lá era o point, ficava lotado de punk o dia inteiro. E a polícia ia lá todo dia, aquelas barcas vermelhas e pretas, dando geral em todo mundo. Era uma repressão fodida. Os gambés davam tapa na nossa cara, deixavam a gente de cueca, era uma merda.

A gente não tinha dinheiro nem pra comprar cigarro avulso no camelô. Quando alguém descolava um cigarro, rolava um negócio chamado "sequência": o dono do cigarro dava dois ou três pegas, aí vinha alguém e dizia: "Vai na sequência aí, meu!", e o cigarro passava por dez ou doze caras. Lembro que o Fabião, o dono da Punk Rock Discos, tinha mais grana e fumava Charm. Quando ele jogava o cigarro no chão, uns dez punks pulavam atrás, disputando a bituca que nem uns mendigos. Eu mesmo ficava em ponto de ônibus esperando alguém jogar o cigarro fora antes de entrar no busão.

Eu vivia todo rasgado, vestido de punk. Nessa época, fim de 1982, eu tinha quase dezenove anos e comecei a ouvir hardcore, só coisa agressiva, tipo Exploited, Discharge e GBH. Lembro que ouvi o *Why?*, do Discharge, e achei a coisa mais violenta do mundo. Comecei a curtir também o hardcore finlandês de Riistetyt, Kaaos, Rattus e Terveet Kädet, e o hardcore americano. Em 1981, eu já tinha ouvido o disco *Group Sex*, do Circle Jerks, e fiquei louco — "Red Tape", que música era aquela? Um dia, meu amigo Renato Gordinho disse: "Vamos na casa de um bróder, que ele recebeu um disco aí". Era o primeiro do Dead Kennedys, *Fresh Fruit for Rotting Vegetables*. Aquilo deu um nó na minha cabeça. Era avançado demais pra época, todo quebrado, parecia um disco de surf music do inferno. Pirei. O hardcore americano era realmente foda, mas eu preferia o europeu, achava o visual dos americanos muito normal e preferia a amerdalhação dos finlandeses e dos ingleses.

Nessa época, conheci o Mingau, do Ratos de Porão, que virou um baita amigo. Ele tinha uns catorze anos e era o maior molecão sorridente. Eu, ele e o Bitão, batera do Psykóze, viramos os Três Patetas: a gente passava o dia todo juntos fazendo merda, tomando cerveja, rindo e dando tapa na cara um do outro. Só brincadeira idiota.

O movimento punk tava em ebulição em São Paulo. Tinha rolado um festival punk no Carbono 14, uma casa noturna bem underground na Bela Vista, com Olho Seco, Cólera e Extermínio. Nesse show fiz minha estreia num palco. Eu já escrevia umas letras pro Extermínio, e eles pediram que eu fizesse backing vocal em algumas músicas. O vocalista da banda era o Careca, que depois faria a capa do *Crucificados pelo Sistema*. Eu já era meio saidinho e fiquei agitando no palco. Acabei me destacando. O Jão, do Ratos, viu e gostou.

JÃO (GUITARRISTA DO RATOS): Vi o Gordo pela primeira vez quando estávamos gravando o disco *Sub*, e ele foi com uns punks assistir à gravação. Logo depois, vi ele fazendo backing vocals pro Extermínio, num show no Carbono 14. Nesse dia eu tava bem louco, tinha tomado um porre de bombeirinho e uns comprimidos. Não lembro exatamente o que tomei, mas deve ter sido o que a gente tinha na época: Optalidon, Hipofagin, Bentyl ou Artane. Era o que dava pra conseguir. Lembro que o Gordo era hilário. Entre as músicas, ele falava umas bostas, um monte de besteiras, achei ele engraçado.

RxDxP NA GRAVAÇÃO DA COLET. ATAQUE SONORO

Ataque Sonoro sessions, 1985

Um pouco antes disso, tinha rolado *O Começo do Fim do Mundo* no sesc Pompeia, um festival organizado pelo Antônio Bivar que foi um marco do movimento punk no Brasil. Durou dois dias e reuniu vinte das bandas mais conhecidas do país: Ratos, Cólera, Inocentes, Olho Seco, Lixomania, Ulster, todo mundo. Mas eu ainda tava em Angatuba, sem grana, e não fui.

Logo depois que voltei pra São Paulo, minha avó se mudou pro interior, pra morar com o meu tio, e eu fiquei sozinho na casa. Quer dizer, nos fundos da casa, já que eles trancaram o lugar todo e só me deixaram ficar num quartinho. Aí minha mãe resolveu morar metade da semana em São Paulo pra cuidar de mim. Ela alugou um salãozinho de cabeleireiro e manicure no bairro. A coitada vinha pra São Paulo na quinta, trabalhava no salão até domingo, e voltava pra Angatuba. Enquanto isso, eu ficava na Galeria ou na Punk Rock, vagabundeando.

Foi nessa época que rolou a maldita matéria do *Fantástico* sobre os punks. A repórter foi a Sílvia Poppovic. Lembro que ela chegou na Galeria, pagou cerveja pra todo mundo, e os punks começaram a falar uma pá de bosta. A reportagem mostrou a casa do Crânio, um punk negão amigo nosso, toda imunda. Mostrou também um punk imbecil andando de carroça no abc, completamente bêbado. Foi uma merda. Eu só não apareci na matéria porque tava tão bêbado que mostrei a bunda pra câmera. Foi a minha sorte, porque minha família toda viu a reportagem. "Então é com esses vagabundos que você anda?" Na segunda-feira depois do *Fantástico*, todos os punks de São Paulo que tinham emprego foram mandados embora.

> JÃO: Essa matéria do *Fantástico* queimou o filme geral. Até minha mãe apareceu. Eu fui inocente e disse que a equipe da Globo podia ir lá em casa filmar nosso ensaio. Os caras foram e entrevistaram minha mãe. Assim que a matéria foi pro ar, um monte de parentes começou a ligar pra ela: "Tá louca? Você, metida com esses malucos?".

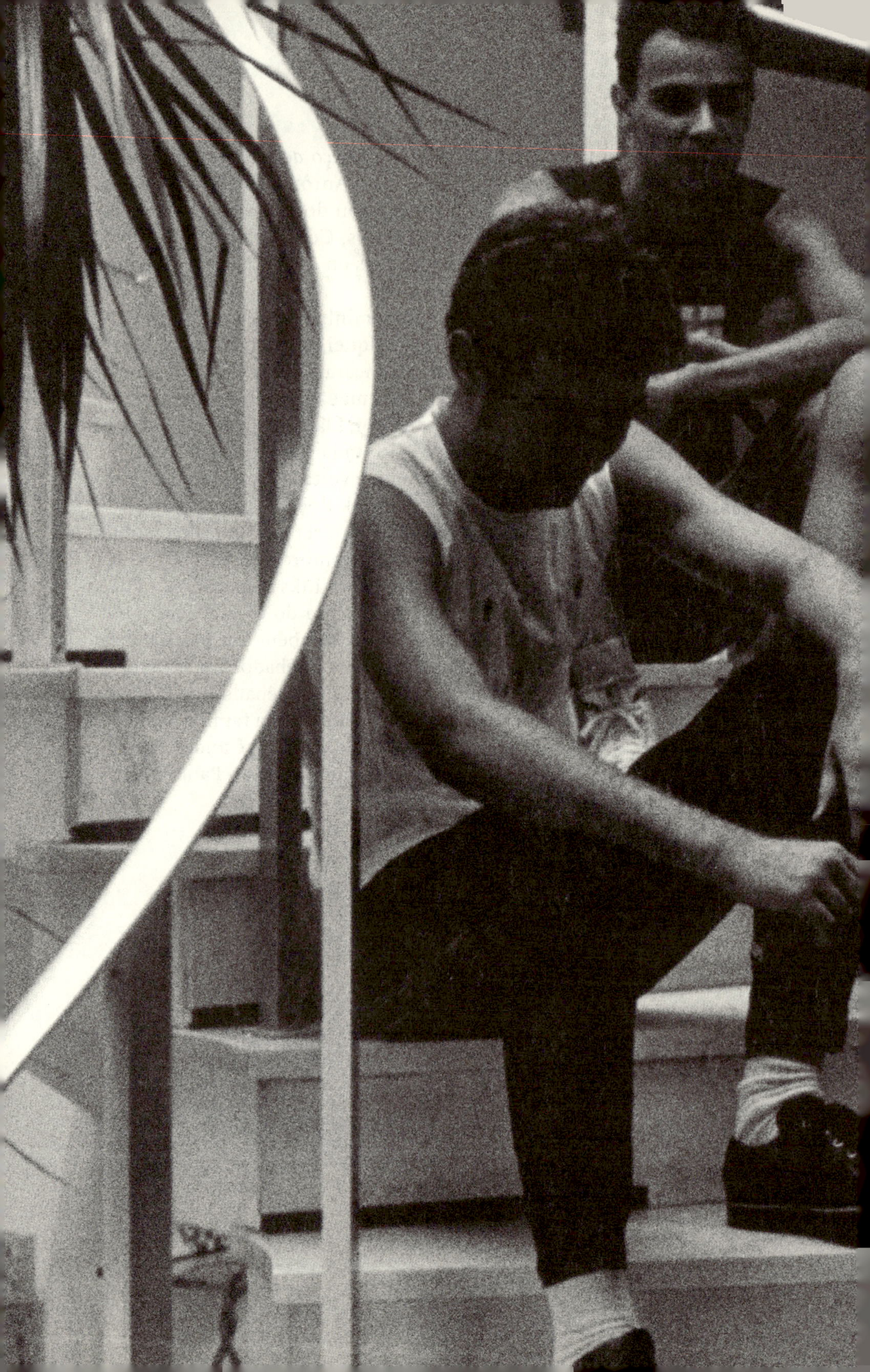

© PRISCILA FARIAS

Mas aquela não foi a única aparição dos punks na Globo. Um dia, eu tava na loja de discos do Fabião, do Olho Seco, na Augusta, quando entrou um cara dizendo que trabalhava na Globo. Ele falou que era da produção da novela *Eu Prometo* e precisava de um grupo de punks pra fazer figuração. A gente quase bateu no cara, mas ele disse que tinha cachê, o equivalente a uns trezentos reais hoje em dia, e a coisa mudou de figura.

Juntamos uns quarenta punks e fomos pro Rio num busão chique, alugado pela Globo. Foi todo mundo: eu, o Clemente, o pessoal do Cólera, do Olho Seco, o Bitão — uma renca. Fomos de São Paulo ao Rio tomando pinga e cheirando cola, e chegamos tortos. Tava um calor da porra, quarenta graus, e a gente nem quis sair do ônibus por causa do ar-condicionado.

Chegamos nos estúdios da Globo, que na época ficavam na Tijuca, e já entramos no set zoando. Exigimos que eles trocassem a bebida cenográfica, uns xaropes doces, por cerveja de verdade, começamos a brigar com os técnicos, e o Bitão, num ataque de insanidade, passou a mão na bunda do Ney Latorraca, que ficou transtornado: "Meu filho, o que é isso?". O diretor era o Dênis Carvalho. Ele foi bem gente fina, apesar de eu passar horas chamando ele de Pênis Caralho.

Na novela, o Francisco Cuoco fazia um deputado, e a filha dele era a Fernanda Torres. A personagem da Fernanda Torres resolve fazer uma festinha e chama uns punks pro apartamento dela. Lembro que eu apareci bebendo champanhe no sapato dela. Aquela novela me marcou porque foi a última da Janete Clair, que morreu no meio das filmagens.

Na volta pra São Paulo, decidimos parar no Circo Voador pra ver se tinha algum show rolando. E sabe quem estava tocando lá? O Capital Inicial, com o Dinho louro, imitando o Gang of Four. A gente achava aquilo uma merda, mas conhecíamos os caras do Napalm e ficamos pra ver o show.

Os caras do Capital tiveram uma ideia brilhante: pediram carona pra nós de volta a São Paulo. Eles deixaram os instrumentos no busão — guitarras importadas, os pratos, um baixo lindo — e foram jantar. "Vamos jantar rapidinho e já voltamos." Claro que, assim que eles saíram do ônibus, nós mandamos o motorista ir embora e roubamos o equipamento todo.

A gente tava na Dutra, já combinando como seria a divisão do equipamento — "A guitarra é nossa, vocês ficam com os pratos e vocês com o amp de baixo" —, quando o busão foi interceptado por um táxi, que buzinava e pedia pro motorista parar no acostamento. Era o pessoal do Capital Inicial. "Porra, vocês são foda!"

A diversão dos punks era ir pra Punk Rock Discos no sábado de manhã. O engraçado é que todo mundo acordava cedo naquela época. Ninguém cheirava pó, que era coisa de rico. A gente só ficava doido tomando remédio pra emagrecer, tipo Hipofagin e Inibex. Eu sabia que Hipofagin te deixava louco porque, quando tinha nove anos, descobri que era diabético, e com onze eu já fazia regime e tomava dois Hipofagins, um de manhã e outro à tarde. De vez em quando, eu esquecia de tomar um e acabava tomando dois comprimidos juntos, e ficava completamente zureta, falando pelos cotovelos, todo travado de anfetamina, com espuminha no canto da boca. Foi só depois, quando comecei a beber, que me liguei que o efeito do remédio era ainda maior com cachaça. Pra melhorar, minha mãe também fazia regime, e eu comecei a roubar os comprimidos dela.

Outra droga muito usada pelos punks era um remédio pra maluco chamado Artane, que a gente tomava com cachaça e que dava um nó na garganta. Parecia que você tinha engolido uma bola de tênis. A gente ficava bobão, alucinava e conversava com quem não existia. Os punks costumavam se drogar no Moinho, um prédio na Barra Funda. O lugar ficava lotado de punk fumando maconha, bebendo cachaça e tomando um xarope chamado Bentyl. Sábado à noite, a gente ia pro Templo do Rock, no Pari, onde rolava som de discos de vinil e fitas cassete. Na frente tinha um forró, um risca-faca do caralho, e sempre aconteciam umas tretas horríveis.

A cena punk só tinha homem. Até existiam umas minas punks, mas as bonitinhas já tinham namorado. A gente não comia ninguém. Eu tinha dado uns beijos numa mina e isso rendeu umas 600 mil punhetas, fiquei socando bronha por um tempão só lembrando aquele malho. Mas a primeira mina que eu transei de verdade foi uma punk que vou chamar de Morgana, que fez a tatuagem do Terveet Kädet no meu braço. Finalmente, tinha perdido o cabaço.

> DONA LAURA: Quando João fez a primeira tatuagem, o Milton ficou quatro anos sem olhar na cara dele. Pro Milton, tatuagem era coisa de bandido, de traficante. Ele dizia: "Nosso filho vai ser bandido, você vai ter que visitar ele na cadeia!". Eu ficava desesperada e chorava muito.

Ensaio na casa da Pópi no Bom Retiro, 1983.

Eu conheci melhor o povo do Ratos de Porão em 1982, quando eles foram gravar o disco *Sub*, uma coletânea produzida pelo Redson, do Cólera, que tinha Ratos, Cólera, Psykóze e Fogo Cruzado. Não sei como, mas acabei vendo a gravação desse disco num estúdio no centro de São Paulo, onde se gravava muito disco de sertanejo. O Ratos nessa época era o Jão no vocal, Betinho na batera, Mingau na guitarra e Jabá no baixo. Lembro que os caras me deixaram dar um peguinha num baseado. Ficamos bem amigos. Eu ia aos ensaios do Ratos, lá na Vila Piauí. Eles ensaiavam na laje da casa do Jão, ao ar livre, ou na garagem do Betinho. Vi dois shows do Ratos nessa época: um foi numa festa chamada "Festa do Gato Morto", na USP. Lembro que fiquei tão louco de Artane que entrei no banheiro e destruí uma porrada de privadas e pias com chutes de coturno. Eu era um idiota, gostava de fazer essas coisas.

JÃO: Eu nasci na Vila Piauí, em 1967, sou três anos mais novo que o Gordo. Eu tinha catorze anos quando formei o Ratos com o meu primo, o Betinho. Meu pai era pintor de carro, minha mãe era do lar e trabalhou de lavadeira. A Vila Piauí é um bairro meio esquecido. De um lado é Osasco, do outro é a Via Anhanguera. O bairro é tipo o Elo Perdido, um lugar esquecido pelo tempo. Não tem prédio, não tem banco, só tem sobrado. Até hoje, o tio da feira e a tia da farmácia me chamam pelo nome. A gente era tão pobre que a primeira bateria do Ratos tinha uma caixa feita com uma privada e o bumbo era uma lata de lixo. A gente nem sonhava em um dia ter instrumentos, isso era coisa de rico. Nas famílias operárias de onde a gente veio, se você quer ser artista, só podia ser maconheiro ou bicha. Quando montei o Ratos, eu tava estudando no Senai pra ser torneiro mecânico. Meu primo Betinho era baterista da banda e conseguiu juntar grana suficiente pra comprar uma bateria de igreja de crente. Meu pai era meio ogro, mas eu insisti tanto que um dia ele me deu uma guitarra de presente, uma SG da Giannini. E o Jabá, um amigo nosso do bairro, nunca tinha visto um baixo na vida, mas parecia o Sid Vicious, com aquele cabelo espetado, e acabou virando baixista do Ratos.

Ensaio na casa
da Pópi no
Bom Retiro, 1983.

JABÁ: Quando a gente começou o Ratos, eu tinha acabado de sair da Febem por assalto à mão armada.

Eu era muito amigo do Redson, do Cólera. Cheguei a montar uma banda com ele, o Mingau no baixo e o Betinho na bateria, chamada Chicletones, só de cover do Varukers, Discharge e Chaos UK. Ele não era apenas o líder do Cólera, mas também tinha um séquito de moleques e queria fundar um movimento punk chamado "Sub", em que o pessoal se vestia de vermelho, curtia Clash, lia livros e discutia noções de anarquia. Ele queria criar um movimento com mais consciência política e ativismo do que a maioria dos punks de São Paulo, que eram, na sua maioria, uns toscos.

Nossa visão política era rudimentar. Éramos uns fascistões, só queríamos saber de briga, facada e tiro. Todo mundo era homofóbico pra caralho. Rolava uns boatos de que o Redson era gay, e ele sofreu demais com a homofobia da cena punk. Lembro que, nessa época, existiam uns punks chamados Punk Dolls, que eram gays e usavam um visual tipo New York Dolls, bem andrógino, com cabelões e batom, mas os punks deram uma surra neles e chegaram a botar fogo no cabelo de um deles. Foi horrível.

Entrei pro Ratos em março de 1983. O que pouca gente sabe é que, por pouco, não fui parar em outras bandas. O Val, baixista do Cólera e do Olho Seco, não tava mais a fim de tocar com o Cólera, e o Redson me convidou pra tocar baixo na banda. Eu disse que não sabia tocar baixo, mas ele falou que me ensinava. Na mesma época, o Morto, cantor do Psykóze, saiu, e o Bitão me chamou pra cantar na banda. Eu tava decidindo entre cantar no Psykóze e tocar baixo no Cólera, quando o Jabá e o Mingau chegaram pra mim lá na São Bento: "Porra, Gordo, cê é o maior traíra, pisou na bola, cê vai morrer...". Eu fiquei desesperado: "Eu? O que foi que eu fiz?". Eles continuaram dizendo que eu tinha feito uma trairagem, que ia levar uma facada, e eu sem entender nada. Daí o Mingau começou a rir, e percebi que era sacanagem deles: "Ô Gordo, quer entrar pro Ratos?".

O que aconteceu foi que o Betinho, que só tinha dezesseis anos, resolveu casar e foi cuidar da borracharia do pai — onde trabalha até hoje. O Jão decidiu tocar bateria, e eles tavam precisando de um cantor. Eu já curtia a banda e fiquei feliz demais.

CLEMENTE (INOCENTES): Eu sabia que o Gordo cantava bem. Logo depois de ele entrar pro Ratos, trampei com ele no Napalm (um clube famoso do underground paulistano). A gente ficava no bar, preparando o estoque pra noite, enquanto as bandas passavam o som. Lembro que o Voluntários da Pátria tava tocando uma música deles, "O Homem Que eu Amo", e o Gordo ficava imitando o cantor, o Guilherme Isnard: "O Homeeeem que eu amoooooo" Só que a voz do Gordo era tão forte que ele, sem microfone, cantava mais alto que o Isnard com microfone. Fora que era bem mais afinado. Eu disse pro Jão: "Esse gordo sabe cantar!".

Ensaio na casa da Pópi no Bom Retiro, 1983.

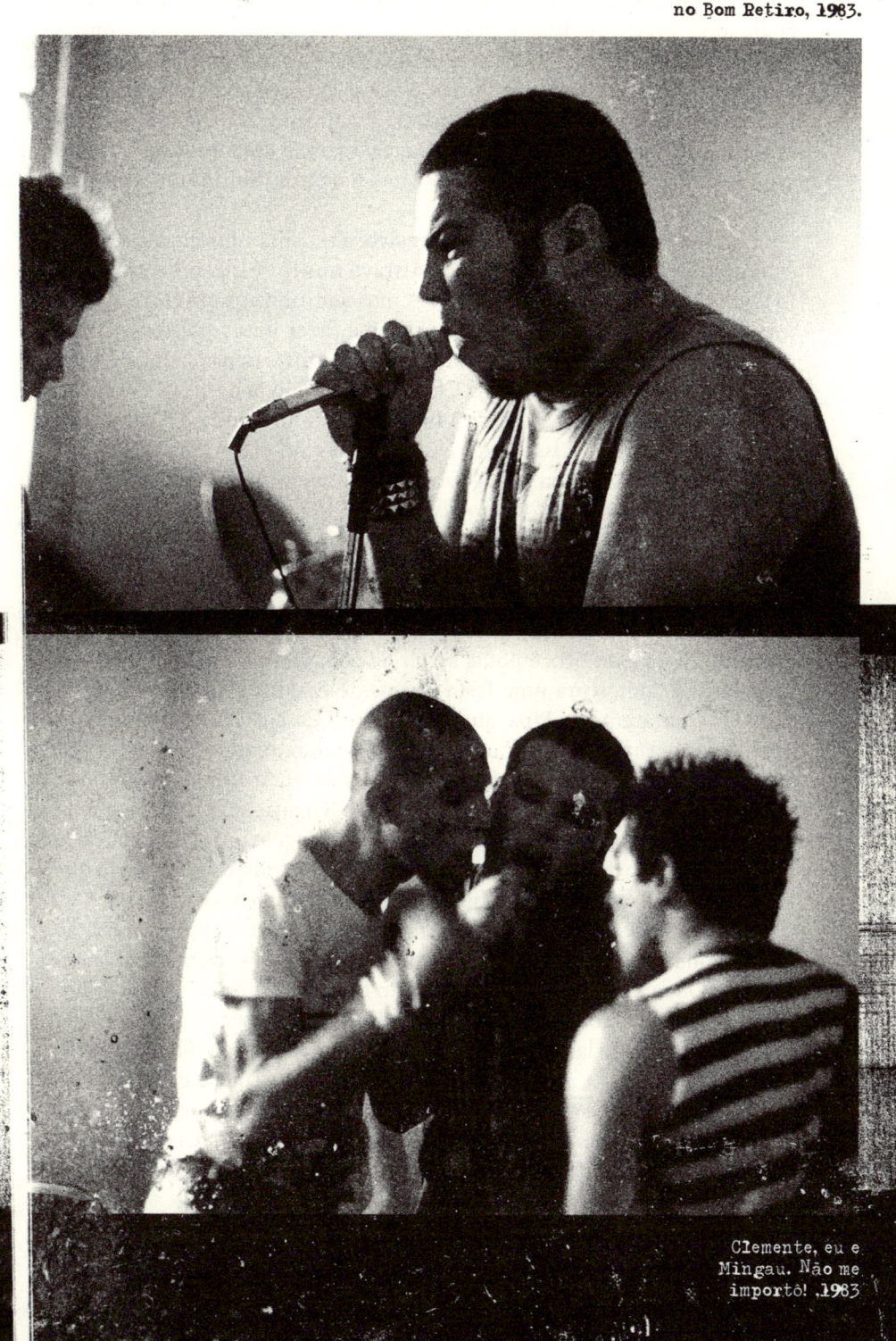

Clemente, eu e Mingau. Não me importô! 1983

Meus primeiros ensaios com o Ratos aconteceram na casa de um punk chamado Chulé, que hoje é polícia. Naquela época, o Ratos era muito influenciado pelo Teen Idles, que foi a primeira banda do Ian MacKaye, que depois fundaria o Minor Threat e o Fugazi. Você pode ver que as primeiras músicas do Ratos — "Parasita", "Realidades da Guerra" — lembram muito Teen Idles. Quando eu entrei, trouxe uma influência muito grande de hardcore europeu, tipo Kaaos, Bastards, Shitlickers, Discharge, Chaos UK e Disorder.

Comigo, o Ratos ficou mais agressivo. Eu tinha uma cara de gordinho saudável e o meu visual não assustava muito — eu tinha um cabelo cheio, tipo o do Reginaldo Rossi — mas a minha voz era forte, e o estilo da banda no palco mudou. Comecei a fazer umas músicas. Como eu não sabia tocar nada, eu cantava o riff de guitarra pro Mingau, e ele fazia os acordes. Fiz "Morrer", "Crucificados pelo Sistema", "Pobreza", "Só Pensa em Matar", "Asas da Vingança" e "Obrigando a Obedecer". O Jão tinha outras: "F.M.I.", "Agressão/Repressão", "Sistema de Protesto" e "Guerra Desumana", e a gente começou a montar o repertório do que seria o LP *Crucificados pelo Sistema*.

Eu fazia música nos lugares mais estranhos. Tem uma história louca de como fiz "Não Me Importo": escrevi essa música no ônibus, junto com o Clemente. Eu tinha saído com ele numa sexta-feira pra uma balada. Primeiro fomos na Teruya, uma escola de cabeleireiro na Rio Branco, que existe até hoje, onde você podia servir de cobaia pros alunos. Raspamos as cabeças e fomos pra uma festa loucos de Artane. Ficamos com duas punks, a Guararema e a Pipa, que depois virou Careca. Na festa, tomamos mais Artane e enchemos a cara de pinga. As minas sumiram. Só sei que a balada acabou, e o Clemente acabou indo dormir lá em casa. Fomos até a Casper Líbero e pegamos o trólebus até o Tucuruvi. Eu e o Clemente estávamos tão loucos que fomos alucinando a viagem toda. Eu gostava de pegar esse busão da madrugada porque tinha um cobrador bigodudo que já me conhecia e me acordava quando eu dormia no banco.

Chegamos na minha casa e cada um foi dormir num canto. Eu tava tão elétrico que não conseguia pregar o olho. Comecei a ver umas coisas estranhas. Olhava pra janela do meu quarto e via umas cortinas brancas flutuando, mas nem cortina tinha no meu quarto. De repente, olho pro Clemente e vejo ele do lado da minha cama. "Que foi, negão?" Ele tava de pé, mas de olho fechado, e só roncava. Gritei: "Caralho, o que é isso?". Parecia um espírito. Não era o Clemente, mas outro preto, um encosto qualquer. Saí do quarto e fui tomar um banho pra ver se melhorava, mas não conseguia achar a toalha. Quando dei por mim, tava de cueca no meio do jardim.

> **CLEMENTE:** Nesse dia cheguei na casa do Gordo e a primeira coisa que percebi foi que a geladeira tinha um cadeado! O pai dele trancava a geladeira com uma corrente pra ele não comer nada! Nunca ri tanto na vida, quase morri de rir. Depois, percebi que o Gordo era traumatizado com aquilo e não gostava nem de falar no assunto. Naquela noite a gente tava tão louco de Artane que vimos coisas. Eu mesmo vi um monte de coisas estranhas no quintal do Gordo, mas não lembro o quê.

No dia seguinte, a gente acordou com uma ressaca fodida. Tinha ensaio do Ratos e do Inocentes na casa da Pop, a namorada do Clemente. Saímos de casa, ainda loucos, e tomamos uns três ou quatro Inibex. Subimos a rua. Paramos num bar e mandamos uma pinga. Mais dois quarteirões, outro boteco, e mais uma pinga. Quando entramos no ônibus, a gente tava trilili, ninguém falava coisa com coisa. E fizemos "Não Me Importo" dentro do ônibus, num frenesi de anfetamina e goró. Nessa época, eu andava tão chapado que entrava no metrô às cinco da manhã, dormia no banco e só acordava ao meio-dia, roncando, com uma poça de baba em volta.

Meu primeiro show com o Ratos foi numa escola na Vila Piauí. Não me lembro de quase nada, só de que, antes do show, fomos fumar um baseado num cemitério do bairro. Mas o segundo show eu lembro bem: foi na PUC, junto com Inocentes e Dose Brutal. Foi o último show do Betinho. No meio do show, o Jão me chamou: "Vamos apresentar nosso novo vocalista, o Gordo", e eu entrei com o cabelo todo prateado de spray, parecendo um noiaba.

Nesse dia, eu tive uma briga feia com o Redson. Ele tinha dessas de ser chefinho, não gostava que os amigos se drogassem. Chegou do meu lado e começou a me cheirar: "Você fumou maconha!". Porra, fiquei puto, me tirando na frente dos outros punks? Mandei ele tomar no cu, ficou o maior clima ruim. Nossa treta durou anos e teve uns lances horríveis, dos dois lados. Eu tive umas atitudes homofóbicas escrotas, hoje me arrependo demais. Ele também foi muito escroto, fez o que podia e o que não podia pra prejudicar o Ratos. Passamos um tempão brigados.

Muitos anos depois, fui discotecar numa festa no Hangar 110, e o Redson ia tocar com o Cult Cover. Ele tava preparando o equipamento do meu lado, no palco. Eu cheguei pra ele e disse: "Ô, Redson, vamos parar com essa merda?", e dei um abraço nele. O povo ficou gritando: "Beija! Beija!". Foi muito legal fazer as pazes depois de anos de uma briga besta. Pelo menos quando ele morreu, em 2011, a gente tava zerado, não tinha mais treta. Fiquei arrasado quando ele morreu e ainda mais da forma estúpida que foi, uma hemorragia de úlcera. Chorei muito quando recebi a notícia.

Ao mesmo tempo em que entrei pro Ratos, consegui meu primeiro emprego. Na verdade, foi minha mãe que conseguiu. Tinha um noiaba que cortava o cabelo com ela e era encarregado de uma oficina na Vila Maria, a Fábrica Nacional de Freios e Motores. Minha mãe vivia reclamando de mim pros clientes, dizia que eu tava desempregado, e um dia esse cara me ofereceu um emprego.

Virei ajudante geral. Só me fodia. Chegava um caminhão carregado de vergalhões de ferro, e eu e mais um coitado, chamado Paraíba, tínhamos que descarregar cinco toneladas de ferro. Eram uns vergalhões de cinco metros de comprimento. "Vamu lá, gordinho!", dizia o Paraíba, e eu passava o dia todo tirando ferro do caminhão. Comecei a ficar forte de um lado só do corpo. Quando não tava carregando ferro, tava pregando cano de latão com rebite ou fazendo molas. Eu fazia duas mil molas num dia, tudo no torno. Passava horas e horas cortando fio de aço, depois botava no torno pra fazer rosca, e... *tóin!* Saía a mola pronta, pulando. Fiquei louco de tanto fazer mola. Devo ter feito um milhão de molas. Eu tinha pesadelo com elas.

O trabalho era duro. Eu pegava duas conduções pra chegar lá. Antes do expediente, os funcionários já tavam no bar tomando cachaça. Claro que eu também tomava, e já entrava na fábrica louco de pinga, conhaque e maconha. Eu ficava soldando ferro e viajando com a chaminha da solda. Fiquei com as mãos calejadas, as unhas pretas de graxa. Trabalhava o dia inteiro. Saía às cinco e meia da tarde, parava no boteco pra tomar mais pinga e chegava em casa no bico do corvo. Era só fumar um baseado e cair na cama, desmaiado.

Foi na fábrica que aprendi tudo sobre o relacionamento entre patrão e empregado. No Brasil, qual o maior sonho do empregado? É foder o patrão, claro. Trabalhar menos e ganhar mais. E eu virei especialista nisso. No almoço, eu comia uma marmitona que a minha mãe preparava. Era um troço gigante, um verdadeiro balde de comida. Depois eu ia pro banheiro com o *Notícias Populares* debaixo do braço e ficava uma hora cagando. Lia o NP inteiro. Na última página tinha sempre a foto de uma gostosa, e eu socava uma bronha, depois ainda usava o jornal pra limpar a bunda. O NP era um irmão pra mim, era que nem Bombril, tinha mil e uma utilidades.

Quando gravamos o LP *Crucificados pelo Sistema*, eu cheguei na fábrica e mostrei o disco pros noiabas. Um deles falou: "Ô, Gordo, tu é artista? Então que porra cê tá fazendo trabalhando nessa merda?". Ele tinha razão. Pedi as contas.

Nessa época, apareceu na cena um sujeito chamado Ricardo Lobo. O Ricardo tinha morado em Nova York e Londres e queria ser *videomaker*. Ele gostava de punk e montou uma casa noturna chamada Napalm, no centro da cidade, embaixo do Minhocão. Uma turma de punks e amigos nossos — o Clemente, o Callegari, o Urso, o Meire, o Mingau e o Tonhão, dos Neuróticos — começou a ajudar o Ricardo no projeto, e eu colei nessa barca. Queria um emprego, um trabalho mais alternativo, e o Napalm podia ser uma boa pra mim. A gente ajudou o Ricardo a construir o bagulho. Fizemos vários trampos de pedreiro, pintamos o lugar, trabalhamos pra caralho. E o Ricardo pagou a gente com PF, café com leite e batata frita.

Quando o Napalm abriu, em julho de 1983, eu tinha duas funções: barman e bilheteiro. E comecei a roubar o Ricardo nas duas. No bar, eu dava bebida de graça pros punks e ganhava uma grana de clientes pra ficar enchendo o copo deles a noite toda. Na bilheteria, eu revendia ingressos já usados. Eu e meu amigo Urso faturamos muito assim. Tinha umas festas do Antônio Bivar, com gente saindo pelo ladrão, e a gente ganhava uma puta grana. Ficamos ricos. Eu andava com uma Bíblia furada, com um buraco cortado no meio, cheia de grana e droga, que eu vendia lá.

Foi no Napalm que comecei a ter um contato mais próximo com cocaína. Até então, eu não tinha cheirado muito. Cocaína era droga de rico, de burguês, do pessoal new wave que frequentava o Napalm. A primeira vez que cheirei pó foi com a Ana, guitarrista das Mercenárias. Ela morava no Crusp [residência dos estudantes da USP] e eu virei um grande frequentador do Crusp. Ia pegar pó, maconha e uns micropontos de ácido que o pessoal da faculdade de química fazia. Comecei a vender ácido nos lugares da moda de São Paulo, tipo o Ritz, um bar de moderninhos.

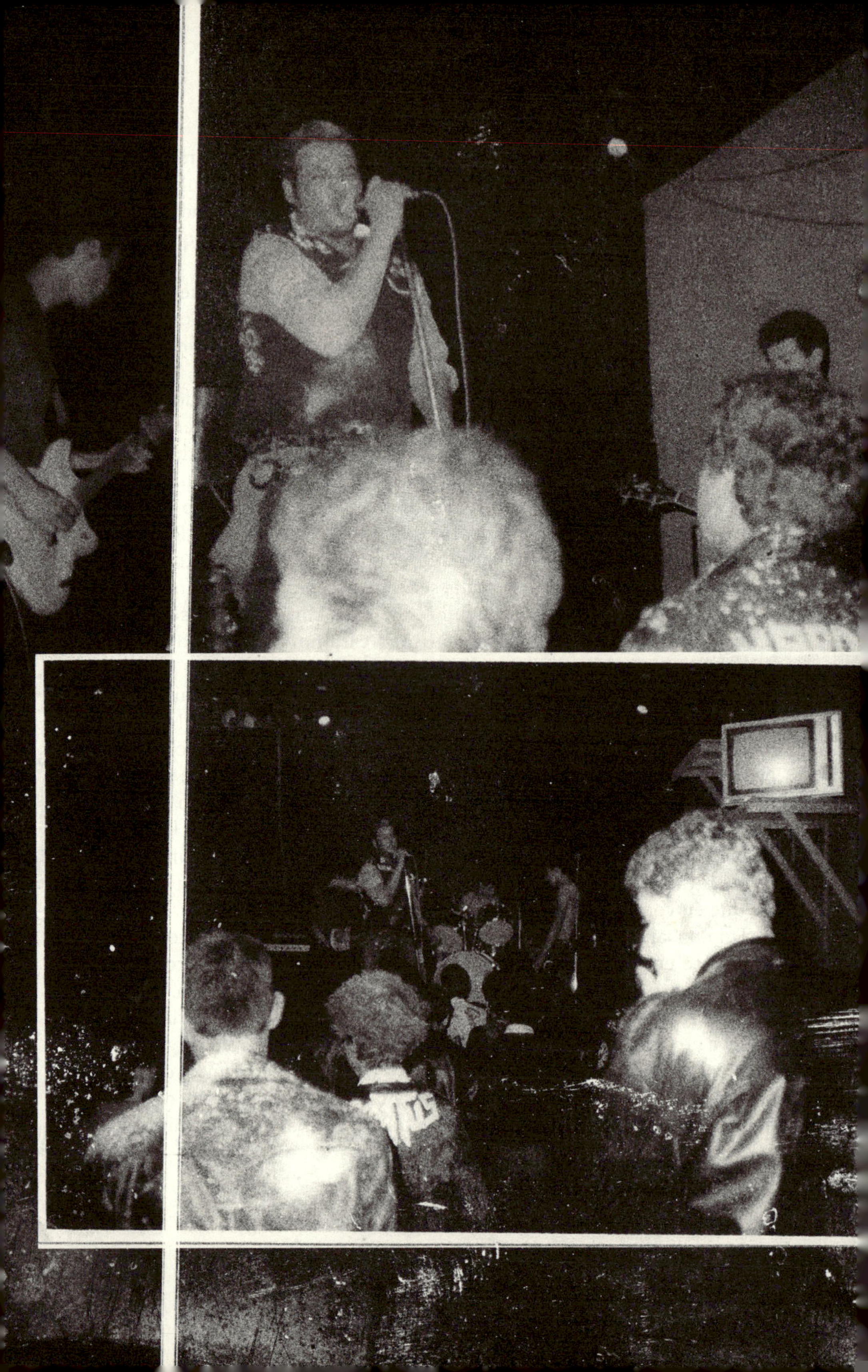

Hardcore Punk de verdade RDP e Inocentes no NAPALM todo mundo branco de extintor, 1983

> **CLEMENTE:** Foi no Napalm que a gente começou a ter contato com um povo com mais grana. Era uma turma que acabou formando as cenas de pós-punk e new wave em São Paulo. Sabe qual era a diferença entre esse povo e nós, os punks? É que eles tinham sobrenome: uma era a Sandra Coutinho, das Mercenárias, tinha o Edgard Scandurra, o Guilherme Isnard, o Miguel Barella. Enquanto isso, nós éramos o Vampirinho, o Gordo, o Mingau... Meu apelido era Fritz, porque eu dizia que era alemão.

No Napalm, conheci o Ira!, que era uma banda metida a punk, mas que não era punk de verdade. Conheci o Voluntários da Pátria, do Guilherme Isnard, o Agentss, do Miguel Barella, o Júlio Barroso da Gang 90 e esse povo da moda, tipo Alice Pink Pank. Todo mundo cheirava pra caralho, com exceção do Barella.

Vi muito show no Napalm: vi a Legião Urbana tocando como trio, com o Renato Russo no baixo; vi o Dinho Ouro Preto, do Capital Inicial, com visual chabi louro, imitando o Gang of Four; vi o UTI, que era bom pra caralho, o Ultraje, o Cokeluxe, o Titãs com o André Jung na bateria. Tinha umas bandas que desapareceram, tipo o Ignose, do Fernando Deluqui, que depois montou o RPM. Eram uns playboys tocando rock, mas era legal.

Uma vez, o Made in Brazil, pioneiros do hard rock, foi tocar lá, e tava tão vazio que o cantor, o Cornelius Lucifer, jogou uma echarpe de plumas pro público e ninguém pegou. O negócio ficou ali, no chão. Foi deprimente.

Essa época foi engraçada porque o povo da new wave começou a se misturar com os punks. Fui com o Clemente num show new wave em que iam tocar o Ultraje a Rigor e o Magazine, do Kid Vinil. Eu e o Clemente ficamos tão chapados que deitei no palco e fiquei curtindo o show. Mas aconteceu uma coisa tétrica: uma hora, o Kid tava cantando aquela música do "Adivinhão" ("Você anda namorando minha filha com segunda intenção / Adivinhão, adivinhão"), e eu tava deitado de costas no palco, cantando a música. O Kid chegou bem em cima de mim. Eu olhei pra cima, e uma gota imensa de suor dele caiu do queixo e veio direto na minha boca! Puta que pariu, aquilo me salgou na hora, virei um bacalhau! Passei mal ali mesmo, aquilo acabou com a minha noite!

épocas hardcores
Morto do Psycose,
Spaghetti e eu,
1983.

CLEMENTE: Não foi uma gota, foi uma cachoeira de suor. Nunca vi alguém cuspir tanto. O Gordo foi correndo pro banheiro e ficou uma hora cuspindo e lavando a boca.

O plano do Ricardo era ter uma domingueira punk na casa, com um monte de shows legais. No primeiro show — Ratos de Porão e Inocentes —, um punk chamado Canal pegou um extintor e deu um banho de espuma química em todo mundo que estava no clube. O que o Ricardo fez? Acabou com a domingueira punk, claro. Também rolavam umas brigas horríveis de metaleiros com punks. Existia uma turma do metal, uns playboys de Higienópolis que curtiam Venom, Slayer e Metallica, e que depois alguns viraram policiais fodões do Denarc. Esses caras iam pro Napalm pra bater nos punks. O Ricardo não aguentou tanta confusão, e também não aguentou ser tão roubado por nós. E o Napalm fechou em novembro de 1983. Durou cinco meses.

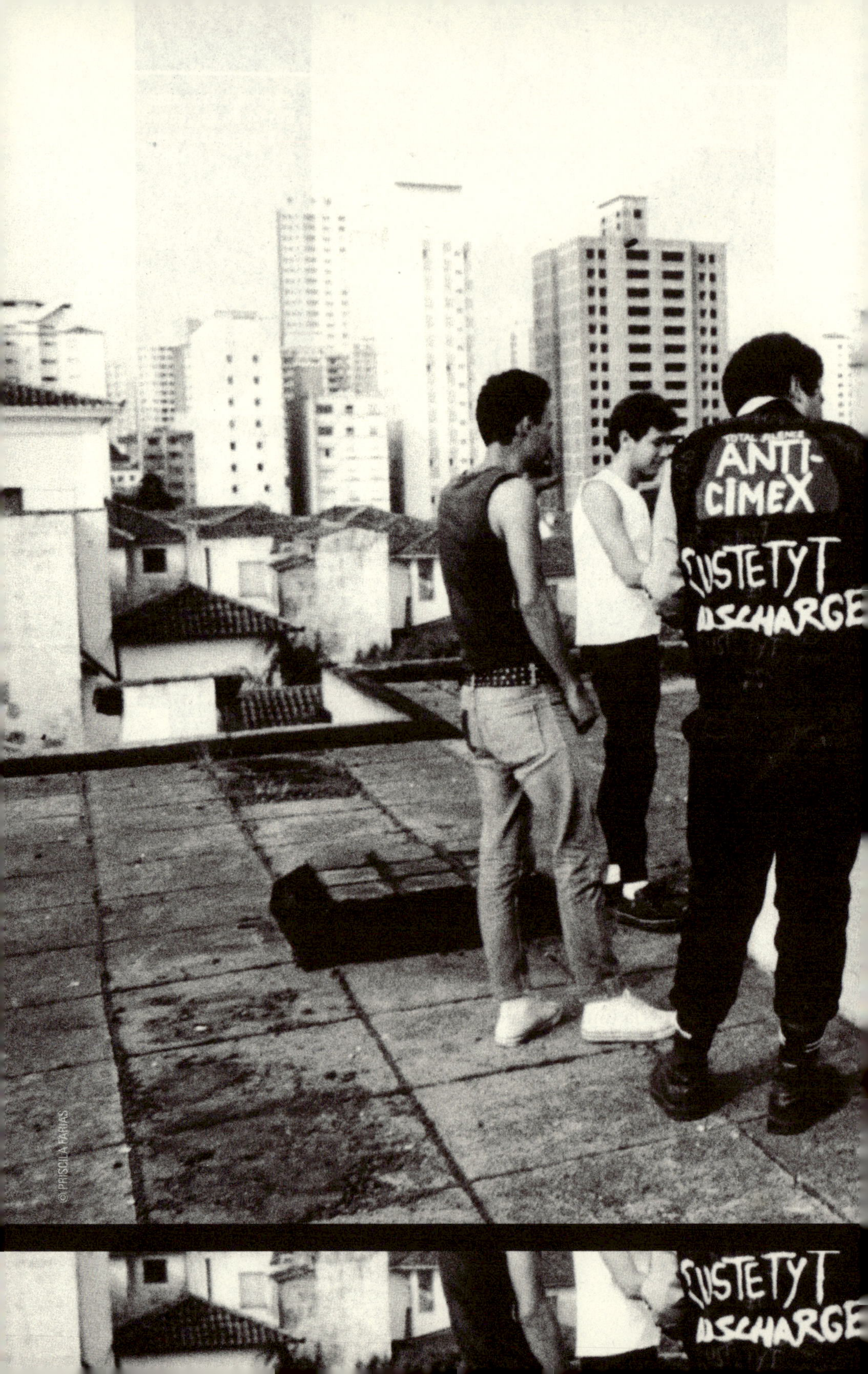
ANTI-
CIMEX

STRUCI-AICADOS SESSIONS 1983

© PRISCILA FARIAS

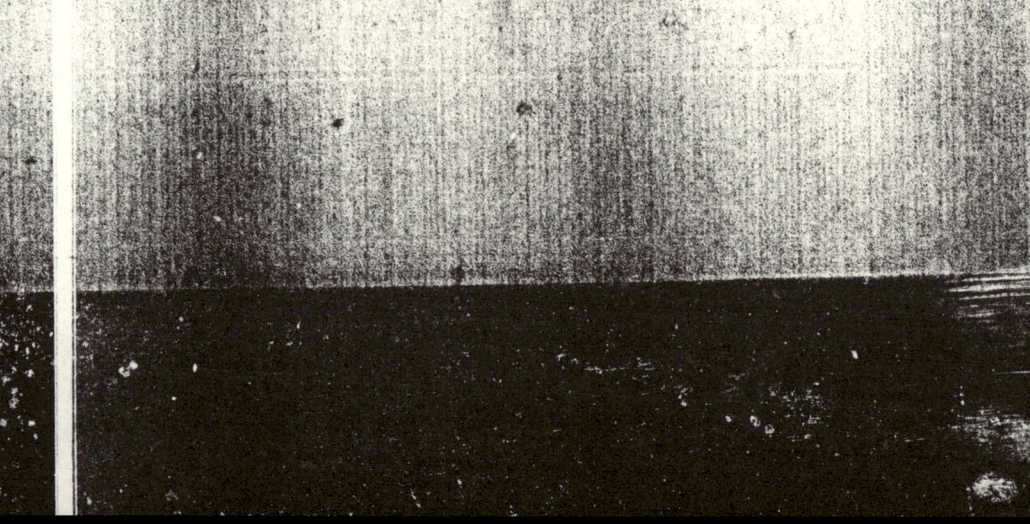

Crucificados sessions, 1983

© PRISCILA FARIAS

Crucificados sessions, 1983

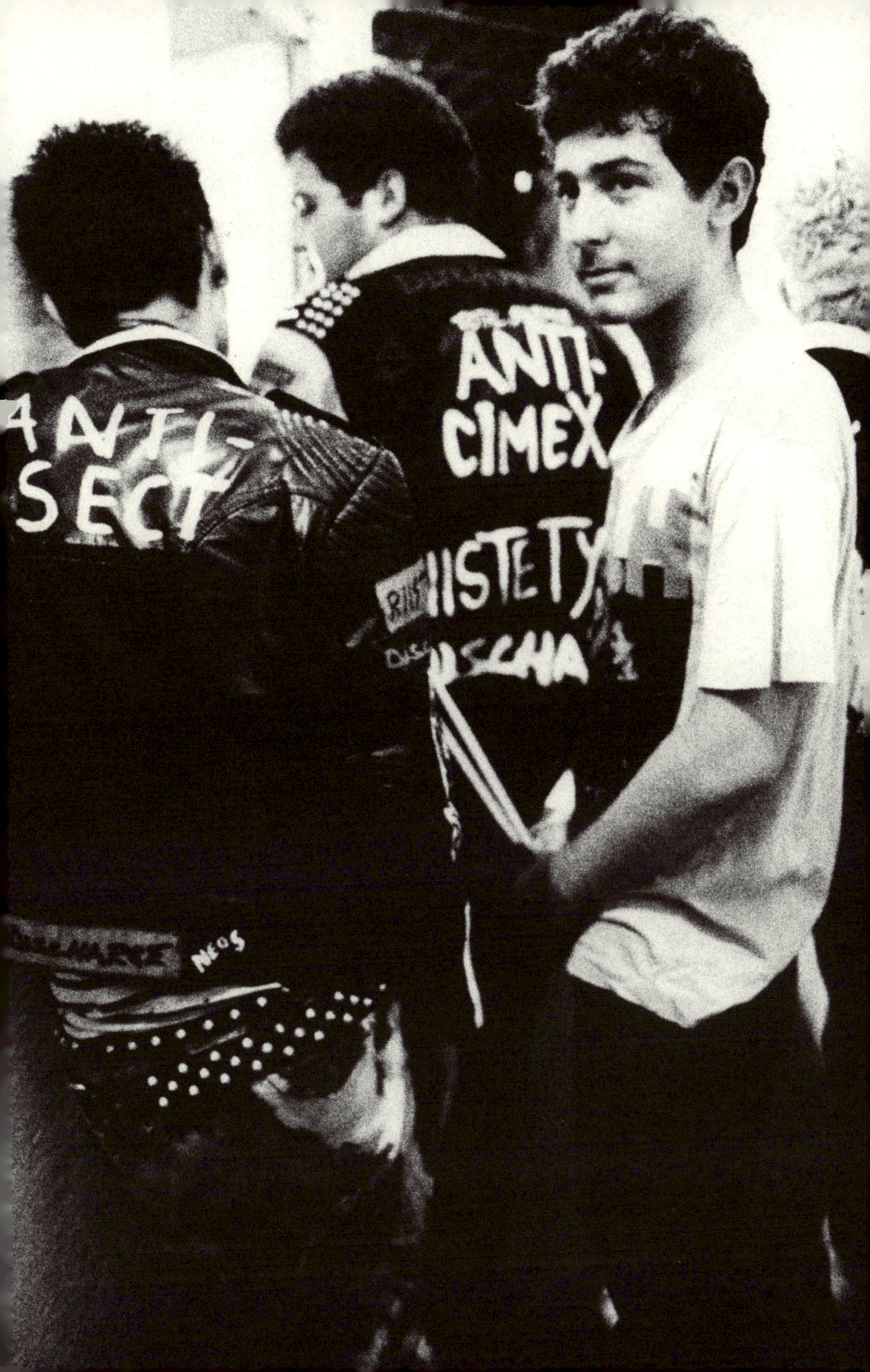
ANTI-
SECT
ANTI-
CIMEX

5

VIVA O METAL!

Nem todo mundo que fazia parte da cena punk era punk de verdade. Tinha muito ladrãozinho no meio, uns caras que até curtiam o som, mas que eram metidos com bandidagem, davam golpes e aplicavam trambiques. Vi muito "punk" puxando cordão de gente na estação São Bento ou dando o conto do vigário.

Quando fiz minha estreia de verdade com o Ratos, num show na PUC, os punks com quem eu saía disseram que poderia rolar uma treta com uma gangue rival do ABC. Um punk chamado Jotalhão disse que tinha um cano, um .38, mas que precisava das balas. Eu disse que podia arrumar umas em casa. Era só roubar do meu tio, que era policial. Só que, no dia, me esqueci de levar as balas. Os caras levaram o cano, mas não puderam usar, e o Jotalhão me jurou: "Esse gordo vai morrer. Vai virar bosta!". Lembro que ele foi na São Bento com o Ariel, vocalista dos Inocentes, e ficou me ameaçando. O Ariel ficou botando panos quentes, dizendo que eu tinha vacilado, mas que era um cara legal, e o Jotalhão ficou só me olhando. Ele tava com uma sombrinha na mão, vivia com aquela sombrinha pra cima e pra baixo, e eu nunca soube por quê. Do nada, ele me deu uma porrada na cabeça com aquilo, e foi aí que eu percebi que tinha uma barra de ferro dentro do negócio. O Jotalhão usava a sombrinha como arma. Quase rachei o coco.

Rio Claro, 1983, Lançamento do
depois da sova da **polícia** V.C.D.M.S.A.

Saí de lá correndo e fiquei uns tempos sem aparecer. Era perigoso. Tinha uma gangue chamada Punks da Morte, e esses caras ficavam muito loucos e estranhavam todo mundo: "Aí, mano, tu é da onde?".

As brigas eram constantes. A gente sempre corria o risco de encontrar na rua os Carecas do ABC ou uma gangue punk rival, e a porrada comia. Um dia, a gente tava na São Bento, quando apareceram uns punks do ABC. Uma punk chamada Lila correu na ladeira Porto Geral e chamou os Punks da Morte. Tinha o Sorveteiro, o Vampirinho, o Debiloide, o Sé, o Zorro, só cara bonzinho... Eles foram correndo pra São Bento pegar os ABC. No caminho, passaram por uns latões de lixo e acharam uma porrada de lâmpadas fluorescentes queimadas. Rolou uma treta monstro, com vidro voando pra tudo que é lado, nego ensanguentado, foi terrível.

Naquela época, quase não tinha show de punk. Quando tinha, alguém dava um jeito de foder o bagulho. Uma vez, o Ratos foi tocar num festival em Rio Claro, com Olho Seco, Psykóze e Lixomania. Fomos de ônibus de linha, todas as bandas e uma porrada de punks. No caminho rasgamos os bancos do ônibus e pichamos tudo. Fomos cheirando cola do Tietê a Rio Claro. Imagina o terror dos outros passageiros? Assim que o ônibus chegou na cidade, o que aconteceu? Foi todo mundo em cana, claro.

Os policiais levaram a gente pra delegacia e deixaram todo mundo de cueca. Depois, fizeram um corredor polonês e meteram a porrada em nós. Eu tomei vários tapas na cara e chutes na bunda. Os gambés ficavam perguntando: "Quem é o chefe dessa porra? Quem é o chefe?", e o Jabá, que era o maior sem noção, respondeu: "Que chefe? Aqui ninguém é índio, não, mano!", e os caras sentaram a mão nele.

Mas o pior foram os pernilongos. Deixaram a gente por horas num terreno baldio ao lado da delegacia, todo mundo de cueca, e tinha uma nuvem de pernilongo. Fomos devorados. Pra completar, os gambés juntaram a roupa de todos os punks — coturnos, cintos, braceletes, jaquetas —, fizeram uma montanha e molharam tudo com uma mangueira. Por sorte, o filho do dono da empresa de ônibus era um dos promotores do show e conseguiu soltar a gente em cima da hora. Mas todo mundo foi pro show ensopado.

Outro show traumático foi na Bahia. A gente tava ensaiando no Napalm, quando pintou um baiano chamado Nicolau, que era guitarrista do Trem Fantasma, uma banda de rock de Salvador. Ele convidou o Ratos e o Psykóze pra fazer dois shows num lugar chamado Circo

© RUI MENDES

Show no Radar Tan Tan
e a **polêmica camiseta**
do Venom, 1985

Abaixo, da esquerda pra direita: Indio do Necromancia, Andreas Kisser, JG, Silvio Bibica, Igor Cavalera, Paulo Xisto, Leandro do Blasphemer e Max Cavalera, em BH, 1986.

Acima, show de lançamento do *Schizophrenia*, do Sepultura, BH, 1987.

Relâmpago. O contrato foi fechado de boca. A gente ia ganhar as passagens de ônibus e mais 30% da bilheteria.

Um dia antes de ir pra Bahia, fomos no Crusp e pegamos cem gramas de fumo e uma cartela de ácido pra vender em Salvador e levantar uma grana. Mas o fumo não durou: a gente queimou tudo no ônibus, na cara dura. Fomos pra Bahia num busão todo fodido, um Mercedes monobloco cor de laranja, que pegamos no Tietê. Foram quase dois mil quilômetros fumando maconha que nem uns loucos. Os passageiros nem reclamaram, porque o cheiro disfarçava o fedor de vômito e bosta do banheiro. Os motoristas zoavam: "Óia o cheiro de cachaça aí atrás!".

Chegamos na rodoviária de Salvador moídos, depois de quase 36 horas no busão. O Nicolau foi buscar a gente com uma Brasília toda fodida e pichada, e, no caminho, acendeu outra bomba. Fomos pra um apartamento na Pituba. O lugar era até ajeitadinho, tinha três quartos, mas não tinha móvel nenhum, só umas esteiras no chão. "Vocês vão dormir aqui", disse o Nicolau. Depois, descobrimos que o dono do lugar tinha rodado dois dias antes com dois quilos de farinha.

A gente tava há uns três dias sem dormir, todo mundo zoado, mas resolvemos sair pra conhecer a cidade. Estávamos na Barra, quando a polícia chegou e começou a dar uma geral em todo mundo. O Jabá tava com um baseado gigante no bolso e ficou tão assustado que enfiou o troço na boca e engoliu. Mas a gente tava acostumado a levar dura da Rota, e não tinha ideia que os PMs de Salvador eram tão relaxados: "Meu rei, fique aqui ao lado, por favor... Não precisa botar a mão na cabeça não, meu rei, relaxa..." E o Jabá roxo, com o charuto entalado na goela, mastigando aquele negócio...

Voltamos pro apartamento. Dentro do quarto de empregada, alguém achou uma porrada de garrafas de desinfetante, cada uma de uma cor: amarela, azul, verde, branca... Daí o Luisão, guitarrista do Psykóze, foi cheirar o bagulho e descobriu que não era desinfetante, era batida. Tinha umas trezentas garrafas: batida de coco, caju, maracujá, manga, abacaxi, de tudo quanto é fruta. Acho que o dono do apê devia ter um bar ou coisa parecida. Imagina como nós ficamos...

Junto com a gente tava um baianinho meio loiro, com um cabelo cheio de miçangas e que andava com uma camisa escrita "Cocaine". Claro que ele foi logo batizado de "Cocaine": era Cocaine pra cá, Cocaine pra lá... A gente achava que ele era da produção do show. O cara dava um monte de dicas da cidade e nos levou pra comprar fumo, porque o nosso tinha acabado. O puto do Cocaine nos levou pra uma boca no Pelourinho. A tia que me vendeu o fumo era uma puta gorda com

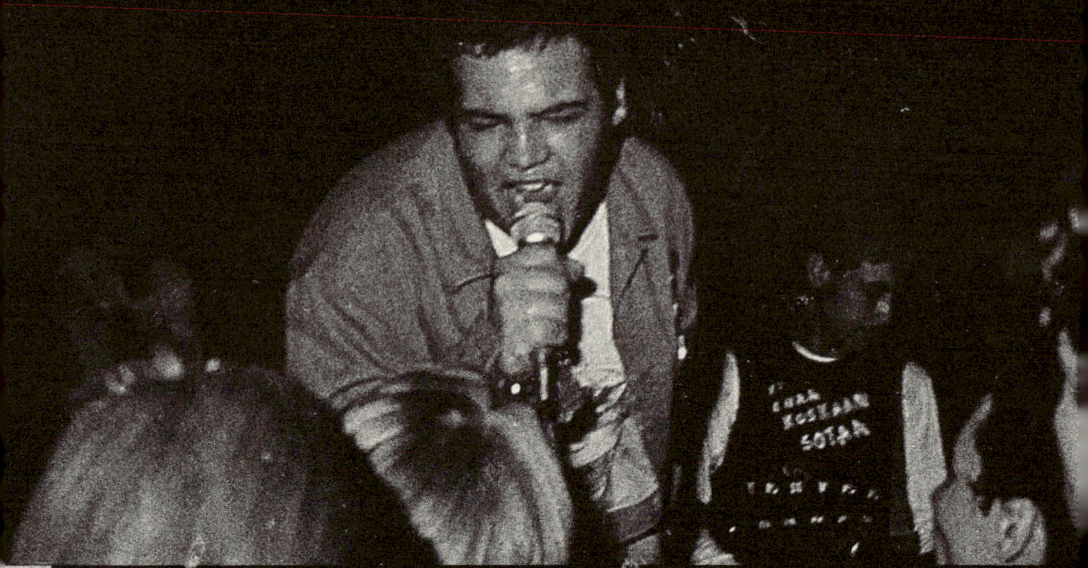
KOSKAAN
SOTAA

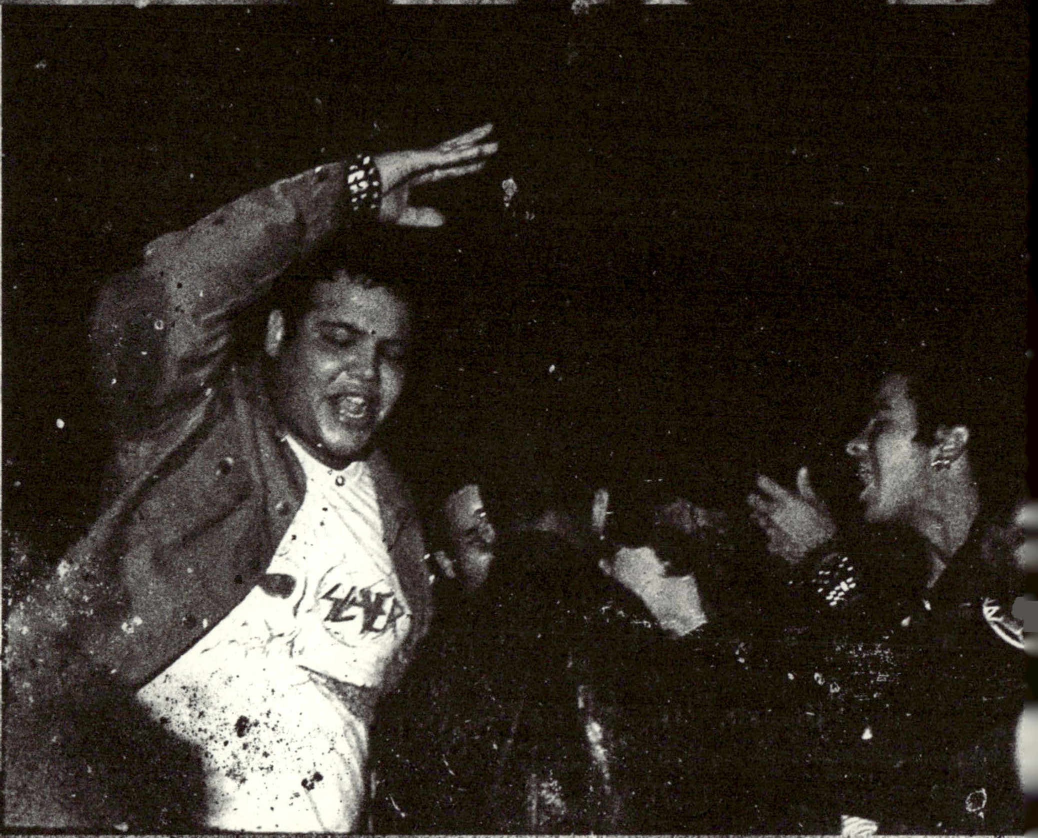
SLAYER

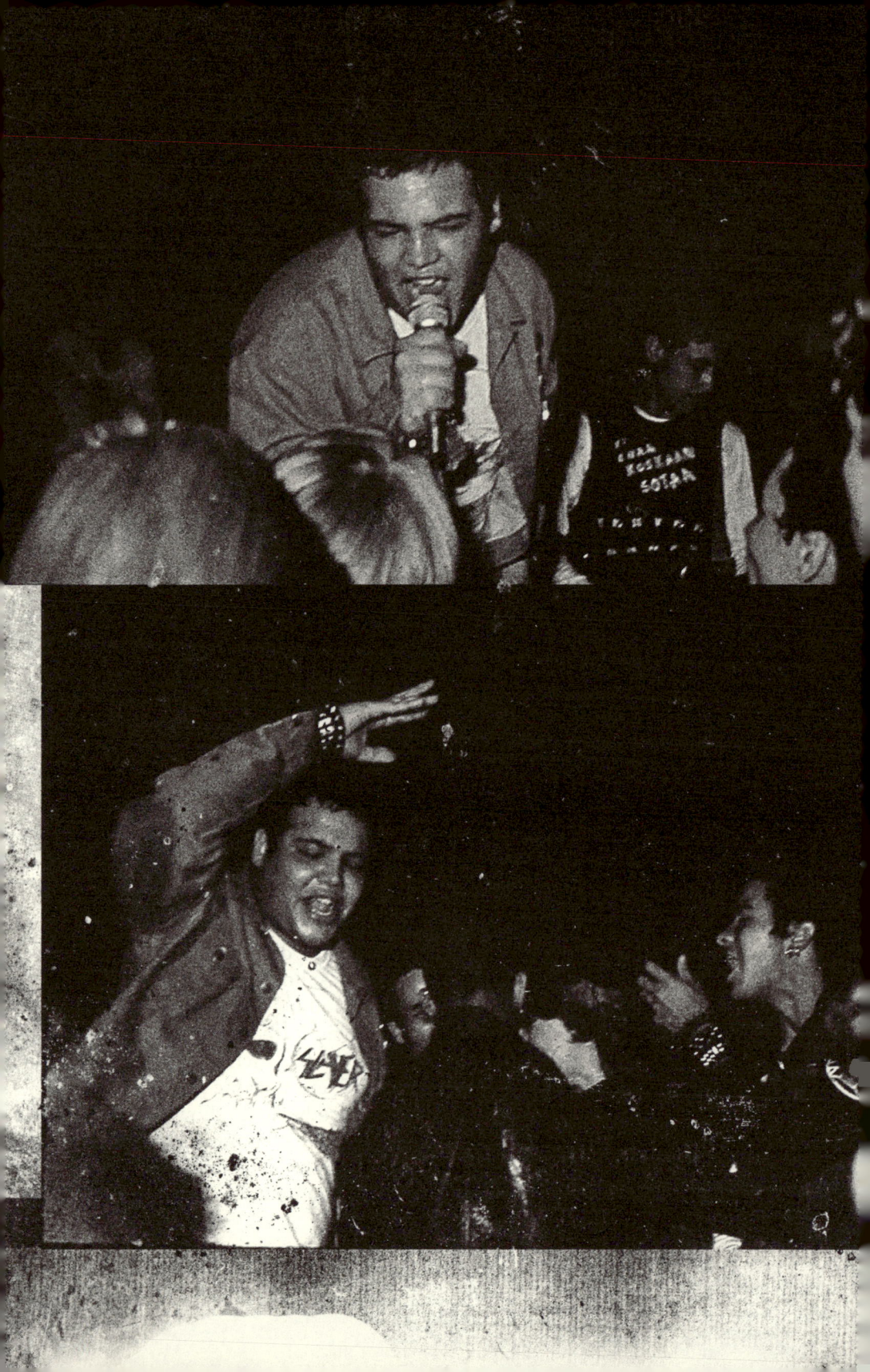

Rose Bom Bom, mas já dava pra notar minha
inclinação pro metal; quanto ao Jão, ele
persistia ainda na pureza punk, 1985

© SHIN SHIKUMA

uma âncora tatuada nos peitos, nunca esqueci. A tatuagem era tão tosca que parecia ter sido feita com uma picareta. Ela me deu uma paranga de fumo e disse pra gente sumir dali: "Não vai abrir aqui, não, vão embora, seus putos!". Quando a gente chegou no apê e abriu a paranga, era capim. Ficou todo mundo revoltado com o Cocaine: "Porra, Cocaine, você leva a gente pra comprar fumo e a puta vende capim?".

Nossa paciência com o Cocaine tava acabando. No segundo dia, o Bitão, batera do Psykóze, acorda e dá um flagra no cara escovando os dentes com a escova dele. Perguntei pro Nicolau: "Qual é a desse Cocaine?". E ele: "Ué, não é amigo de vocês?". O filho da puta fingiu que era da produção, mas era um cola-banca profissional! Juntamos o Ratos e o Psykóze e chamamos o cara na cozinha: "Cocaine, chega mais...". Uns oito caras foram pra cima dele e demos um "salve". O maluco apanhou até de chinelo e saiu correndo dali. Nunca mais vi o Cocaine.

O show rolou à noite. Foi estranho. O público de Salvador não era exatamente punk, era uma mistura de todos os clichês de rock. Lembro que lá tinha uma figura chamada Cabeça de Comprimido, um baianão de moicano que usava camisa do Doors, tinha escrito "Led Zeppelin" e "Sex Pistols" na calça e passava o show todo dando correntada no chão.

Esse show foi um dos poucos que o Psykóze fez com o Luisão "Toiço" na guitarra. O Luisão foi um cara importante na cena. Muita gente diz que ele inventou o grindcore, uma das vertentes mais podreiras e barulhentas da música extrema. Em 1981, 1982, ele tocava guitarra no Ulster e a banda era a maior desgraceira, os caras tocavam de pano preto na cara. Depois, ele montou o Brigada do Ódio, que influenciou até o Napalm Death. Sei disso porque o Mick Harris, do Napalm Death, me contou que ouvia muito Brigada do Ódio. O Luisão entrou pro Olho Seco e transformou a banda na maior podreira, um esporro do inferno com o EP *Fome Nuclear* e o LP *Olho por Olho*, lançados pela Cogumelo. Ele fez o mesmo com o Psykóze, mas não há registro dessa fase. O Luisão era gordão, bebia pra caralho e acabou morrendo de cirrose. Lembro que ele não tomava banho e fedia que nem um gambá. Quando tava no palco, assoprava o próprio sovaco e lançava uma nuvem de cê-cê em todas as direções. Era uma fumaça tóxica do inferno!

Naquele dia, teve uma treta horrível entre os seguranças, armados de facões, e a turma da corrente, que agitava o show dando correntadas na beira do palco. Quando terminamos tudo, procuramos o Nicolau pra receber nosso pagamento, mas ele disse que tinha levado prejuízo e não tinha grana nem pra pagar nossas passagens de

Grito Suburbano

1.º Encontro das Bandas Punk de São Paulo

Dia 16 de Outubro de 1981
Sexta Feira, 20 hs.
ANARQUIZANDO:

Olho Sêco
Colera
Inocentes
Mack
Anarcoolatras

— NA —
STOP

Av. São Miguel, 3655 - Ponte Rasa
2.o Ponto depois da Curva da Morte

Preço Cr 200,00 - Com direito a um DRINK Gratis

Venha, Pelado

ALLIED FORCES

SUB MAGAZINE

FEV-MAR/90

"PUBLICAÇÃO INDEPENDENTE"

Fanzine de metal

RATOS DE PORÃO

#5

EDIÇÃO ESPECIAL PARA COLECIONADOR!

(Este ZINE contém somente matérias EXCLUSIVAS)

"Entrevistas:"
HAMMERHEAD
GOLPE DE ESTADO
VODU
AÇÃO DIRETA
RATOS DE PORÃO

ESPECIAL
"COMO SE FAZ UM FANZINE ?"

"POLÊMICA!!!"
CIGARRO ou MACONHA ?

VIPER · MORDRED · OVEC · WARHATE · MEGAFORCE
PSYCHIC POSSESSOR · EXON · MYSTIC DEATH
ALCOÓLICA · ANACRUSIS · MR. GREEN · INCUBUS
THE MIST · KORZUS · ANTHARES · EXPLICIT RE
PULSION · SABBAT · HELLOWEEN... and more!

FREE PORNO-POSTER
MOTORHEAD

7 891028 126017

ALLIED FORCES Mag. MUITO MAIS INFORMA-
ÇÃO POR CENTÍMETRO QUADRADO!!! LEIA!!!!

De Saco Cheio....

Cinco anos! Vocês sabem o que é manter uma banda de hardcore com equipamento precário, falta de apoio, dinheiro e vergonha na cara por tanto tempo?

Pois é, nós do RATOS DE PORÃO conseguimos tal façanha e graças ao nosso saco quase cheio, hoje somos a banda mais falada do underground brasileiro e comentada mundialmente, isso não nos rendeu muita grana apenas um grande e humilde ego.

Por isso estamos dando uma fucking party de dois dias no Rose Bombom, pelos nossos 5 anos de vida e pelo segundo LP lançado.

Na quinta dia 27 faremos uma retrospectiva com todas as formações que a banda já passou desde 82 até agora. Na sexta dia 28 o show de lançamento do LP. DESCANSE EM PAZ (selo Baratos Afins) e o nosso último show na cidade de São Paulo.

Existimos para provar que o rock nacional não é apenas essa merda que se escuta nas rádios, vamos fuder os seus tímpanos e alegrar seus corações!!!

Ass. João Gordon
R×D×P.

5 ANOS DE BANDA

volta. Depois de muita discussão, ele arrumou dinheiro pra quatro passagens pra São Paulo. Voltaram o Jão, o Jabá, o Luisão e o Moreno, baixista do Psykóze. Na viagem, os caras só comeram um cacho de bananas e tomaram água da torneira. Eu, o Urso, o Mingau, o Bitão e Morto ficamos duas semanas em Salvador, tentando juntar uma grana pra voltar pra São Paulo. Foram alguns dos piores dias da minha vida. Eu não tinha o que comer e emagreci pra caralho. Passava os dias revirando lixo e pedindo restos de comida em restaurantes. Passei um tempo na casa de uma mina, uma roqueira de Salvador. A mãe dela tinha um restaurante macrobiótico. Toda manhã, a mulher servia um pão que parecia uma rola. Era a pior coisa que eu já tinha comido. Eu preferi passar fome a comer aquela merda.

Depois de quinze dias nessa miséria, o Nicolau finalmente aparece com a grana do ônibus, e voltamos pra São Paulo. A gente não tinha nada pra comer. Na viagem, contamos nossa história pros passageiros. As pessoas ficaram com pena e fizeram uma vaquinha pra nos pagar um jantar.

Cheguei em São Paulo parecendo um mendigo: magro, de moicano loiro, todo sujo, fedendo e preto de sol. Fui a pé da rodoviária do Tietê à Vila Gustavo. Quando cheguei em casa, meu pai me expulsou. Ele tinha aberto umas cartas que tinham vindo pra mim de um pessoal de Salvador, pedindo uns ácidos. Foi uma briga feia. Acabei passando o Natal de 1983 na casa do Ratinho, meu amigo. Eu tava na pior. Pra me foder ainda mais, o Ricardo Lobo me despediu do Napalm porque descobriu que eu tava vendendo maconha lá dentro.

No fim de 1983, gravei meu primeiro disco com o Ratos: *Crucificados pelo Sistema*. O Fabião, da Punk Rock Discos, queria fazer um compacto com a gente, mas percebemos que o custo de gravar duas ou dez músicas era quase o mesmo, já que a gente gravava muito rápido, então decidimos fazer um LP inteiro.

Naquela época, ninguém da banda tinha instrumentos. O Ratos era só nós quatro e duas baquetas. A gente pegava instrumento emprestado. Os ensaios eram na casa do Mingau, um barracão de madeira com chão de terra batida e fios desencapados, onde todo mundo tomava choque. A gente ligava todos os instrumentos num amplificador Tremendão da Giannini. A bateria do Jão era tosca, tinha uma zabumba da Gope, e eu cantava na goela. Um dia, pra nossa surpresa, o Mingau apareceu no ensaio com um monte de instrumentos novos. O moleque tinha fama de boa-pinta e roludo, e a gente achava que ele tava comendo um gambé da São Bento, um PM moreninho e delicado que apelidamos carinhosamente de "Guarda Belo". E o Guarda Belo fazia tudo pelo Mingau, vê se pode? O Mingau jura que não, mas não boto minha mão no fogo por ele!

Dias antes de gravar o *Crucificados*, começamos a pedir equipamento emprestado pro povo das outras bandas. A gente não tinha pedal de distorção, e o Miguel Barella, do Voluntários da Pátria, emprestou o pedal Big Muff dele pro Mingau. O Minhoca (Celso Pucci) ficou de emprestar a guitarra Fender dele, mas sumiu no dia e botamos um "Fuck off, Minhoca!" na contracapa do disco. O Mingau acabou usando uma Giannini da Ana, das Mercenárias. O Adalto, do Lixomania, emprestou pro Jabá um baixo tão tosco, que a gente chamava de "berimbau".

Na hora em que o Mingau ligou o Big Muff, o técnico do estúdio surtou. Ele nunca tinha ouvido nada tão pesado. A verdade é que o cara não fazia a menor ideia de como gravar uma banda de hardcore. Quando ele microfonou a bateria, colocou microfones por cima, pegando o ambiente, mas não colocou microfone nos tom-tons. Por isso, na hora em que o Jão dá uma virada, o som desaparece.

Gravamos o disco em seis horas. No dia seguinte, voltamos ao estúdio e mixamos tudo. *Crucificados pelo Sistema* saiu em março de 1984 e foi o primeiro disco de uma banda hardcore da América do Sul. Mas não teve nem lançamento, porque a cena punk tinha acabado em São Paulo. Só rolava treta e confusão.

O Mingau ficou desiludido com aquilo. Ele tinha o sonho de viver de música, queria ganhar uma grana e decidiu largar o Ratos. Várias bandas punks se transformaram nessa época e começaram a tocar um som mais acessível. O Lixomania virou 365 e passou a tocar new wave misturada com rock paulista. O Clemente mudou o som do Inocentes e tornou a banda mais acessível. Ele acabou assinando com a Warner — foi a primeira banda punk a assinar com uma multinacional — e fez até um certo sucesso no rádio. Mais ou menos naquele tempo, eu me afastei um pouco do Clemente e acabei indo pro lado do metal.

Na primeira metade dos anos 1980, várias bandas que eu amava começaram a tocar metal: SSD, Black Flag, Anti Cimex... O Discharge lançou *Warning: Her Majesty's Government Can Seriously Damage Your Health*, o English Dogs fez aquele disco, o *To the Ends of the Earth*, que mudou a minha vida. Eu também comecei a ouvir Metallica, Venom, Slayer, Exodus, e fiquei impressionado. Lembro que tava na loja do Fabião e ele colocou "Lady Lust", do Venom: "Gordo, escuta isso aqui!". Perguntei o que era, e ele disse: "É Venom. É metal".

Momento guidable,
quando o Bitão do
Psycose entrou
pra banda na batera;
não durou um ensaio...
o cara era muito ruim!!! 1985

RDP no Túnel da Lapa, em foto para o disco DESCANSE EM PAZ, 1986.

Na Finlândia rolou um movimento chamado Cosmetic Punk, em que as bandas passaram a usar batom, peruca, cultuar o Hanoi Rocks e fazer um popzinho nojento. O Riistetyt virou Holy Dolls. De uma hora pra outra, parecia que o hardcore americano tinha acabado e todo mundo tinha virado metaleiro. Eu decidi sair do Ratos e fui tocar metal punk no Ruídos Absurdos, uma banda com o Careca na guitarra — ele era cantor do Extermínio e desenhou a capa do *Crucificados* —, o Spaghetti, que depois seria do Ratos, na bateria, e o Morto, vocal do Psykóze, no baixo.

Lembro uma noite em que eu tava numa boate chamada Anny 44, conversando com o Mingau, o Mirão, baterista do 365, e o Callegari, que era do Inocentes. Eles começaram a me zoar: "Gordo, você é ridículo, virou metaleiro, tá todo fodido aí". Cada um começou a falar da grana que tava ganhando: um tinha comprado uma moto, outro um baixo importado, o terceiro tinha viajado pra Inglaterra... Foi uma puta humilhada, e eu nunca esqueci. Falei: "Ah, é? Podem esperar que eu ainda vou cagar na cabeça de vocês!". Fiquei tão puto com o Mirão que, na época em que gravamos o *Feijoada Acidente?*, disco só de covers de punk nacional, não gravamos Lixomania, e os caras ficaram sentidos. Mas beleza, o tempo cura e a minha bronca passou.

Eu não tinha perspectiva nenhuma de ter uma carreira em música. Só queria saber de balada, ficar louco e fazer merda. Nessa época, minha mãe conseguiu um emprego pra mim de recepcionista de um flat em Higienópolis. Era um flat bacana, eu trabalhava de terno, parecia até alguém respeitável. Lembro que aquele repórter, o Roberto Cabrini, morava lá. Mas eu só fazia merda. Eu ia à padaria, comprava um pão, passava nos apartamentos vazios e roubava requeijão, maionese, salame, queijo, qualquer coisa que achasse na geladeira dos hóspedes. No prédio, tinham duas velhas judias que contavam as fatias de presunto na geladeira e ficavam putas quando alguma sumia: "Mexeram na nossa geladeira! Mexeram nos nossos doces!". Eu botava a culpa nas arrumadeiras.

Do lado do flat tinha uma pizzaria, e o entregador era um molequinho metaleiro. Uma noite, ele chegou na recepção e eu tava ouvindo o *Hell Awaits*, do Slayer. "Meu, que som é esse?", ele perguntou. Era o Yves Passarell, que depois seria do Viper e hoje tá no Capital Inicial. Um dia, a Vânia, uma amiga de Marília, alugou um apartamento ao lado do flat, e aí a coisa desandou: eu saía do flat, ia fumar maconha na casa dela e voltava pro trabalho loucão, ainda de terno.

Eu até que trabalhava direitinho, e os hóspedes gostavam de mim. Mas o negócio ficou insano quando eu tive a ideia de botar o Morto, do Psykóze, de mensageiro. A gente fumava maconha nos apartamentos vazios. Era só chegar o horário de sair, nove da noite, que a gente trocava de roupa, botava o visual de hardcore finlandês — cabelo espetado, calça manchada de cândida, jaqueta amerdalhada de rebites — e ia pro Madame Satã, uma casa noturna lendária de São Paulo, onde se reunia o povo gótico, uns punks e um monte de malucos. Eu ia ao Satã de quarta a domingo, não saía de lá.

Toda vez que eu imagino como deve ser o inferno, penso no Madame Satã lotado: aquele lugar quente, apertado, tocando Joy Division sem parar, com aquele povo deformado jogado na escada... A pista do Satã parecia uma loucura de ácido: uma mulher comendo repolho, o Wilson, um dos donos do clube, de tanga, tacando fogo na Bíblia, a Claudia Wonder pelada numa banheira de groselha com o pinto pendurado. O inferno é aquilo!

Foi no Satã que começou uma treta bizarra minha com um astro do rock brasileiro. Uma noite eu tava lá, quando alguém veio por trás de mim e pulou de cavalinho nas minhas costas. Fiquei rodando, tentando tirar o cara das minhas costas, sem saber quem era. Quando consegui jogar o sujeito no chão, olhei e era... o Cazuza! "Aí, gordinho mané!", ele gritou. Eu respondi: "Ô, Cuzuza, seu filho da puta, toma aqui pra deixar de ser folgado!", e dei um tapão na cara dele. Aí veio a trupe do cara — o Ezequiel Neves, a fotógrafa Vânia Toledo e mais uma renca — pra apartar.

Daquele dia em diante, sempre que o Cazuza me via, me provocava pra eu bater nele. Acho que gostou de apanhar. Uma vez, eu tava descendo a escada pro jardim do Madame Satã e vi o Cazuza agachado, todo pego de pó: "Eu odeio esse gordo malditoooo!". Fiquei tão puto que tirei o tênis e dei uma sapatada nas fuças dele. A Vânia Toledo veio correndo e me deu um tapa na cara: "Não faz isso com o Cazuza!". Eu queria estrangular a mulher, mas me segurei. O Satã era demais. Lembro que o Walmor Chagas ia direto lá. Outro que encontrei pelo local foi o Erasmo Carlos. Uma vez, passei a noite toda doidaço, batendo papo com o Erasmo e o Clemente, dos Inocentes. Que trio.

Nessa época, comecei a ficar mais conhecido na night e virei alvo fácil pra muita gente. Uma noite, no Anny 44, me meti numa confusão com um tal de Maranhão, da gangue Punks da Morte, por causa de uma treta de cartão, e ele me deu um golpe na coxa com uma faca de pão. O cara até lambeu o sangue da faca. Filho da puta. Mas é como diz

RATOS DE PORÃO

FROM BRAZIL

Festa do Inibex na casa do Julio, comemorando o lançamento do nosso segundo disco Descanse Em Paz, 1986.

o ditado: "Quem com ferro fere, com ferro será ferido", e ele morreu matado. Às vezes, a vida se encarrega de certas vinganças...

Um dia, eu tava no flat, quando o telefone tocou. Era o Jão me convidando pra voltar pro Ratos. Eu disse que não queria mais tocar com eles, que tava mais interessado em tocar metal e que tinha outra banda, o Ruídos Absurdos. Nesse período em que fiquei fora do Ratos, o Jão remontou a banda com o Betinho e o Jabá e fez um disco *split* com o Cólera, gravado ao vivo no Lira Paulistana.

Só que o Ruídos Absurdos não durou muito. O Spaghetti era ruim, o Careca era metido a Yngwie Malmsteen e só queria saber de solar a duzentos quilômetros por hora, e o Morto não tocava porra nenhuma. Chegamos a fazer alguns shows no Lira Paulistana com o Lobotomia, mas não deu em nada. Foi vergonhoso, todo mundo em silêncio, vendo nossa tentativa tosca e mal ensaiada de tocar algo parecido com o *Power From Hell*, do Onslaught. Aliás, a Zezé, baixista do Lobotomia, foi uma das minhas primeiras namoradas. Lembro que transamos no chão do cinema no Carbono 14, os dois bêbados que nem umas vacas. Ou melhor: *talvez* a gente tenha transado, porque a verdade é que não lembro direito.

Uma noite, fui no Lira ver um show do Ratos. Tava triste o bagulho: os caras não tinham nem pedal de distorção. Eu tava loucaço de Hipofagin. Quando a banda começou a tocar uma música minha, "Morrer", eu subi no palco e cantei junto. O Jão ficou puto, mas percebeu que deu liga de novo. Nessa época, o Renato Martins, da gravadora Ataque Frontal, e o Redson, do Cólera, tavam montando a coletânea *Ataque Sonoro*, que tinha Garotos Podres, Desordeiros, Grinders, Vírus 27, Espermogramix e outras bandas. E o Redson, que ainda era brigado comigo, ameaçou o Jão: "Se o Gordo voltar pro Ratos, vocês não vão participar da coletânea!". O Jão ficou puto e disse: "Ah, é? Então o Gordo volta e você que se foda!". Acabou que o Ratos entrou no disco, mas o Redson sabotou nosso som. Você ouve as faixas do Cólera e são todas bem-gravadas. Já as faixas do Ratos são toscas. E a gente gravou no mesmo estúdio.

O lançamento do *Ataque Sonoro* foi no Radar Tantã. Na segunda banda, um Careca chamado Treze, um grandão que tinha uma suástica no cocuruto pintada com caneta pilot, subiu no palco e jogou a bateria do Grego, do Lobotomia, na plateia, sem que ninguém fizesse nada. Aí uma carecada invadiu o lugar e o show foi cancelado. O bagulho foi feio.

Eu topei voltar pro Ratos, mas disse que queria tocar metal. No início, os caras não gostaram, mas comecei a mostrar pra eles uns sons do Exodus, Metallica, Slayer, e eles começaram a virar metaleiros.

© FABIANA FIGUEIREDO

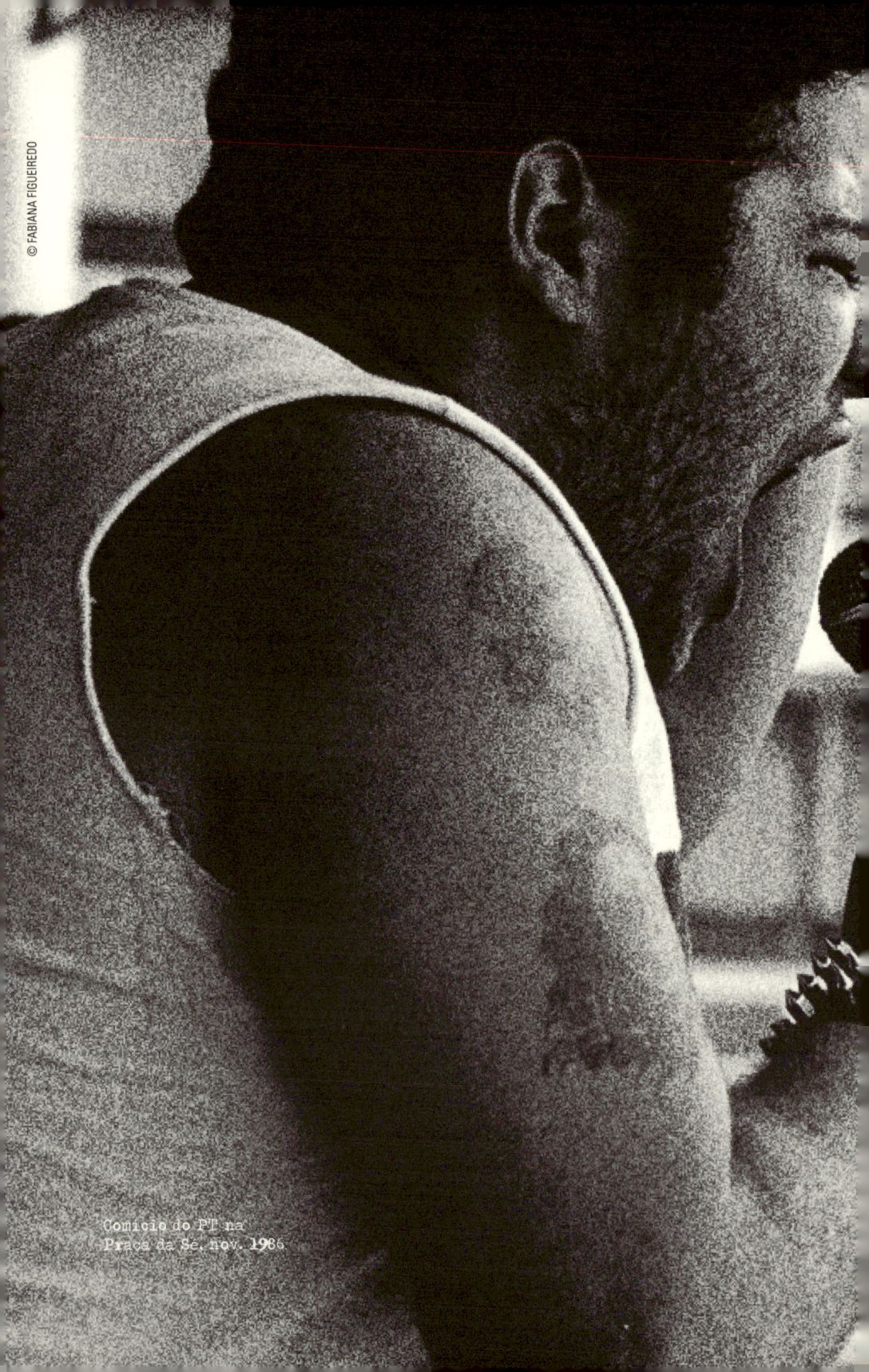

Comício do PT na
Praça da Sé, nov. 1986

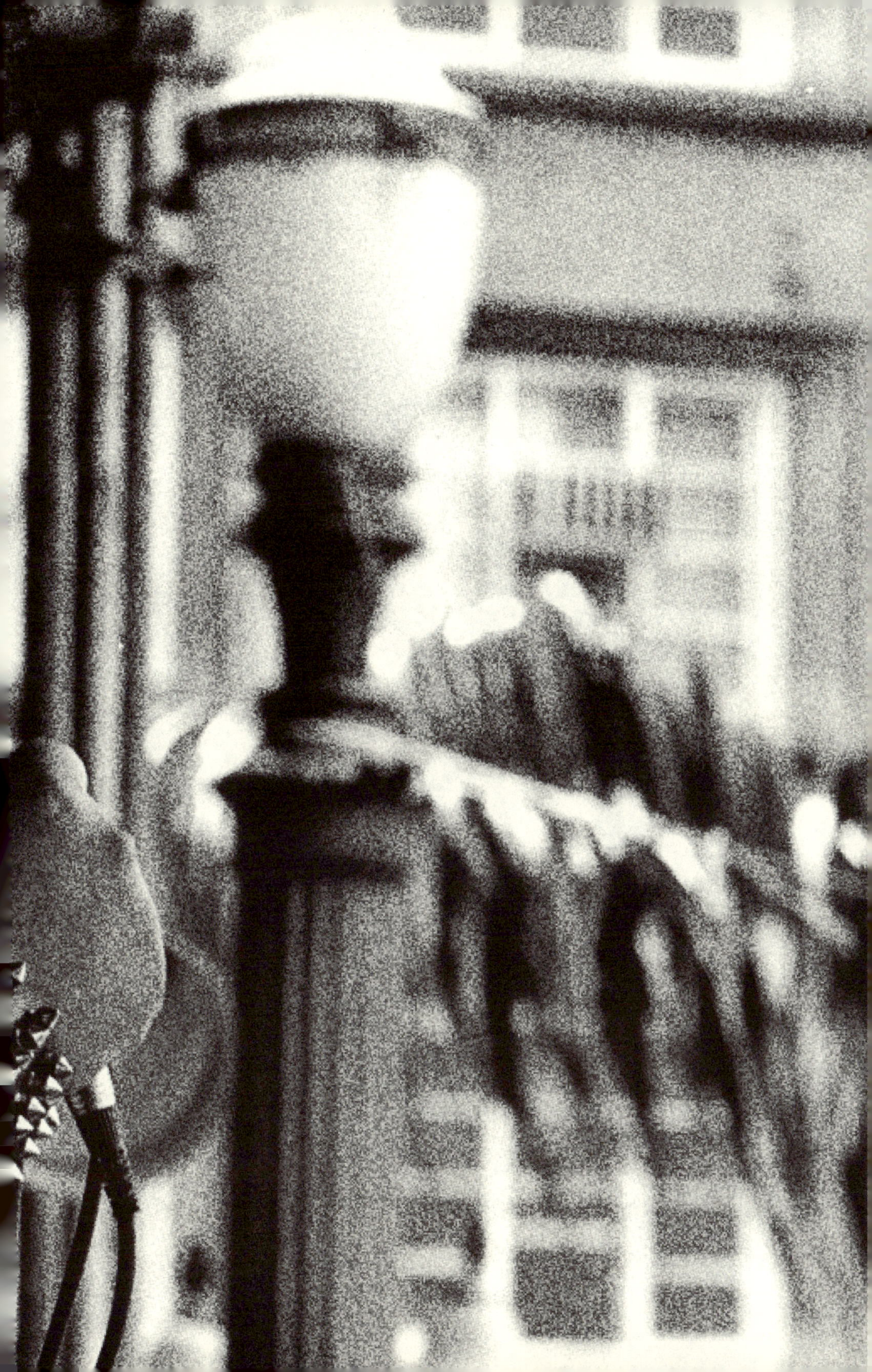

© FABIANA FIGUEIREDO   Em BH, 1987.

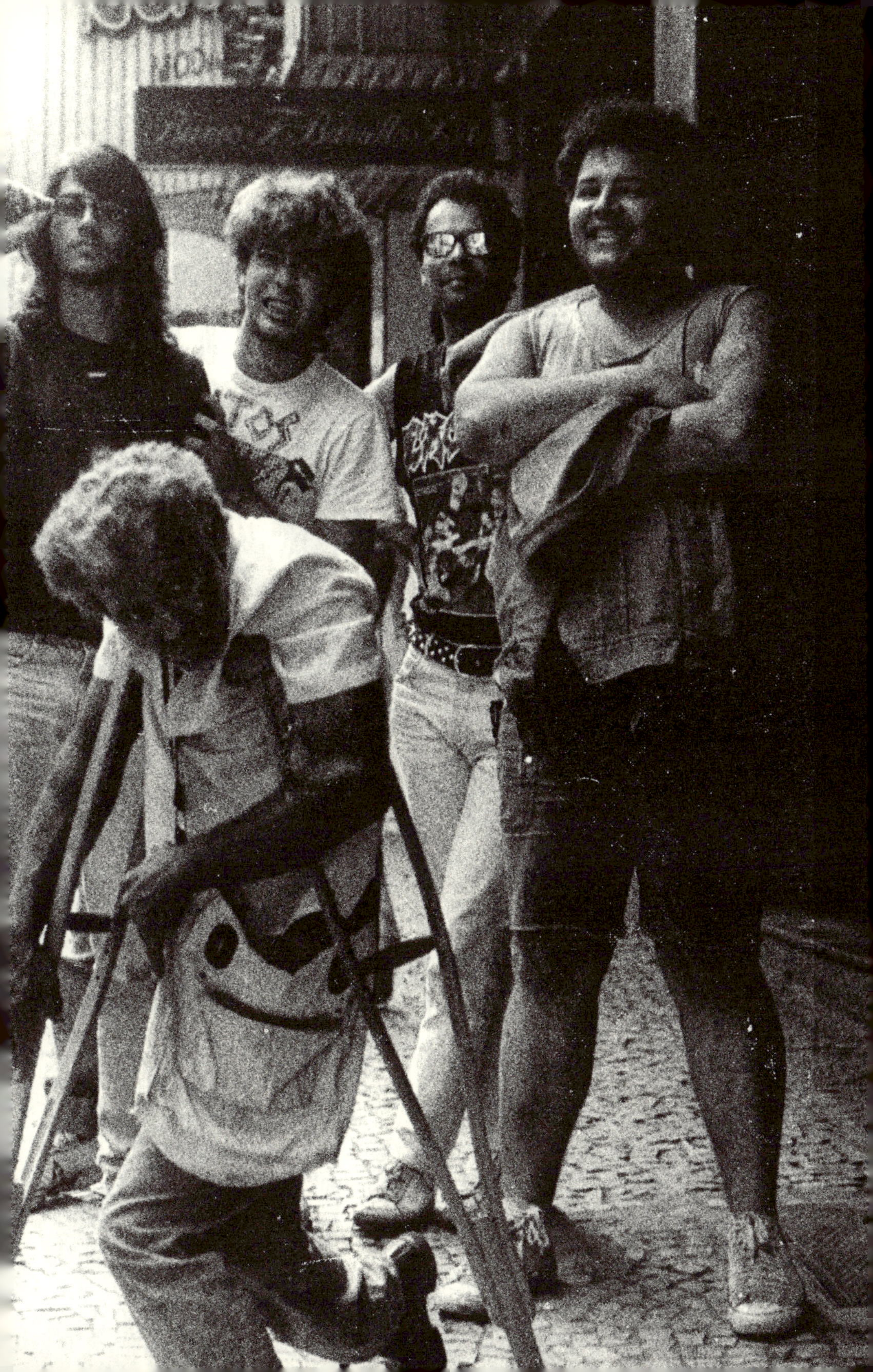

FANZINE LIXO CULTURAL. Nossa fama de traidor começou aqui. O preço de ser pioneiro.

É uma banda punk de São Paulo formada por: Mingau (Guitarra), Jão (Bateria), Joãozinho "Gordo" (Vocal) e Jabá (Baixo). A média de idade é de 16/19 anos. Existe há uns dois anos, mas a formação já mudou diversas vezes: Jabá e Jão, são os mais antigos. O grupo toca, segundo depoimento dos integrantes Joãozinho Gordo e Mingau, exclusivamente Hardcore. E aqui no Brasil, apenas outros dois grupos fazem o mesmo estilo de som, que são: Psycose e Olho Seco. "O Hardcore é o Punk atual. Hoje o som é três vezes mais pau que o Punk ..." (Gordo).

A maioria das músicas são compostas por Jão, como por exemplo "Agressão e Repressão", "Caos". Eis o trecho deuma letra: "Não me importo com o mal/ Que assola a humanidade/ E a poluição que sufoca minha cidade/ Não me importo com o Papa fazendo caridade/ E a corrupção que me tira a liberdade./ Não me importo..." (Gordo/Mingau).

Já está quase acertado o lançamento de um compacto para o fim deste ano, com produção independente. Terá aproximadamente 7 músicas. Músicas essas, tocadas em diversos shows que deram em São Paulo: PUC, Luso (Bom Retiro), Carbono 14, SESC Pompéia, Napalm (Barzinho no centro, onde várias bandas punks e new wave se apresentam), Campinas, Aparecida do Norte. Também tocaram no Circo Voador, LAPA, Rio de Janeiro, para um público de duas mil pessoas. Em tempo: o disco será gravado em estúdio!

De acordo com Joãozinho Gordo, vocalista dos Ratos de Porão, "O Hardcore é apenas um estilo de som. Não é um movimento em si"; e acrescenta: "Eu sou Punk. E acho que a anarquia do Brasil dos punks não tá com nada. Eles não sabem o que é a anarquia. Pensam que é bagunça e desordem. Nem eu mesmo sei direito o que é anarquia (profundamente)... Pelo menos, não como os bicho-grilo da USP, sabem..."

Há um show marcado para o mês de outubro com os grupos "Neuróticos" e "Malha Velha", além dos Ratos de Porão, em Osasco, São Paulo.

"O Hardcore é o punk atual, dos anos 80. É um som mais rápido e agressivo do que antes. O problema do pessoal é que ele não tem consciência do que é o Hardcore. Eles pensam que o Hardcore é um movimento que quer acabar com o Punk, mas não é nada disso. O pessoal punk o Brasil deveria parar de ser como roqueiro velho, que curte as coisas de sempre: Led Zeppelin, Janis, a vida inteira... O pessoal daqui só curte Ramones, The Clash, Sex Pistols. O Hardcore é uma evolução do Punk Rock. O Punk Rock 77 já acabou há muito tempo". (Gordo)

As bandas que mais inspiraram os Ratos de Porão, são: DISCHARGE e DISORDER (da Inglaterra), KAAOS e RIISTETYT (da Finlândia), ANTI-CIMEX (da Suécia), MINOR THREAT e POISON IDEA (dos Estados Unidos) e outras.

"O punk rock não morreu na ponta aguda do Hardcore e sim na ponta aguda das facas dos próprios Punks". (Joãozinho Gordo).

PAULINHO

Um cara, que passa a maior parte de sua vida na praia, debaixo do sol, de frente para o mar e de costas para a desgraça do país, não tem o direito algum de vir falar sobre os punks da periferia de São Paulo. Por isso Gil, vá se foder na Bahia".
TONHÃO (Do Grupo "Neuróticos")

"*A banda Inocentes acabou porque o seu guitarrista Callegari virou New Wave*". depoimento de punks funcionários do NAPALM.

LIXO CULTURAL

Lembro que mostrei pro Jão o riff de guitarra de "Strike of the Beast", do Exodus. Aí fomos pro estúdio e gravamos o *Descanse em Paz*, que foi uma tentativa de fazer um metal punk. Gravamos pela Baratos & Afins, o selo do Luiz Calanca, um hipporongo gente fina. Mas eu tomei ácido na gravação e não consigo me lembrar de nada.

A verdade é que eu tava de saco cheio do movimento punk. A cena punk em São Paulo era tosca. Só tinha gangue, bandido, trombadinha, a noção de ideologia era rudimentar, ninguém sabia nada sobre anarquia ou política. Os mais inteligentes e informados ali eram o Clemente, o Ariel, o Redson e o Fabião. O resto só queria saber de bagunça, de brigar, de cheirar cola e ouvir Sex Pistols e Ramones. Era tosco demais.

Já a cena de heavy metal era outra coisa: tinha show, tinha mulher e não tinha briga. Começamos a tocar em shows de metal. Fizemos shows no Aeroviários, em São Paulo, e no Circo Voador, no Rio. O *Descanse em Paz* já tinha todos os clichês de metal. Aí pegou o estigma de "traidor do movimento", nego me ameaçando, querendo me bater na rua.

Eu frequentava o Rainbow, um bar de metaleiro no Jabaquara, e ia pra lá de metrô. Nessa época, São Paulo tinha um ar meio *Warriors*, só tinha gangue. Eu pegava o metrô em Santana e tinha que atravessar a cidade, e algumas estações eram perigosas, porque era fácil trombar punks e Carecas, especialmente nas estações Sé, São Bento e Santa Cruz. Andar de metrô era uma aventura. Uma vez, trombei com um grupo de Carecas. Eles estavam indo pro festival de Águas Claras e desceram no Tietê pra pegar o ônibus. Era uma sexta-feira, os caras ficaram me xingando, e eu mandando beijinho pra eles de longe, mas ficou nisso. No domingo, fui pro Rainbow ver um show. Na volta, quem entra no vagão? Os oito Carecas! A porta mal fechou e os caras já começaram a me cobrir de porrada. Nessas horas você vira ninja: eu me pendurei na barra do vagão e comecei a dar uns chutes neles. Daí um dos Carecas — juro — tinha um arco e flecha! Não sei de onde o cara tirou aquilo, mas ele tinha, com peninha rosa na ponta e tudo, e tentou me dar uma flechada. Eu acertei uma pezada no cara, aí alguém puxou a corda de emergência e o metrô parou entre as estações Tietê e Carandiru. Os seguranças vieram, eu saí de lá e entrei no primeiro ônibus que passou.

Nessa fase a gente tava muito drogado. Eu comecei a tomar pico, vi uma pá de amigo sendo preso e minha vida toda dando errado. Eu tava fodido, morando num quartinho tosco nos fundos da casa dos meus pais. Minha filosofia era: o melhor jeito de odiar o seu pai é ficar em casa e só fazer merda. E assim fiquei mais de dez anos sem falar com ele. Nosso relacionamento chegou a um ponto tão ruim que ele colocou cadeado na geladeira pra eu não comer nada. Minha mãe ficava com pena e ainda tentava me ajudar, mas ela tinha medo do meu pai.

Teve um monte de gente que me ajudou nessas fases mais brabas. Uma foi a Sônia Maia, que era jornalista e escrevia pra revista *Bizz*. A Sônia foi uma espécie de protetora minha, me deixou morar na casa dela por um tempo e até me deu o que comer quando eu não tinha um puto no bolso.

Minha mãe ficou tão desesperada com a situação que me levou num centro de umbanda, na Vila Gustavo, pra eu tomar uns passes. Na porta do lugar tinha um frango seco crucificado. Nesse dia eu tive uma audiência com o Exu Caveira. Ele ficava num trono, de cartola, jogando uns búzios vermelhos e pretos. Misturados aos búzios tinha umas balas de revólver e fuzil. O quartinho do Exu era lotado de garrafas de Dreher e de conhaque Palhinha. Tinha também um monte de garrafas de Underberg e uma geladeira lotada de cerveja. Ele ficava fumando charuto e usava uma cortininha na frente da cartola, que escondia o rosto. Eu nunca tinha visto o cara na vida, mas ele virou pra mim e disse: "Depois dos trinta, 35 anos, você vai ser muito famoso, mas vai ser por você mesmo... Agora bebe uma aí comigo!". E comecei a tomar cerveja com o Exu Caveira. A gente ficou batendo papo, e eu relaxei. Ele ficava jogando os búzios. De repente, disse: "Huummm... Tô vendo que você gosta de mim, né? Você tem um monte de fotografia minha no braço esquerdo!". Eu tinha quatro ou cinco tatuagens de caveira no braço, mas ele não podia saber, porque eu tava com uma camisa de manga comprida! Arrepiei. Ele me botou de pé dentro de um círculo de pólvora e acendeu o bagulho. Me deu um banho com um erva fedida e disse pra eu voltar no dia seguinte. Na hora da despedida, ele, que era um gordinho de um metro e meio, me levantou — e olha que eu já pesava 150 quilos! No dia seguinte, voltei lá, e o Exu me levou pra um mato ali perto e matou umas pombas no meu pé.

Depois do meu encontro com o Exu, o Ratos começou a crescer na cena de metal. O punk tava a maior merda, não tinha show, não tinha nada, e a metaleirada começou a curtir o nosso som. Eu fiquei amigo de uma fotógrafa chamada Fabiana Figueiredo, que era metida na cena de Belo Horizonte, e ela me chamou pra ir lá em BH, em dezembro de 1986, tentar descolar uns shows. Cheguei na cidade na semana em que ia rolar o show do Venom e do Exciter, com o Sepultura abrindo. E foi ali que conheci os irmãos Cavalera.

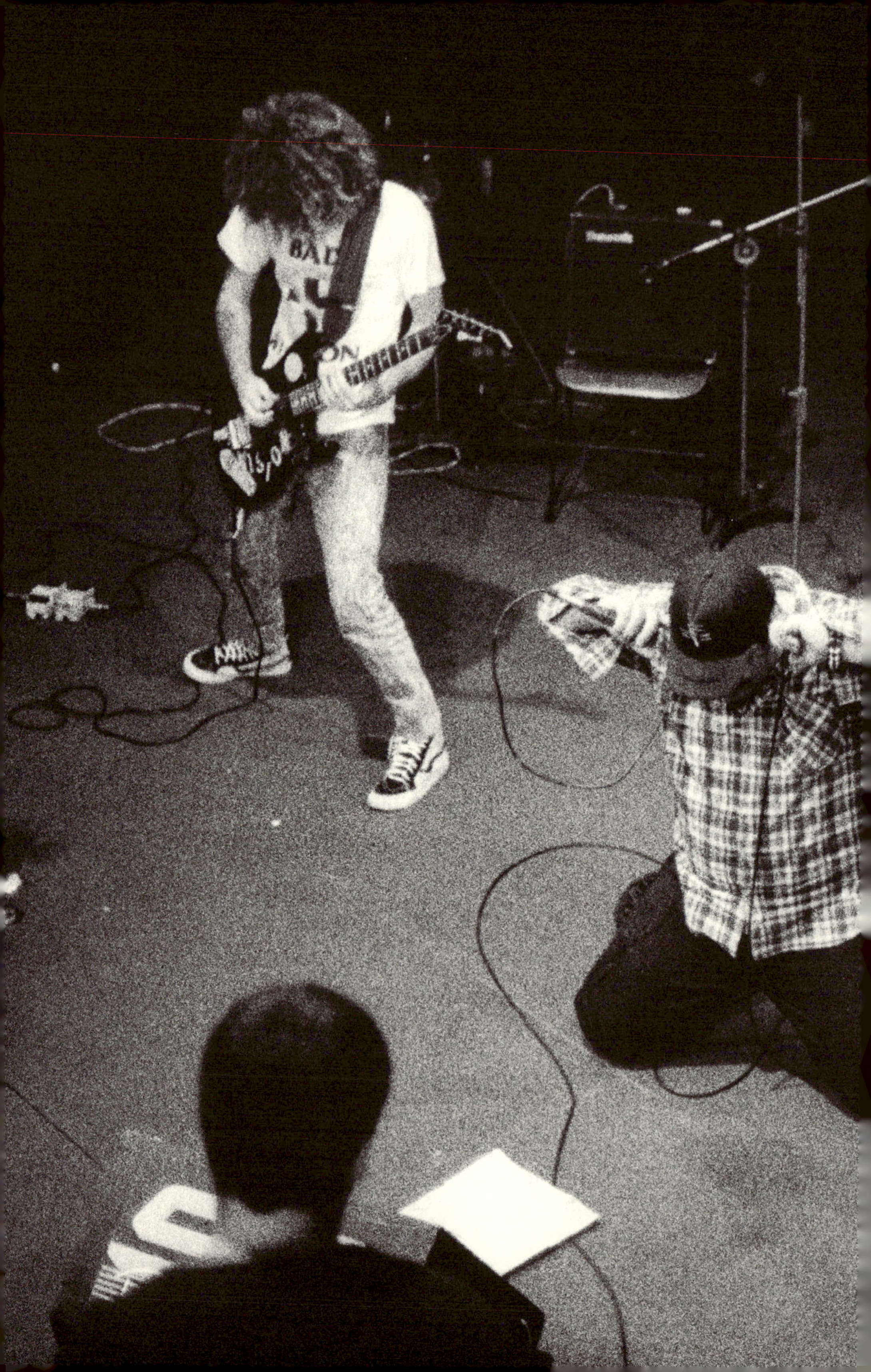

centro cultural, 1988

© FABIANA HIGUEIREDO

1986
METAL PASAS...

Cheguei em BH, abri o jornal *O Estado de Minas* e vi uma entrevista do Max em que ele dizia que a melhor banda do Brasil era o Ratos. Pensei: "Beleza, vou pegar um passe de backstage pra ver o Venom de graça!". Fui na gravadora dos caras, a Cogumelo, pra descolar o endereço do Sepultura, e a primeira pessoa que encontrei foi o Korg, vocalista do Chakal: "Puta que pariu, não acredito! É o Gordo, do Ratos? Me dá um autógrafo?". Eu fiquei bobo: "Tá louco? Eu dando autógrafo? Nem fodendo!".

Na Cogumelo, disseram que o Sepultura ensaiava na casa do Paulo, o baixista, e me arrumaram o telefone dele. Liguei e o cara ficou mudo: "O quê? O Gordo, do Ratos? Vem aqui, meu!" O engraçado é que a imagem que eu tinha de metaleiro eram uns boys loiros andando de Escort. As bandas de São Paulo eram, na maioria, de classe média ou classe média alta. A primeira vez que vi uma bateria importada de dois bumbos foi num show do Cérbero, por exemplo. Em São Paulo, tinha o Vírus, o Anthares e o Korzus, que era meio Judas Priest, os caras tocavam fazendo coreografia. Uma vez, fui ver o Korzus louco de ácido e quase morri de rir.

Fui pra casa do Paulo achando que ia encontrar o maior boy e a banda ensaiando num estudiozão, mas, quando cheguei na casa, em Santa Tereza, fiquei chocado: era a maior favela, um terrenão com uma casa caindo aos pedaços na frente, onde rolava o ensaio, e a casa da família do Paulo nos fundos do terreno. Os moleques do Sepultura eram todos podres, estilo "Do It Yourself" [Faça você mesmo], todo mundo com camiseta pintada à mão e calça rasgada. Vi a banda ensaiando e fiquei boquiaberto: "O que é isso?". Era impressionante. Eu já conhecia o primeiro disco do Sepultura, *Bestial Devastation*, aquele *split* com o Overdose, mas achava uma bosta. A gravação era tosca. Pra quem ouvia English Dogs e Slayer, não impressionava. Mas, ao vivo, os caras eram bons demais.

Depois do ensaio, o Max me convidou pra ir na casa deles, na rua Dores do Indaiá, em Santa Tereza. Cheguei na casa dos Cavalera e logo de cara tinha um "Sepultura" pichado na frente. A casa era a maior tosqueira, toda zoada e pichada do chão ao teto, os móveis caindo aos pedaços. Em um dos quartos alguém tinha pichado "Templo de Satã". O Max devia ter dezessete anos e o Igor, dezesseis. Eles moravam lá com a irmãzinha, a Kira, e a mãe, a Vânia. E a primeira vez que vi a Vânia fiquei maravilhado: era uma mulher muito bonita, tinha um cabelão, um bocão, uma coroa gostosa, era impossível parar de olhar pra mulher. Pensei: "Quero morar aqui, é o paraíso do metal!".

E assim começou a minha história com o Sepultura.

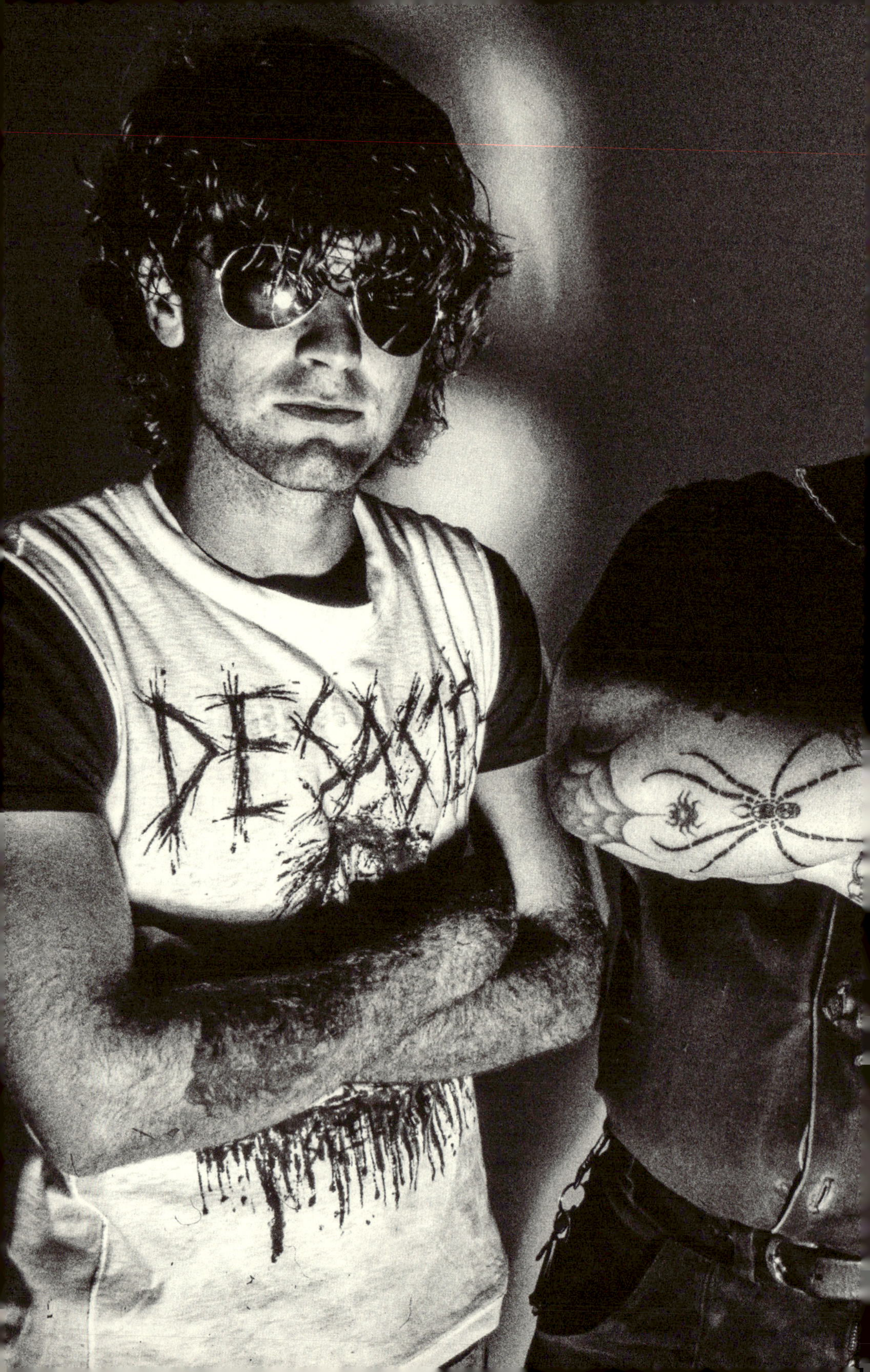

1987 © Rui Mendes

Martina, Mariéco, Morto
do Psycóse e JG, 1985

© RUI MENDES

© FABIANA FIGUEIREDO

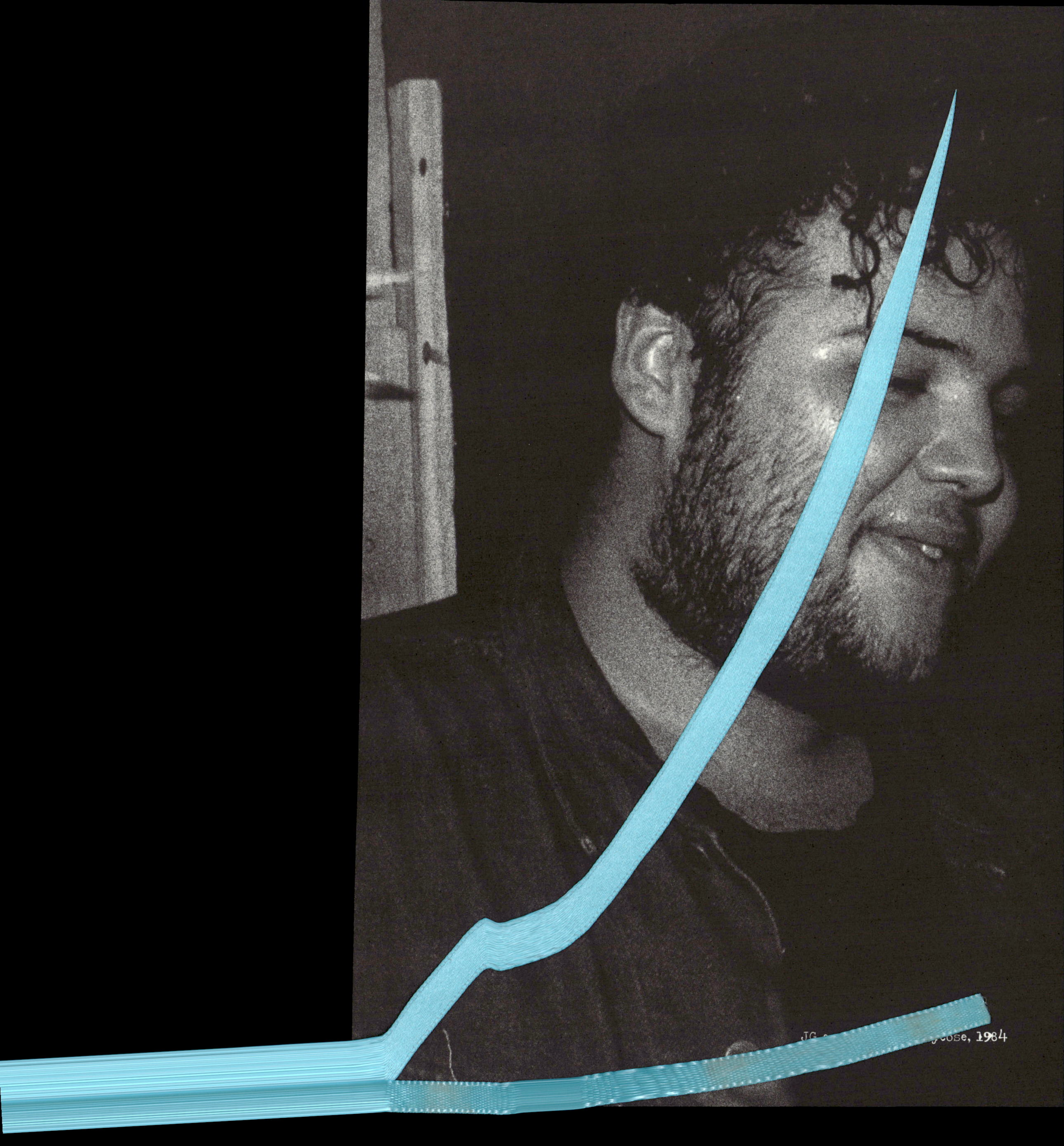

JG … cose, 1984

© PRISCILA FARIAS

RUÍDOS ABSURDOS,
1984 Metal Punk

© RUI MENDES

Na antiga Tatoo You, na Vila Madalena, em foto para o disco V.C.D.M.S.A., 1987

6

© FABIANA FIGUEIREDO

Eu e Sonia Maia no palco, em show na praça da Sé

NOIABAS NA EUROPA

Fui um cara de muita sorte. Sempre tive uns amigos que me deram força. Duas das minhas maiores amigas foram a Fabiana Figueiredo, uma ótima fotógrafa, e a Sônia Maia, uma jornalista conhecida. A Sônia me ajudou demais. Foi ela que arrumou pra eu fazer uns frilas pra revista *Bizz* e pra *Folha de S. Paulo*. Eu comecei a fazer críticas de discos. Ela me dava uma pilha de discos — a maioria umas porcarias de metal — e eu fazia as críticas.

Nessa época, fui "persona non grata" na *Bizz*. Eu chegava lá e as pessoas achavam minha presença agressiva. Ninguém falava comigo. Mas eu me pendurei na Sônia e ganhei uma graninha pelas matérias. Sempre tive esse dom de escrever, era bom de redação no colégio, e tinha facilidade pra fazer críticas. Mas nunca fui datilógrafo, só aprendi a digitar depois dos anos 2000, já no computador. Antes, eu escrevia à mão.

Também cheguei a escrever por um tempo pra uma revista de skate, a *Yeah!*. O editor era o Paulo Anshowinhas, outro cara gente fina e que me deu a maior força. O Anshowinhas tinha sido campeão de skate e era um grande fã do Devo. Ele foi o primeiro D-Boy que eu vi, de macacão amarelo e tudo. Eu também era fã do Devo e pirei. Na *Yeah!*, eu escrevia sobre punk, metal, só podreira. Lembro que fiz uma matéria grande sobre a gravadora Earache e as bandas de grindcore, tipo

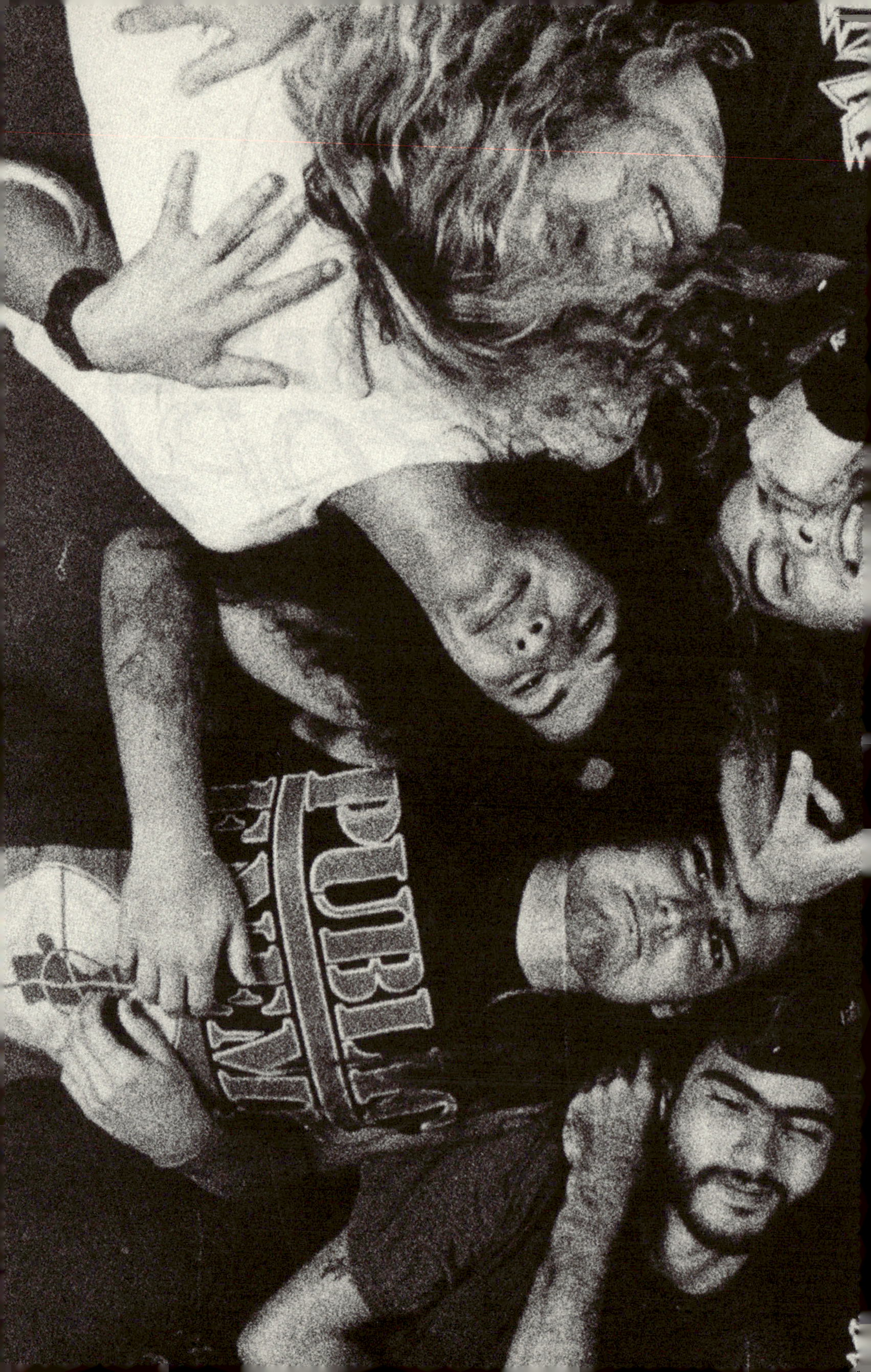

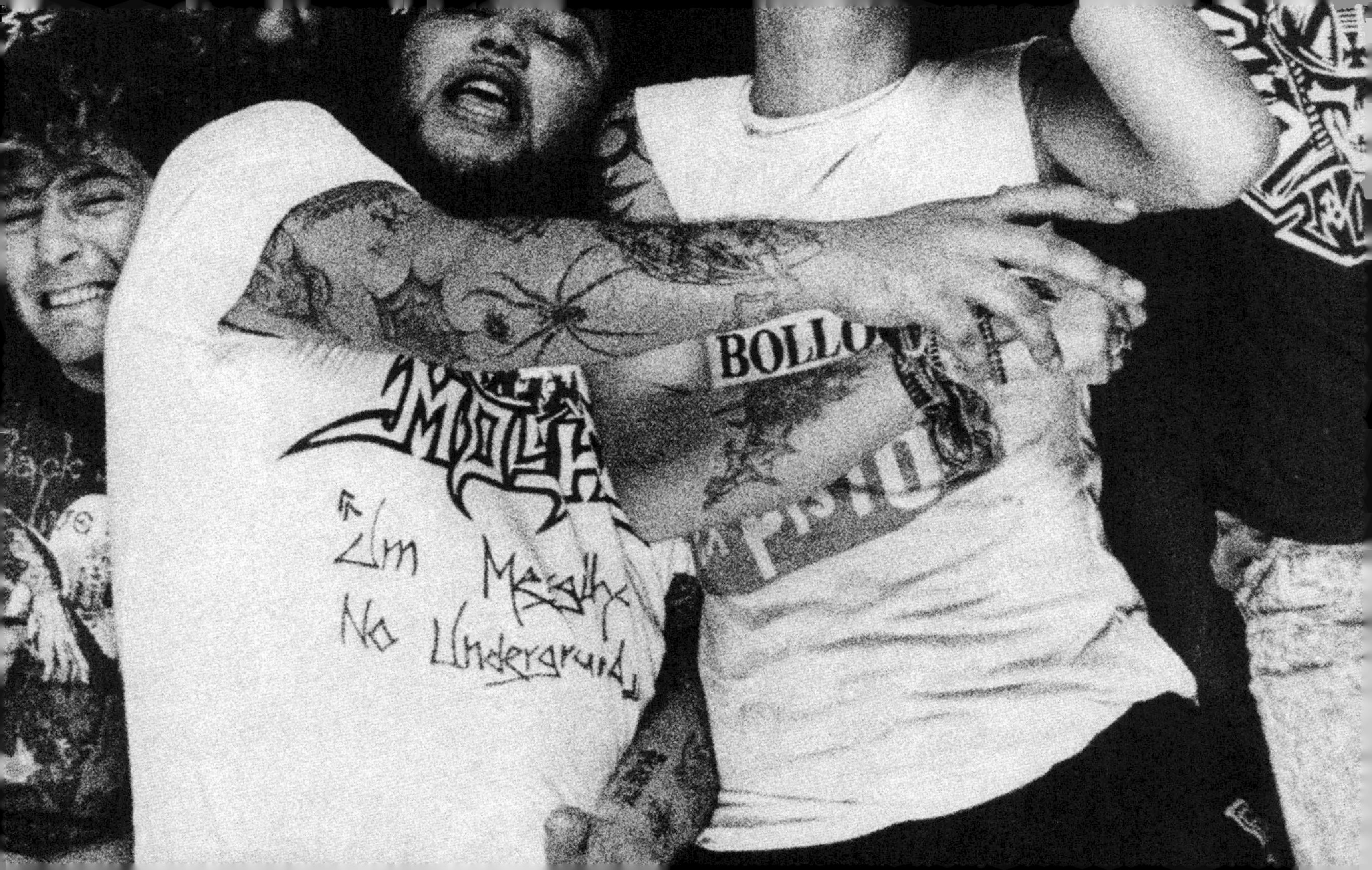
BOLLO

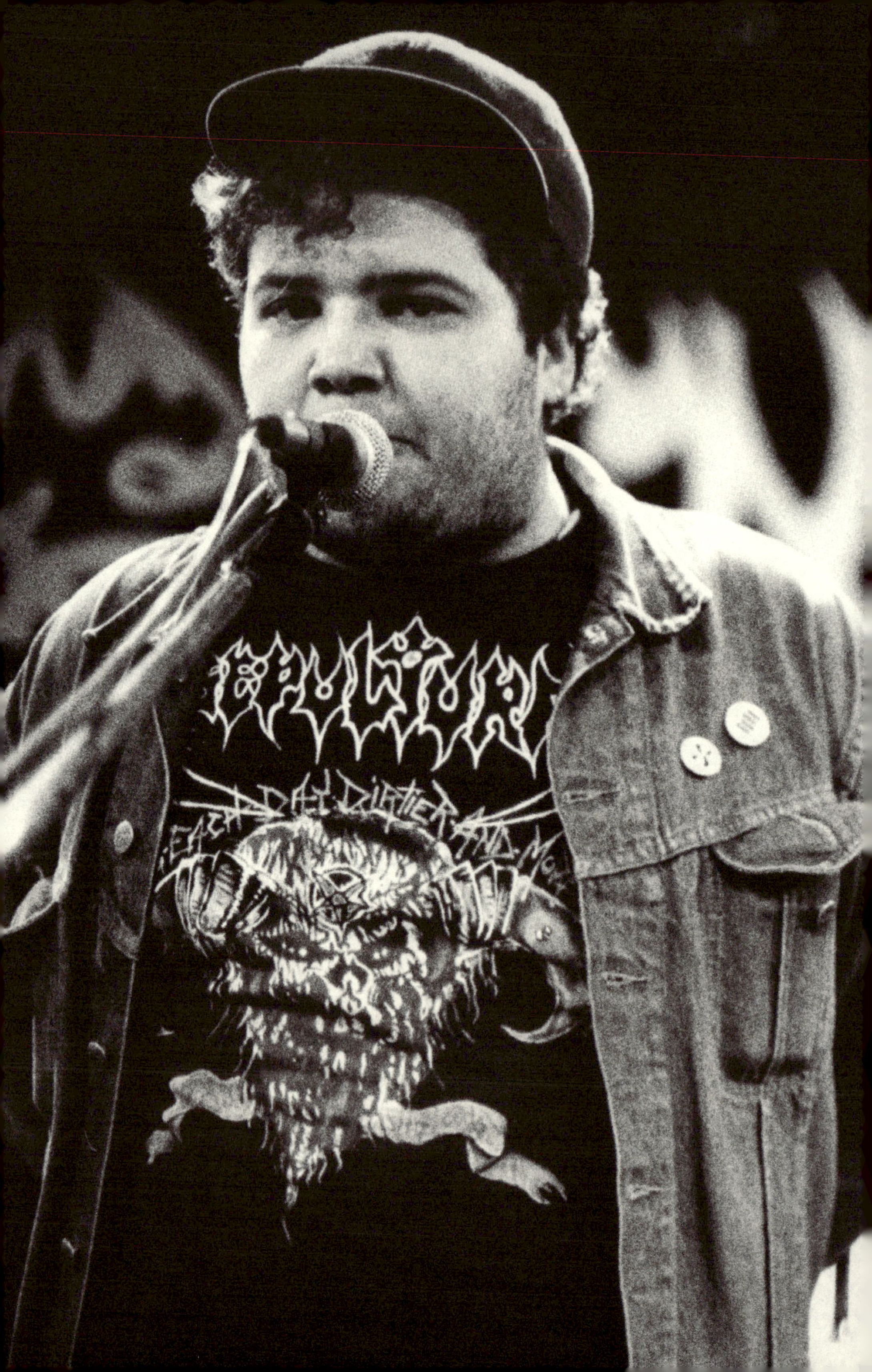

© FABIANA FIGUEIREDO

Os inseparáveis
MAX e JG, em 1989.
Não nos falamos
desde 1996.

Napalm Death, Carcass, Terrorizer e Extreme Noise Terror. Ninguém falava sobre isso por aqui naquela época. Fiz também a primeira matéria do Sepultura fora das publicações do metal, numa revista de skate, dando destaque pro Igor.

Falando em metal, fiquei muito amigo dos caras do Sepultura. Como disse, eu não gostava do primeiro disco deles, e muito menos do segundo, *Morbid Visions*, mas o show era impressionante. Eles eram muito bons ao vivo. E eu pirei com o clima na casa dos Cavalera, que era muito legal e tão diferente do clima péssimo da minha casa em São Paulo. Tinha dia em que uns setenta metaleiros dormiam na casa do Max e do Igor, todo mundo espalhado no chão, uma zona do cacete, parecia um acampamento do diabo. Comecei a ir pra Belo Horizonte em qualquer feriado. Eu dizia que tinha virado mineiro e até comecei a falar com sotaque: "Belzonte bão dimais!". Comecei a falar "beleza", e ninguém que eu conhecia em São Paulo falava "beleza". E aí? Beleza?

Eu achava a casa dos Cavalera meio assombrada. A Vânia, mãe deles, sempre foi ligada numa macumba. Às vezes, eu ficava meio assustado com algumas coisas que aconteciam. Já vi objetos se mexendo lá. Lembro que a Vânia tinha uma superproteção com o Max, vivia massageando o pé dele, fazendo tudo que ele queria. Aliás, tanto o Max quanto o Igor faziam o que queriam. Se não me engano, o Igor parou de estudar na 4ª série e o Max, na 5ª, só pra se dedicarem ao heavy metal. O pai deles, Graziano, era funcionário da embaixada da Itália e morreu alguns anos antes, de um enfarte, num lago, na frente dos dois meninos. Aí a Vânia levou os filhos pra morar em Belo Horizonte, onde ela tinha família, e os Cavalera, que sempre foram bem de vida, começaram a ter dificuldades financeiras e a se endividarem.

O Max e o Igor viviam pro metal. Eles foram alguns dos primeiros a gostar de som mais extremo, tipo Morbid Angel, Death e aquela banda da Flórida, Massacre, e se comunicavam com essas bandas via carta e trocavam discos com elas. Os Cavalera eram heróis em BH e estavam se tornando heróis meus também.

Eu adorava visitar os caras. Todo mundo bebia pra caralho, era uma bagunça. De dia tinha ensaio na casa do Paulo e depois zoeira na casa do Max. A gente passava o dia todo jogando *War*, e quem perdesse no dado virava um copo de pinga. O Andreas [Kisser] já tava morando lá na época. Lembro que ele ficava o dia todo estudando violão clássico. Tinha um banheiro quebrado na casa, que virou uma espécie de "sala de estudos" do Andreas. Ele ficava trancado naquela merda por três ou quatro horas por dia, estudando violão clássico. Sempre foi um alucinado por violão, por isso toca tão bem.

Conheci cada figura na casa dos Cavalera: o Broa e a boca podre dele, o Cabrito e a sua bunda de pedra, o Lino, o Gentil, o Bibika e o Peitola, que era um gordinho que a gente torturava. Uma vez, a Vânia chegou do mercado e encontrou o Peitola amarrado, com uma cueca suja do Max na boca. Nós saímos pra beber e deixamos ele lá. Foi ali que conheci o Leandro, do Blashphemer, que depois virou o Caverna, do Garotos Podres. O Leandro tinha, disparado, o pior chulé do mundo: o cara usava aqueles tênis de cano alto da Pony. Quando começava a bater o pé, você *via* a morrinha subindo. O bagulho era tão fedorento que tinha até cor, era de revirar o estômago. Também não posso esquecer o Tibau e a Tumate... Crazy people...

Eu me divertia demais com os metaleiros. Em shows de metal não rolava briga como nos shows de punk, e tinha até meninas bonitas na plateia, coisa impensável na cena punk. Eu me lembro de um show em Santa Isabel, São Paulo, com Sepultura, Dorsal Atlântica e MX, em que o Walcyr, dono da loja de discos Woodstock, uma das mais importantes da época, ficou bêbado e caiu desmaiado no chão. Aí um metaleiro filho da puta chamado Mengele baixou as calças e largou um barro enorme ao lado do Walcyr! Existe até uma foto desse evento memorável! Esse show marcou minha vida, nunca ri tanto.

Em 1987, o Sepultura gravou o *Schizofrenia*, pela Cogumelo. Achamos que a produção da Cogumelo tava boa e decidimos lançar nosso próximo disco, *Cada Dia Mais Sujo e Agressivo*, pela gravadora. Foi isso que nos aproximou ainda mais da cena de metal de Belzonte.

Mas o primeiro show do Ratos em BH não foi legal. Nós tomamos ácido e passamos o show rindo e falando merda, e isso pegou mal pra burro com os metaleiros: "Pô, o Ratos de Porão dá risada?". O pessoal ficou decepcionado. Foi uma das primeiras vezes que tocamos pra uma plateia de cabeludo batendo cabeça. Estávamos tão loucos de microponto que paramos o show no meio pra fumar um baseado e chamamos o Sepultura pra tocar no nosso lugar. O Sepultura tocou o *Troops of Doom* em formato de *power trio*, já que o Jairo tinha saído e o Andreas ainda não estava em BH.

Só que nem tudo eram flores no mundo do metal. O Sepultura tinha uma rixa com uma banda local chamada Sarcófago, e nós, que éramos amigos do Sepultura, acabamos tretados com os caras também. Uma vez, fomos tocar com o Sepultura em BH. No meio do show, vi o Wagner "Antichrist", o vocalista do Sarcófago, nos ombros de um cara na plateia, mostrando o dedo médio pra mim e me jogando pedaços de gelo. Eu disse no microfone: "Ah, é, seu filho da puta? Então espera, que quando você for pra São Paulo, tá fodido na nossa mão!".

Algum tempo depois, anunciaram um show do D.R.I. em São Paulo, e o Ratos foi convidado pra abrir. A gente ficou pilhadão, éramos fãs dos caras. Mas aí o Walcyr, da Woodstock, sem nenhuma explicação, tirou o Ratos e botou o Sarcófago pra abrir. A gente já não gostava dos caras e decidiu que as coisas não iam ficar daquele jeito. No meio do show do Sarcófago, o Jão foi ao banheiro, mijou num copo e jogou em cima do Wagner, mas errou e deu um banho de mijo num monte de metaleiros.

Depois do show, o pessoal do D.R.I., que não sabia nada da treta, nos chamou pra ir no camarim. O Jabá entrou no camarim armado, e a situação ficou tensa. Um dos caras da turma do Sarcófago falou um troço atravessado pra mim, eu dei um tabefe na orelha do cara, e o tempo fechou. Só sei que o Jão e o Jabá tomaram uma corrente do baixista do Sarcófago, o Didi Very Crazy, deram umas correntadas no Wagner, que tentou fugir pra dentro do ônibus do D.R.I. Sem querer, o Jão acabou acertando com a corrente na cabeça do empresário do D.R.I. e no braço de um roadie da banda. O Jão quebrou o braço do cara. Foi uma merda gigante.

Em 1986, 1987, o Ratos tocava muito pouco. Eu tinha acabado de sair do emprego no flat e tava ganhando uma grana vendendo microponto, quando minha mãe — ela de novo! — me arrumou um emprego num laboratório de análises químicas e minerais. Eu passava o dia todo moendo pedra e lavando louça. No Ratos mesmo eu não ganhava nada. Era tão fodido de grana que ia até Santo Amaro filar o rango no restaurante da família do Spaghetti, outro que me dava muita força. A gente ensaiava na casa do Jão, na Vila Piauí, enquanto o pai dele, Seu Nico, ficava vendo as bundas das "Boletes" rebolando no *Clube do Bolinha*. Era surreal o bagulho: um esporro do cacete num quarto e Seu Nico vendo TV no outro.

Nessa época, a 89 FM tinha estourado e tava tocando uma pá de bandas alternativas: Replicantes, Inocentes, Fellini, Muzak... Mas nunca o Ratos. A gente era muito pesado, nosso disco tinha um defunto na capa, ninguém ia tocar o LP. Também sofríamos uma perseguição brutal dos punks, que me chamavam de traidor do movimento.

Fizemos um show em Brasília. Foi a primeira vez em que ficamos num hotel. Nós éramos tão toscos que achamos que o rango do frigo-

Lançamento livro Barulho,
com Andreas Kisser, Jello Biafra
e Ratos de Porão, 1995

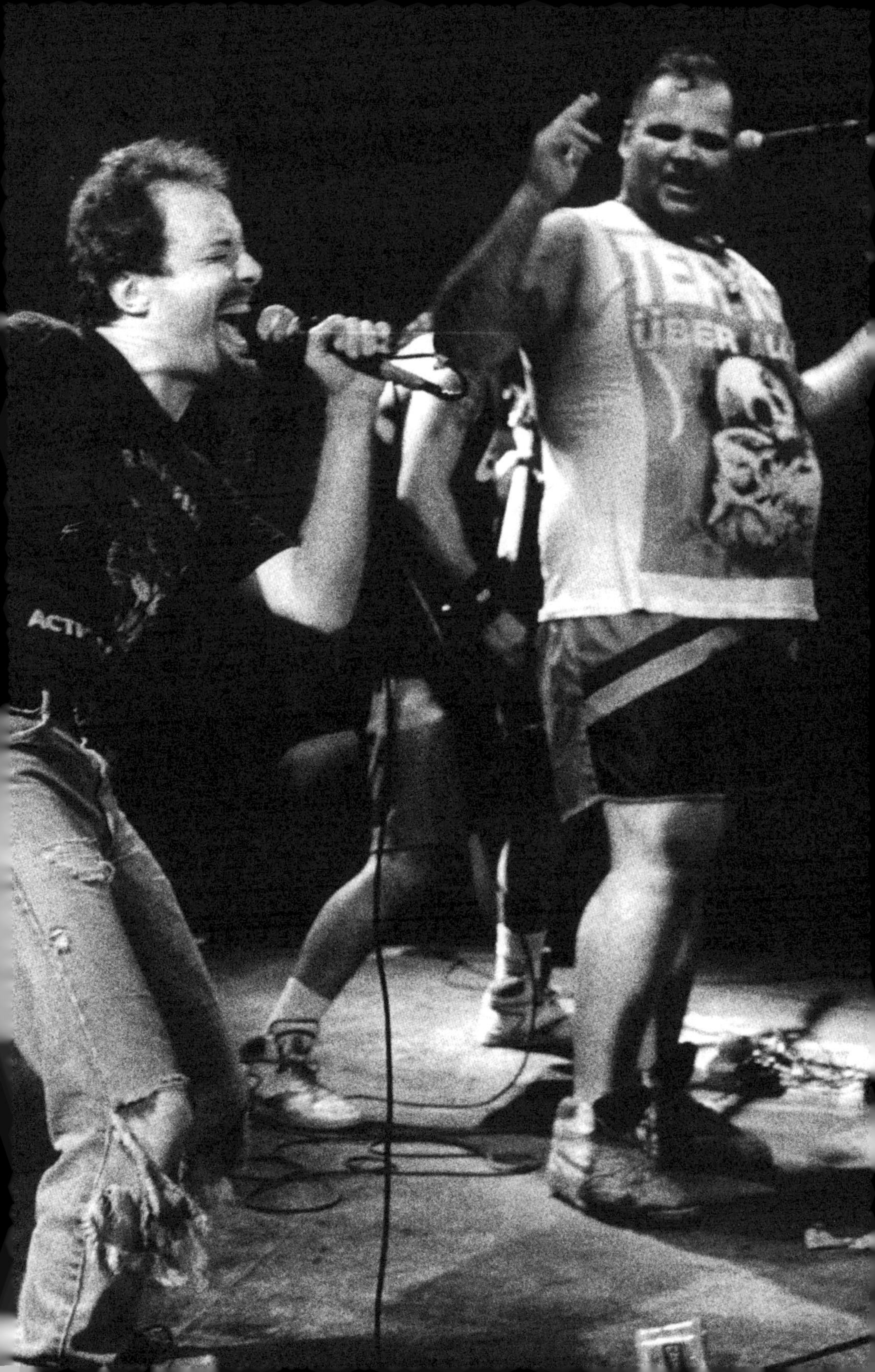

bar era de graça. Comemos tudo e mandamos encher de novo umas três vezes. Depois veio uma conta gigantesca e nós ficamos ali, com aquelas caras de trouxas, sem acreditar...

Brasília tinha uma cena punk forte, mas nós chegamos lá com visual de metaleiro, ouvindo King Diamond num boombox, e os punks ficaram indignados. Eu usava uma camisa que um roadie do Venom tinha me dado. Era uma camiseta do Metallica escrita "Metal Up Your Ass". O cara disse que a camiseta tinha sido do próprio Cliff Burton, o baixista do Metallica que morreu num acidente com o ônibus da banda. Era um show grande, tinha até outdoor do Ratos na cidade. O lugar tava lotado, tinha umas seiscentas pessoas. Metade metaleiro, metade punk. Eu subi no palco louco de microponto e levei uma chuva de catarrada, fiquei parecendo o Monstro do Pântano, cheio de gosma verde pendurada na cara. Cheguei no camarim depois do show tão puto que quebrei tudo: espelhos, mobília, televisão, surtei mesmo. Pra piorar, roubaram nossas roupas, levaram meus botões, meu cinto de balas e umas algemas que eu tinha. O clima foi horrível no show.

Com *Descanse em Paz* e *Cada Dia Mais Sujo e Agressivo*, começamos a atrair um público de metal. Tocamos no Mambembe, em São Paulo, e numas domingueiras no Aeroviários, junto com MX, Korzus, Sepultura e outros. A galera do metal recebia bem a gente. E nessa fase era muito perigoso andar em São Paulo, porque tava rolando, pra variar, um clima de guerra entre metaleiros, punks e Carecas. Uma vez, os Carecas baixaram no Rainbow, um bar no Jabaquara, e desceram o cacete em todo mundo. Quebraram o braço do Kichi, que era o nosso roadie, e esfaquearam o Mercy, que trabalhava na Woodstock. Quando a polícia chegou, só prendeu e espancou os cabeludos, que eram as vítimas, e deixou os agressores irem embora.

Pouco a pouco, o *Cada Dia Mais Sujo e Agressivo* começou a atrair atenção. Fizemos uma versão do disco em inglês macarrônico, mas fez um certo sucesso no exterior. Lembro que o Jello Biafra, do Dead Kennedys, dono do selo Alternative Tentacles, elogiou, e a revista americana *Maximum Rock'n'Roll* também. Ouvindo o LP hoje, a primeira coisa que me vem à cabeça é como eu tava deprê na época em que gravamos. Eu tinha começado a tomar baque, injeção de pó, cocaína injetável, e, de vez em quando, eu errava as veias e ficava com o braço roxo ou amarelado. Eu tinha muito pensamento negativo. Sempre fui um sujeito pra baixo, sempre quis morrer. Só pensava em me matar e quase consegui, várias vezes. Mas nunca tive coragem de dar um tiro na boca, como o Kurt Cobain.

Eu passava muitas horas sozinho, trancado num quarto na casa da Sônia Maia. Foi uma época nebulosa pra mim. Uma vez, arrumei uma namorada argentina chamada Angeles. Ela tinha um moicano, era bonita e me deu um pé na bunda. Daí o Jabá foi lá e comeu a mina. Eu sempre fui tímido com mulher, tinha dificuldade em me aproximar e xavecar. E o Jabá não tinha dó: eu não comia, ele ia lá e comia.

Depois que a Angeles já tinha me chutado, eu tava no Madame Satã e fiquei sabendo que ela tava no boteco do Ceará, que ficava ao lado. Resolvi sair pra trocar uma ideia. Chegando lá, percebi uma movimentação estranha de uns punks que eu nunca tinha visto na vida. Ela tava no balcão, toda bonita, conversando com um cara. Quando cheguei perto, fui atacado pelas costas por um punk, que me deu uma paulada na cabeça. Eu virei que nem um doido. O cara era pequeno. Peguei ele pela jaqueta e comecei a ralar a cara dele com meu bracelete de pontas. Aí uns quinze caras invadiram o bar do Ceará e foram pra cima de mim com facas e porretes. Fiquei encurralado entre o balcão e a parede. O bar virou um caos: os punks pegaram as garrafas das prateleiras do bar e jogaram pra me acertar. Garrafas cheias estouravam ao meu redor e eu, tipo ninja, tentando me defender. Fiquei todo vermelho e ensanguentado. Os caras fugiram. Eu ainda tava assustado e pulei pra dentro do balcão, fui um atleta. Só que eu vivia com disenteria, por causa dos ácidos que tomava, e não sei se foi pelo esforço do pulo ou pelo pavor da treta, mas o fato é que eu caguei nas calças. O Ceará tava desesperado, com o bar todo destruído, e fechou a porta de aço, e eu lá, todo cagado e sangrando. Comecei a procurar buraco de faca e garrafada, quando percebi que eu tava era coberto de groselha, não de sangue! Que puta sorte do caralho! Saí quase ileso da treta, só com um pequeno corte no braço, um galo, todo melado e sem cueca. Nunca mais falei com a Angeles.

Pra variar, eu vivia me fodendo com a polícia. Fui preso várias vezes. Na primeira vez, fui detido por porte de maconha. Eu tava indo pra casa da Zezé, do Lobotomia, junto com a Jac Leirner, que hoje é uma grande artista plástica, o Spaghetti e uma amiga nossa, a Macá, quando fomos parados pela Rota. Todo mundo que já rodou com um baseado sabe que, na hora H, o melhor a fazer é enfiar a mão no saco, no sovaco ou no cu, pra disfarçar o cheiro do bagulho. Eu só tive tempo de passar a mão no sovaco. Na hora da geral, o tenente da Rota pegou minha mão e cheirou os meus dedos: "Ô rapaz, você precisa tomar um banho!".

gravação do clipe "diet paranoia", 1993

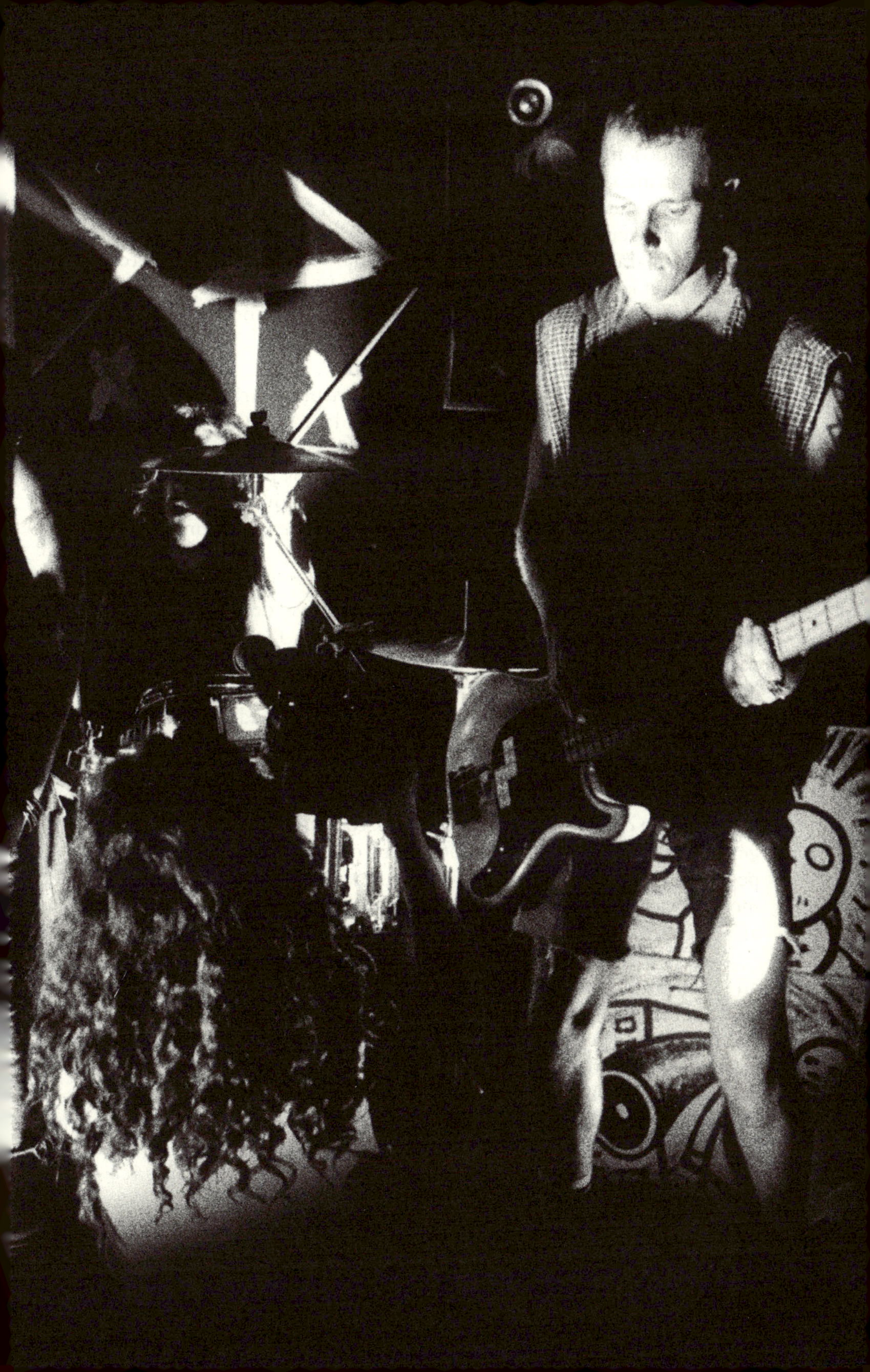

Acabamos na delegacia de Pinheiros, onde o delegado me deu o maior sermão: "Considere-se detido por estar de posse da substância psicoativa *Cannabis sativa*, popularmente conhecida por maconha!". Junto com a gente chegaram no DP uns oitenta caras que tinham sido presos num racha na praça Panamericana. O delegado botou todo mundo pra fazer ginástica no pátio, uma multidão fazendo polichinelo e flexão. Suei que nem um leitão. O delegado mandou a gente repetir com ele: "Agora repitam comigo: eu... prometo... nunca... mais... assistir... racha... na... praça... Panamericana!".

Minha segunda prisão foi numa viagem pra Marília, junto com o meu amigo Paulo Ueba. Não sei que merda me deu na cabeça, mas resolvemos fumar maconha dentro do banheiro do ônibus. O cheiro impregnou o busão todo. Pro nosso azar, um dos passageiros era um investigador da polícia. Assim que o ônibus parou, ele chamou um guarda. Nos prenderam e acharam uma paranga de fumo comigo. Acabamos numa delegacia de Botucatu.

Depois dessa cana, eu já tinha assinado dois "16" por porte de maconha. Com um terceiro, podia acabar sendo preso de verdade. E a terceira prisão não demorou: me pegaram na Vila Piauí, e da maneira mais estúpida: eu tava saindo do ensaio na casa do Jão com os caras da banda, fumando um beque e descendo uma ladeira, quando uma barca da PM veio por trás de nós com o motor desligado. A gente nem ouviu os gambés chegando. Quando dei um pega no baseado, os caras ligaram a sirene e saíram correndo da viatura com as armas na mão: "Mãos ao alto! Não coça o saco, gordinho!", gritou um cabo, um sujeito gigante e de uniforme apertadinho, todo bicha, que me deu uma geral quase gay, me agarrando por todos os lados: apertou meu saco, pegou na minha bunda, no meu pau e ainda apertou minha teta. Viramos a atração da Vila Piauí. Alguns moradores saíram na janela: "Isso aí, seu guarda, prende esses vagabundos! Maconheiros safados!".

Acabei no 33º DP, em Pirituba. Me botaram numa cela e fiquei ali, esperando o delegado. Aquele era o meu terceiro flagrante, e eu tinha certeza de que ia rodar. Tava com o cu na mão. Mas o delegado foi o maior gente fina. "Huuumm... então você já tem dois flagrantes? Cuidado, hein, rapaz, você vai se foder nessa... Vai acabar no xadrez... Quer uma bolachinha?", e me ofereceu uma bolacha de chocolate. Acho que o delega ficou com pena de mim, viu que eu não tinha vocação pra ser bandido, e acabou me soltando. É por isso que, no encarte do *Cada Dia Mais Sujo e Agressivo*, tem um agradecimento ao "Bolachinha do 33".

Eu tava tão deprê nessa época que comecei a frequentar a macumba pra ver se me livrava dos encostos. E dei muita sorte, o primeiro processo, em Pinheiros, caiu: a Jac contratou um puta advogado — o sujeito era advogado da Rita Lee —, e o cara livrou a gente. O segundo, em Botucatu, foi julgado uns dois anos depois. Eu fui pra lá de terninho, todo comportado, morrendo de medo de ir em cana, mas o investigador que me prendeu no busão era o maior lesado, não se lembrava de nada do que tinha acontecido, e o juiz mandou arquivar o caso.

Nesse dia, voltei de Botucatu, cheguei em São Paulo, tava morrendo de fome e fui comer um lanche. No bar, encontrei um cara chamado Tiozinho, que era DJ de uma casa punk chamada Templo, no Pari. Eu tava de terno xadrez, cabelo gomalinado penteado pra trás e bigode. Parecia um crente. O Tiozinho disse: "Ô, João, tudo bom, você por aqui?". Ele contou que tinha acabado de ganhar na quadra da Loto e tirou do bolso um plaquê de grana: "Você gosta de cheirar?". Acabei indo com ele pra um boteco no Morro Grande. "Me espera aqui que vou buscar a farinha", ele disse. O cara sumiu por um tempão e voltou depois com um saco de pó do tamanho de uma bola de tênis. Começamos a cheirar às três da tarde, dando teco no banheiro, enquanto o pessoal escutava um samba e jogava sinuca. Ficamos umas dez horas tecando e enchendo a cara de pinga. Depois fomos pra casa do Tiozinho, que ele dividia com outros três empenados: o primeiro era uma baiano de língua branca e sem camisa que tava vendo uma luta do Mike Tyson na TV e ficava gritando: "Vaaaaaai, filho da putaaaaa! Bateeeee!!! Arrebentaaaaaa!!!". Cada vez que ele gritava, colocava pra fora uma língua imensa, tipo a do Gene Simmons, só que totalmente branca de farinha. A língua do cara parecia uma toalha. O segundo sujeito ficava de paranoia na janela, achando que a polícia ia chegar a qualquer momento, e o terceiro eu nem vi direito, porque ele passou a noite toda escondido embaixo da cama. Só sei que fiquei a noite toda lá, cheirando que nem um tamanduá. De manhã, vi a luz entrando pela janela e pensei: "Que merda eu tô fazendo aqui?". Peguei um busão, completamente trincado de pó, ainda usando o meu terno de crente. Cheguei em casa e dei de cara com o meu pai.

Em 1988, descolei uma namoradinha rica e fui morar no Conjunto Nacional, na Paulista. A mina foi passar um tempo na França e perguntou se eu queria ficar lá. Entre morar com o meu pai na Vila Gustavo ou num apartamento gigante na Paulista, não pensei duas vezes. O lugar era imenso, a sala parecia uma quadra de basquete. Eu ficava o dia todo deitado no sofá, derretendo de microponto e escutando

Torre de Babel no show
com o S.O.B., do Japão, em
Schondorf, Alemanha, 1990

© SALVATORE

Celtic Frost no talo. Uma vez até hospedei o Sepultura nesse apê. Imagina a cara de pavor dos vizinhos...

Nessa época, conheci outro cara que me ajudou muito, o Alceu Toledo Junior, o Juninho. Ele era surfista, tinha trabalhado na revista *Fluir* e acabou virando o nosso empresário. Ele gostava de mim, me achava inteligente e conseguiu um emprego pra mim numa agência de publicidade que ele tinha com um monte de surfistas gente fina. O lugar era demais: tinha dia em que eu chegava lá e encontrava uns quatro quilos de fumo em cima da mesa. A gente passava o dia chapado, fazendo layouts e propagandas de marcas de surfe. O Ratos gravou até um jingle de rádio pra Maui, uma marca famosa de surfe, que tocou na 89 FM.

Nós continuávamos tentando atrair o público do metal. Organizamos o primeiro show *crossover* da América Latina: Ratos e Sepultura no Mambembe. A ideia era juntar uma banda de punk e outra de metal, pra mostrar que os sons não eram tão diferentes assim. A ideia era boa, mas não deu muito certo: os Carecas avisaram que iam baixar em peso pra acabar com o show, e muita gente ficou com medo de ir. O público não chegou a duzentas pessoas. Lembro que o Igor namorava uma mina idiota na época, e ela ficou botando na cabeça dele que seria perigoso fazer o show, que ele podia morrer. Ele se cagou todo e botou um gesso no braço pra não tocar. Os Carecas acabaram aparecendo e quebraram uns carros na frente do Mambembe, mas o show rolou. Foi lindo, mas quase ninguém viu o primeiro show *crossover* da América Latina.

KICHI (ROADIE DO RATOS): Teve uma época em que o Ratos só atraía confusão. Rolavam muitas tretas com os Carecas. Uma vez, eu tava com o Gordo e o Grego, o batera do Lobotomia, e fomos no Dynamo, um bar de metaleiro. O lugar era bem escuro, lembro que a gente tinha que descer uma escada pra chegar lá. Assim que a gente sentou no balcão, vi um monte de caras de coturno. Tinha uns vinte Carecas e um monte de metaleiros, alguns bem grandes. Pensei: "Vai dar merda!". Aí um Careca chegou na frente de um metaleiro: "Ô, cabeludo, me dá um cigarro", e o metaleiro nem esperou, deu logo uma porrada na cara do Careca. O pau quebrou, voou cadeira pra tudo que é lado, teve até tiro. Os caras quebraram o bar todo.

> **PEDRÃO:** O Gordo sempre atraiu os tipos mais estranhos. Numa época, em São Paulo, tinha um PM que era chamado de "Cabo Slayer", o PM metaleiro. Ele ia a todos os shows com um botão do Slayer na farda. E o Cabo Slayer adorava o Gordo. Uma vez, no Aeroanta, ele foi no camarim pegar autógrafo do João. O gambé entrou e tava uma fumaça do caralho, nego queimando umas toras do tamanho de uns troncos. "Não se preocupem", falou o Cabo Slayer, "Eu não me importo, sei que isso é cigarro de artista!"

O Juninho nos colocou na gravadora Eldorado, o que foi uma puta força pra banda. A Eldorado era ligada ao grupo do *Estadão* e tinha grana. Pela primeira vez, o Ratos teve uma gravadora forte dando apoio. A Eldorado fez uma troca com a gravadora holandesa Roadrunner: a Eldorado licenciaria o disco novo do Sepultura, *Beneath the Remains*, pro Brasil, e a Roadrunner lançaria nosso novo disco, *Brasil*, na Europa. Um dia, o pessoal da Eldorado nos chamou: "Podem se preparar, vocês vão gravar o disco em Berlim!".

Aquilo foi um choque pra gente. Éramos quatro toscos da Vila Piauí, que nunca tinham entrado num avião na vida. Ninguém tinha passaporte, ninguém falava inglês, nossa cabeça ficou a mil com a perspectiva de conhecer a Europa.

Nossa primeira decisão foi caprichar na composição do *Brasil*. Seria a nossa grande chance internacional. Alugamos um quarto pra ensaiar na rua do Jão, na casa de uma tal Dona Gleide, uma véia imunda que tinha um cascão nas costas. Fazia anos que a mulher não esfregava as costas, parecia um jabuti. Foi na casa da Dona Gleide Jabuti que compusemos o *Brasil*.

Esse disco tem umas letras cabulosas, e tudo por causa de um acontecimento memorável na história maconhística brasileira: o Solana Star. Pra quem não sabe, o Solana Star era um barco que, no fim de 1987, chegou ao Rio com um carregamento de maconha escondido em latas de leite em pó. Só que a polícia interceptou o barco, e os traficas jogaram o carregamento todo no mar: 15 mil latas de um quilo e meio, ou seja: mais de 22 toneladas de maconha, que logo começaram a aparecer no litoral do Rio até o Paraná. O verão de 1988 ficou conhecido como o "Verão da Lata".

A primeira vez que fumei a maconha da lata foi na casa do André Jung, do Ira!. Ele disse: "João, fuma isso que você não vai acreditar...". Eu dei dois pegas e comecei a alucinar e ter crises de paranoia. Vi um juiz na minha frente gritando: "Maconheiro! Culpado!". A maconha da lata não era a *Cannabis sativa*, que a gente conhecia, era a *Cannabis indica*, que vinha da Ásia e era forte pra caralho. Lembro que saí da casa do André, entrei no busão na Teodoro e vomitei na mesma hora do lado do cobrador.

Aí um amigo arrumou uma lata, e eu rachei com o Spaghetti. Passamos um tempão fumando o bagulho e tendo altas alucinações. A maconha da lata não era de um tipo só: tinha a preta, a dourada, a avermelhada... Nós pegamos uma preta. Rolava uma lenda de que algumas latas tinham sido "premiadas" e vinham com uma latinha de heroína dentro. Mas essa, infelizmente, nunca achamos.

Ficamos compondo e ensaiando as músicas na casa da Jabuti por alguns meses, e finalmente estávamos prontos pra ir à Europa. A Eldorado tinha combinado com a Roadrunner que gravaríamos no Music Lab Studios, em Berlim, mas a gente disse que queria começar a viagem por Amsterdã. Claro que era só pra ficar uns dias fumando maconha que nem uns retardados.

A gente era tão tosco que não sabia nem a distância entre as cidades na Europa. Pra nós, era tudo pertinho: "Ah, a gente pega um trem de Amsterdã pra Berlim, sem problema". Só que os barnabés não sabiam que a distância entre Amsterdã e Berlim era de uns seiscentos quilômetros, cruzando todo o norte da Alemanha. Depois resolvemos ir pra Florença, na Itália, porque tinha uma amiga nossa, a Priscila Farias, que tava morando lá e tinha se enturmado com a cena punk da cidade. Ela namorava outro parceirão nosso, o Salvatore, que era amigo de uns traficas de haxixe e de pó. O que você imaginar, os caras tinham. O Salvatore tinha feito várias camisas do Ratos e pôs pra vender, então a gente tinha uma grana pra receber lá em Florença. O que a gente não sabia é que, de Berlim a Florença, eram quase mil quilômetros!

Chegamos em Amsterdã parecendo a *Família Buscapé*. Tava um frio da porra e ninguém tinha a roupa apropriada. Tivemos de encher as calças de jornal pra não morrermos congelados, que nem mendigo. Assim que chegamos, qual foi a primeira coisa que fizemos? Correr pra um *coffee shop* e ficar fumando *skunk* o dia todo. Ficou todo mundo retardado, com o olho em espiral. A gente só tinha dinheiro pra comer batata frita com maionese. Ficamos uns dias num *squat* em Amsterdã, o Bontekoe. Pra nossa sorte, a Gisele, uma garota que conhecemos no Rio, era namorada do Rob Tuinstra, um dos coordenadores do *squat*, e deu toda a assistência necessária pra que os idiotas curtissem Amsterdã.

De Amsterdã fomos pra Berlim, num vagão de quinta classe. O trem era tão vagabundo que não tinha nem restaurante, e nós, imbecis, não levamos nem água. Ficou todo mundo passando fome e sede. Em 1989, ainda tinha o Muro de Berlim, tinha União Soviética, e, assim que o trem chegou na Alemanha Oriental, o cenário virou *O Expresso da Meia-Noite*: as estações tinham arame farpado dos dois lados e era tudo cinza. Nas paradas, pintava um soldado com um pastor-alemão: "*Bitte Reisepass. Danke!*"

Chegamos em Berlim de manhã e fomos direto pro estúdio, mas tava trancado. Resolvemos ir pra uns quartos onde o estúdio hospedava quem estava gravando. Batemos na porta e quem atendeu foi um alemão de cinco metros de altura e a cara toda tatuada. O sujeito parecia uma miragem. Ele era de uma banda de Munique chamada Bombers, uns punks brutos. Quando eles se ligaram que a gente ia ficar nos quartos, emporcalharam o lugar todo: espalharam porra, chulé, ranho, cocô... tudo que podiam cagar, eles cagaram. O lugar ficou tão nojento que nem a gente conseguiu ficar lá. Enquanto esperávamos que eles saíssem, fomos numa padaria comprar pão e tomar café. Mas a gente achava que padaria na Alemanha era que nem no Brasil, onde você encosta no balcão e toma café da manhã. A gente não sabia que lá você compra o pão e vai embora. O Spaghetti começou a comer o pão dentro do lugar e o dono, um alemão grosso da porra, mandou a gente sair. Pra piorar, o Spaghetti soltou um peido enorme na padaria e empestou o lugar! O alemão começou a gritar com a gente, nos enxotou de lá. Só depois é que entendemos que ele tava falando "*Brazilian Scheiße*" — "Seus brasileiros de merda!".

No dia seguinte, ainda quebrados da viagem e da recepção nojenta dos Bombers, conhecemos nosso produtor, o Harris Johns. Ele era um moreno de cabelão preto, parecia um índio, e tinha produzido um monte de discos de bandas famosas de metal, tipo Kreator, Tankard, Sodom, Voivod e Helloween. Mas o cara foi meio cuzão com a gente no início, parecia sem paciência com o nosso inglês ridículo. Ele ficou reclamando do Spaghetti, dizia que ele não sabia tocar. Teve um episódio em que eu quase saí na porrada com ele: a gente gravou o disco em duas versões, uma em português e outra em inglês, pro mercado gringo. Mas tinha uma música em que eu precisava falar a palavra "country", e ele me fez repetir umas mil vezes, porque eu não acertava. Depois de ho-

Primeiro show na
Federacion de Boxe,
Buenos Aires, 1989

ras fazendo aquilo, não tava mais aguentando, e por pouco não soquei o cara. Sabe o que ele fez? Me mandou gravar a palavra separadamente — "coun" e "try" — e depois juntou tudo na fita. Fiquei puto.

De noite a gente foi conhecer a cena punk de Berlim, e aquilo mudou a nossa vida. Fomos pra Kreuzberg, o bairro alternativo, onde conhecemos um monte de bares e locais de shows, cada um mais foda que o outro. Era uma cena muito unida, com uma porrada de bandas boas. Nós estávamos num bar chamado Franken, tomando cerveja, quando apareceu uma mina punk gordinha, mas bem bonita. Ela tinha um moicano, uma porrada de piercings na cara, era linda. De repente, ela sentou no colo do Jabá e começou a tomar tequila. E nós, os noiabas: "Aí, Jabá, se deu bem!", e ele lá, todo pontudo, com a barraca armada. A menina se aproximou de mim, sentou no meu colo e começou a passar a língua na minha orelha, na frente de todo mundo. Fiquei louco: "Que porra é essa?". A mina parou, olhou pra mim e me deu um tapa na cara, desses bem estalados. Não entendi nada. Perguntei: "Why?", e ela: "Why not?" Comecei a ficar com medo daquela mulher. A mina perguntou se a gente queria haxixe e todo mundo disse que sim. Ela então tirou a perna, que era mecânica, enfiou a mão dentro da perna e tirou um pacotão de haxixe. Nós ficamos de boca aberta. Nunca tínhamos visto nada tão louco.

Posso dizer, sem medo de errar, que existe um Ratos de Porão antes da Europa e outro depois. Foi na Europa que aprendemos a ser punks de verdade, que nós percebemos que éramos uns fascistões idiotas, que a gente não sabia de porra nenhuma. Isso mudou a minha vida pra sempre.

Em Amsterdã, vi um show do Rich Kids on LSD, uma banda californiana de hardcore, e aquilo mexeu comigo. Foi uma aula de como se portar no palco, de como ser uma banda punk. Foi um baque cultural. Percebi que eu era um troglodita brasileiro que não sabia de porra nenhuma.

Até então, eu tinha visto poucas bandas gringas: os Ramones, no Palace, em 1987, naquele show que os Carecas invadiram e quebraram tudo; o Toy Dolls, naquele show em que um Careca idiota subiu no palco e deu um soco na cara do vocalista, o Olga; o Stray Cats, no Projeto SP; o Queen, no Morumbi, em 1981; e umas bandas de metal, tipo Nasty Savage. Mas eu nunca tinha visto uma banda de hardcore de verdade em cima de um palco.

O Rich Kids on LSD nos mostrou como éramos ridículos e rudimentares, tanto na postura de palco quanto na nossa ideologia, e até no nosso modo de vestir. A gente não sabia de nada. Nossa cabeça era do tamanho da Vila Piauí.

YOU ARE LEA[VING]
THE AMERICAN S[ECTOR]
ВЫ ВЫЕЗЖАЕТ[Е]
АМЕРИКАНСКОГО С[ЕКТОРА]
VOUS SORT[EZ]
DU SECTEUR AME[RICAIN]
SIE VERLASSEN DEN AMERIKANISC[HEN]

Berlim, 1989

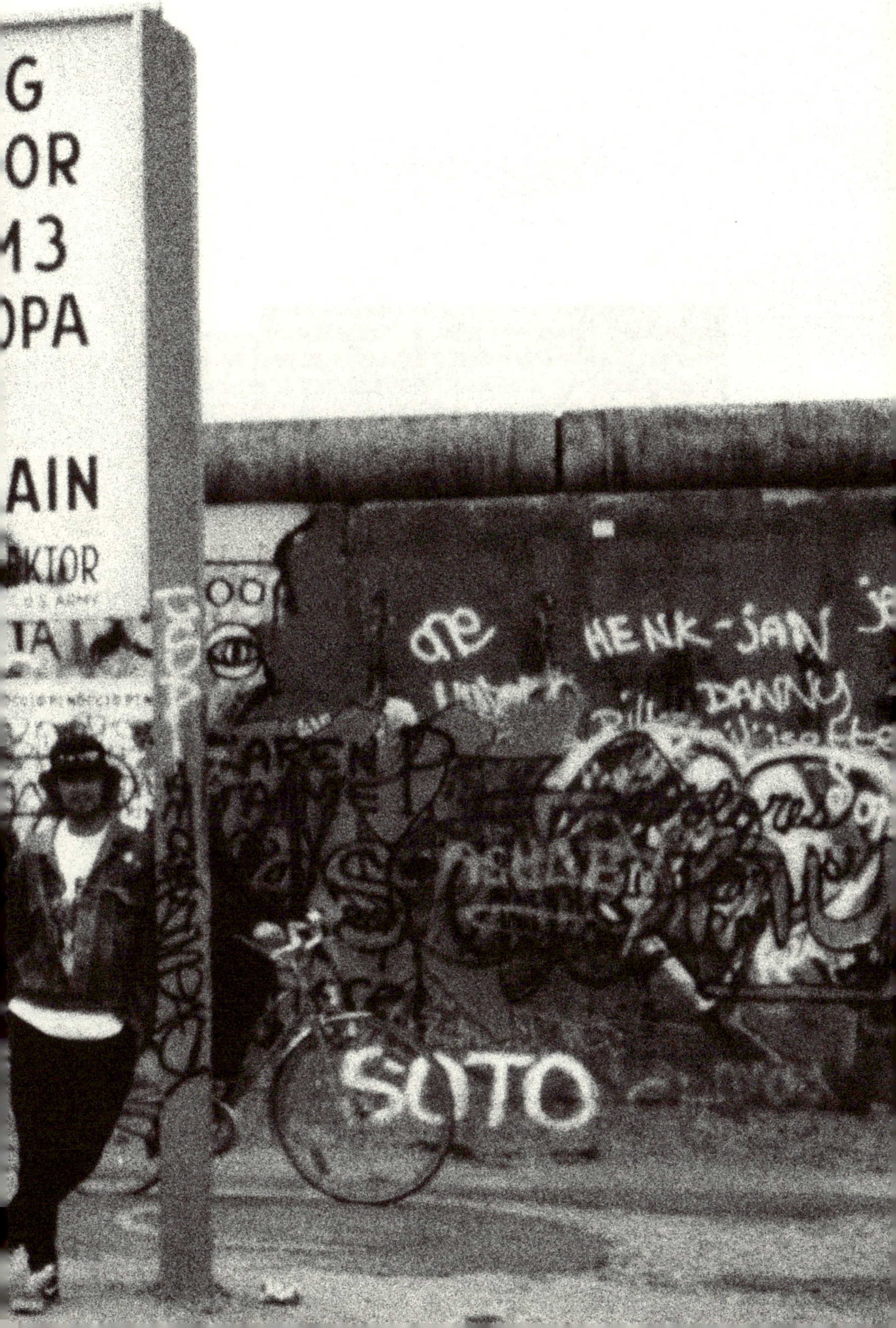
HENK-JAN
DANNY
SOTO

> JÃO: Na primeira turnê, descemos em Amsterdã, mas era só pra fumar maconha. Fomos visitar a sede da nossa gravadora. O Gordo foi conversar em inglês com um fodão da Roadrunner e tentou explicar que não sabia falar inglês porque não tinha grana pra pagar as aulas: "No Money, no English!". Mas o cara achou que era uma ameaça, que a gravadora tinha que pagar pra gente ou não falaríamos nada em inglês na turnê. E isso queimou o filme geral.

Ficamos três meses na Europa. Gravamos o disco no primeiro mês, depois fizemos uma turnê. Mas a gente não sabia nada sobre a Europa, não sabia as distâncias entre as cidades, porra nenhuma. Pegamos um trem em Berlim e fomos pra Florença, na Itália, onde tínhamos vários amigos. Foram mil quilômetros. Um dos nossos primeiros shows na Europa foi em Roma, num lugar chamado Forte Prenestino, um castelo do século XVIII que tem umas catacumbas romanas e hoje é um centro social gerido por uns anarquistas. O lugar é demais: tem adega, plantação de maconha, teatro, um monte de atividades. Lembro que a gente tava há 24 horas sem dormir, moídos da viagem de trem, e mesmo assim o show foi lindo. Tocamos pra duzentas ou trezentas pessoas.

Ali começamos a entender melhor o conceito de anarquia. Até então, anarquia pra gente era bagunça e briga. Foi nessa turnê europeia que começamos a questionar a nossa própria homofobia, a entender melhor o conceito dos *squats*, de invasões de propriedades abandonadas, de boicote a empresas que faziam o mal. O Rob, um *squatter* muito louco que depois foi editor da revista de maconha *High Times*, contou pra gente que a Shell apoiava o apartheid na África do Sul, e começamos a boicotar qualquer produto da Shell. Ninguém mais abastecia em postos deles.

PISA, 1989

O primeiro show na Europa, no Centro Popolare Indiano, em FLORENÇA, 1989

Esses amigos nossos de Florença eram barras-pesadas, tinham altos contatos com as Brigadas Vermelhas e com o tráfico de haxixe e cocaína. Estávamos bem servidos de droga. Em Florença, tocamos no Centro Popolare Indiano, depois pegamos um trem e viajamos mais mil quilômetros pra tocar em Hengelo, na Holanda. O trem passava na Suíça e na França. Na época, alguns países exigiam visto, mas a gente não tinha a menor ideia disso. Eu era tão burro que tava com uma pedra de haxixe dentro do sapato. Se fosse pego, seria preso. Quando chegamos em Berna, na Suíça, entrou um policial francês que parecia o Sargento Dudu daquele desenho animado *O Inspetor*, com aquele quepezinho alto na cabeça: "*Passeport, s'il vous plaît!*", e mandou os cinco — os quatro da banda mais o Renato Martins, nosso amigo e empresário, que tava dando uma força na turnê — saírem do trem. Só liberaram a Priscila Farias, nossa amiga, que tinha passaporte italiano. Fomos levados pra estação e ficamos desesperados ao ver o trem indo embora com toda a nossa bagagem. Por sorte, a Priscila era esperta e tomou conta de tudo, mas nós ficamos na Suíça sem nada — sem dinheiro, sem comida, sem porra nenhuma. Não tinha jeito de sair dali. Ficamos andando um tempão por Berna, tentando bolar um jeito de ir embora daquela merda. Pensamos em procurar alguma embaixada brasileira, mas imagina só, uns punks noiabas e fedidos da Vila Piauí, entrando na embaixada? Iam expulsar a gente num minuto. Foi aí que o Jão lembrou que o Jabá, que era o maior pão-duro que já pisou na Terra, devia uma grana pra gente e tinha uns marcos alemães guardados. Contamos o dinheiro e dava certinho pra cinco passagens de trem de terceira classe pra Hengelo. Ainda sobraram uns trocados, suficientes pra uma lata de Coca-Cola, um pão e um pouco de salame. Nós cinco dividimos a Coca na "carioca", um golinho pra cada um, e um pão com salame pra cada. E levamos mais umas trinta horas pra chegar a Hengelo.

Depois do show, voltamos pra Amsterdã e fizemos outro show num *squat* chamado Vanhall. Foi nesse dia que conhecemos um cara que depois ficaria muito famoso, o Dave Grohl.

Nosso show era num domingo. O Ratos abriria pro Tropell Natt, de Barcelona, onde tocava o Boliche, que depois seria baterista do Subterranean Kids e é meu amigo até hoje. No sábado, tocou o Scream, a banda americana de hardcore em que o Grohl era baterista. No domingo, ele ainda estava no *squat*. Durante o almoço comunitário, um rango vegetariano, conheci a então namorada do Grohl, a Yurata, e percebi que ela tinha tatuagens do Marco Leone, um italiano com estúdio em São Paulo e que tinha feito várias das minhas tattoos. Começamos a conversar sobre tatuagens e ela me apresentou ao Dave, que tava de cabelo louro, oxigenado. Eu comprei discos do Scream na mão do cara. Ele viu nosso show e disse que tinha gostado muito. Uns dois anos depois, eu tava vendo o encarte do *Nevermind* e tomei um susto: "Pera aí, eu conheço esse cara! Puta merda, é o cara do Scream!".

Nessa turnê fizemos amizade com uma italiana gente fina, a Maria Laura, e ela fez o favor de ensinar o Jão, o Jabá e eu a fazer crack. Em pouco tempo, tínhamos dominado o know-how de fazer pedra: você pega uma porção de cocaína pra três de bicarbonato de sódio, põe numa colher com água e ferve. A casca que fica em cima é o crack. Viramos mestres na arte da pedra. Isso teria consequências terríveis pra banda, como veremos daqui a pouco.

Essa turnê na Europa foi tão mal organizada que a gente tinha uma ou duas semanas entre um show e outro, sem nada pra fazer no intervalo. A gente ficava de castigo no *squat* em Florença, num frio do caralho, todo mundo num quarto só. Foi terrível. Eu passava o dia inteiro desenhando nas paredes do *squat*, louco de ácido e haxixe, só fazendo piada idiota. Os italianos ficaram tão revoltados que queriam nos expulsar de lá. Quase fomos a primeira banda expulsa de um *squat* por mau comportamento.

Depois de três meses na Europa, voltei pro Brasil transtornado. Não queria voltar de jeito nenhum, fiquei deprimidaço. Minha mãe foi me buscar no aeroporto. Quando cheguei em casa e vi meu pai gritando e reclamando pra caralho, tive uma crise de loucura, bati com a cabeça no espelho, na pia, quebrei meu quarto todo. Eu pirei. E aí fui morar na casa do Sepultura.

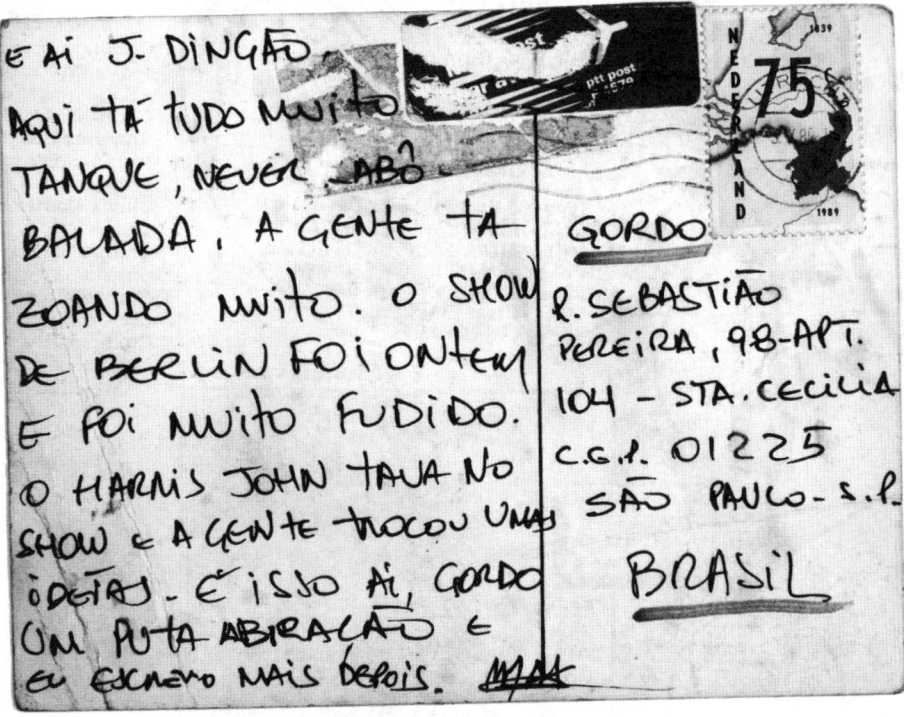

E AI J. DINGÃO
AQUI TÁ TUDO MUITO
TANQUE, NEVER. ABÔ
BALADA. A GENTE TA
ZOANDO MUITO. O SHOW
DE BERLIN FOI ONTEM
E FOI MUITO FUDIDO.
O HARRIS JOHN TAVA NO
SHOW E A GENTE TROCOU UMAS
IDEIAS. É ISSO AI, GORDO
UM PUTA ABRAÇÃO E
EU ESCREVO MAIS DEPOIS. MAX

GORDO
R. SEBASTIÃO
PEREIRA, 98 - APT.
104 - STA. CECILIA
C.G.P. 01225
SÃO PAULO - S.P.
BRASIL

Cartão-postal do MAX, do tempo que amigo mandava cartão-postal... Primeira tour do Sepultura, 1989

ANIMAL

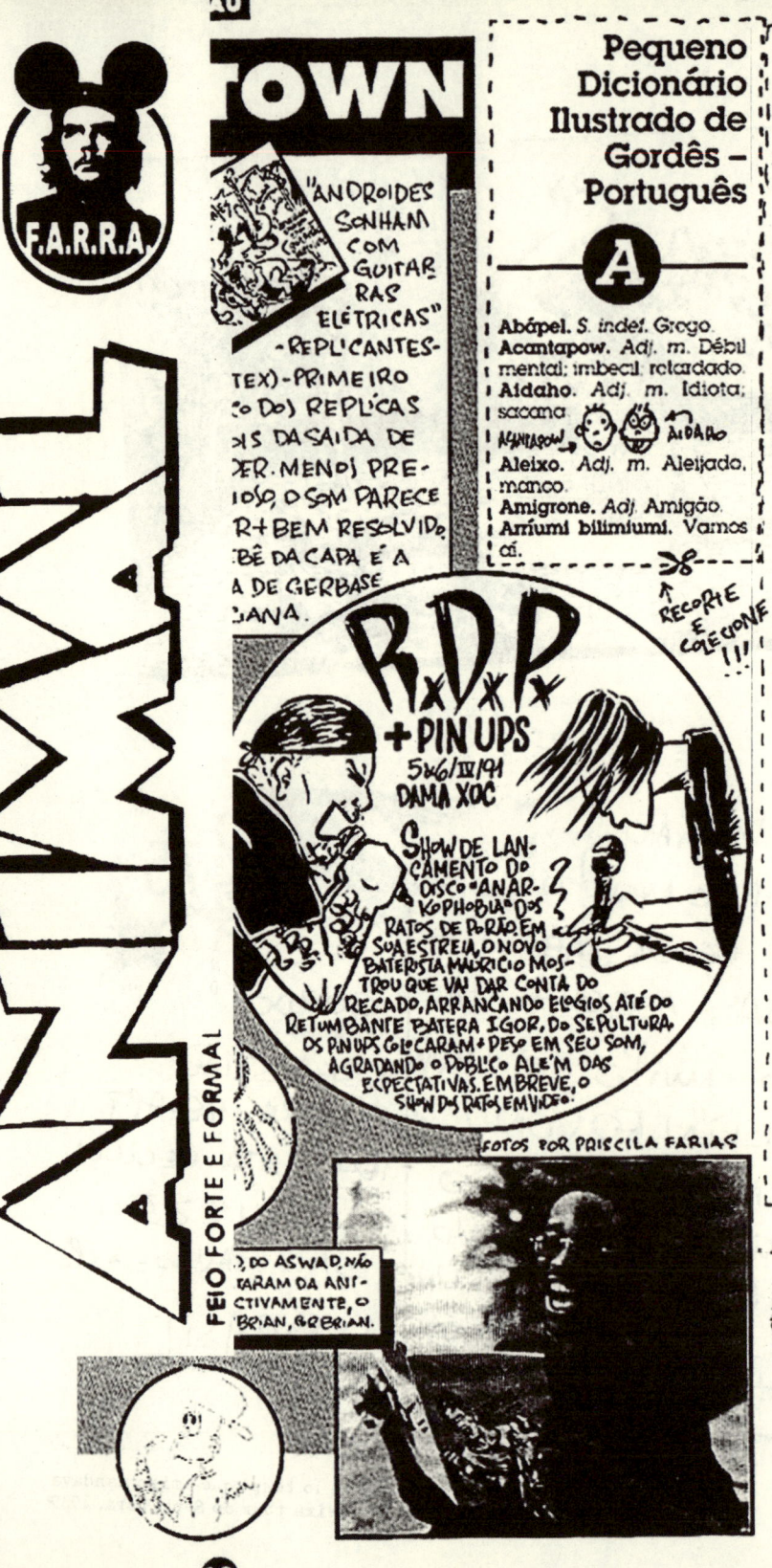

FEIO FORTE E FORMAL

TOWN

"ANDROIDES SONHAM COM GUITARRAS ELÉTRICAS" - REPLICANTES-

(TEX) - PRIMEIRO (DOS) REPLICAS (...) DA SAÍDA DE (...) MENOS PRE- (...)OSO, O SOM PARECE R+ BEM RESOLVIDO. (...)BÊ DA CAPA É A (...)A DE GERBASE (...)ANA.

R.D.P. + PIN UPS
5 e 6/IV/91 DAMA XOC

SHOW DE LANÇAMENTO DO DISCO "ANARKOPHOBIA" DOS RATOS DE PORÃO. EM SUA ESTREIA, O NOVO BATERISTA MAURÍCIO MOSTROU QUE VAI DAR CONTA DO RECADO, ARRANCANDO ELOGIOS ATÉ DO RETUMBANTE BATERA IGOR, DO SEPULTURA. OS PIN UPS COLOCARAM + PESO EM SEU SOM, AGRADANDO O PÚBLICO ALÉM DAS EXPECTATIVAS. EM BREVE, O SHOW DOS RATOS EM VÍDEO.

FOTOS POR PRISCILA FARIAS

(...), DO ASWAD, NÃO (...)ARAM DA ANTI- (...)CTIVAMENTE, O (...)BRIAN, BR BRIAN.

Pequeno Dicionário Ilustrado de Gordês – Português

A

Abápel. S. indef. Grego.
Acantapow. Adj. m. Débil mental; imbecil; retardado.
Aidaho. Adj. m. Idiota; sacana
Aleixo. Adj. m. Aleijado, manco.
Amigrone. Adj. Amigão.
Arriumi biliumiumi. Vamos aí.

↑ RECORTE E COLECIONE !!!

Pequeno Dicionário Ilustrado de Gordês – Português

B

Bem Johnson. Bem lou(...)
Bico del cuervo. (estar) Estar muito cansado; a(...) ressaca
Bico do corvo. O mesm(...) que bico del cuervo.
Boi-amigo. Namoradin(...)
Bota. (povo) Hard rock(...)

POVO BOTA

Botelho. Boné
Brasilian Scheiße. Bras(...) leiros no exterior.
Buneco. (povo) Gente bonitinha arrumadin(...)

C

Catrénga. Som de gui(...) sem distorção. Grão-M(...) – Edgar Scandurra
Chabi. Bicha
Choramingas pipa. Q(...) reclama de qualquer besteira
Chuck Norris. Acho q(...) não
Chump Taz. Deixe- -me dar um trago.
Claudio Correia e Cas(...) Correia de baixo.
Cremolândia. Reunã(...) pessoas afetadas, ou b(...) nhas demais
Creonte. Criança

BONTO ULTI HOR -ES SER A

CAPA DO LIVR ESCRITO PELO MAR(...) SOBRE O JIM MORRISO(...)

Pequeno Dicionário Ilustrado de Gordês – Português

D

...ngo. Mendigo (...ambém – Dingo-lindo)
...ngolândia. Acampa-...ento de mendigos. ...eralmente embaixo ...pontes e viadutos)

DINGOS

...oce. (de) Pessoa, coisa, ...gar ou ação muito ...nitinha, romântica. ...er – Cremolândia)
...ove. Estado mental de ...em está perdido.

E

...colha. Garota que ...o come nem sai de ...ma.
Correia. Correia de ...itarra.

F

...amboesa. (Tacebu de) ...rotinha virgem, ou ...ase. (ver-Doce)

G

...onê. Negro.
...anxumão. Diabo, ...emônio.

DE BOATOS

...ARANTIA DO BOATO
...s lojas em agosto. *****
O selo Fucker promete ...ra breve o lançamento ...uma série de compactos ...novas bandas, entre as ...ais um grupo grindcore ...e tem no vocal uma ...rota de 14 anos. *****
Claudio Tozzi está ...ontando uma banda ...amada **Roy Linchen-...ein Cover.***

Pequeno Dicionário Ilustrado de Gordês – Português

I

Igrejo. Pessoa sem ombro.

K

Kirk Douglas (ver o -). Ver o que rola, o que acontece.

L

Latorraca (estar -). Estar com o estômago ruim e soltando peidos.

M

Mel Gibson (estar -). Estar rodeado de mulheres.

N

Never Kabobalada. A festa não pode acabar.
Nolába. Baiano.

O

Ombro (povo). Pessoas que usam roupas com enchimento no ombro.

P

Pedra-úmi (estado de -). Estado terminal de ressaca, cansaço.
Pijinka. (de Ijinka, cidade finlandesa) Som de bateria rápido e mal tocado.

Ponta. Orgulho, vaidade.
Pontudo. Descolado, espertinho, metido-a-besta.

Pequeno Dicionário Ilustrado de Gordês – Português

Q

Quadrões Villa. Machões de merda
Quadradón. Ônibus não-leito para viajens longas.

R

Retumba. Muito bom, insuperável. (ver Ponta, Pontudo.)

S

Show do Venon. Está chovendo.

T

Tacebu. Buceta.
(-ainda) Ainda está cedo.
Topín. Pinto.
Tanque. Punk.

U

Último Tipo. Algo que estava na moda nos anos 70.
Úca. Cu.

V

Viki Vaporubi (Já -). Já vi que não vai dar certo.

X

Xabába. Estado de quem está louco, bebado e/ou chapado.
Xabrú. Bruxa, mulher feia.

179

Com JOHNNY RAMONE
no Maksoud Plaza, 1986.

NO PALCO COM OS RAMONES

O Max e o Igor tinham saído de Belo Horizonte e estavam morando com a mãe, a Vânia, e a irmã, a Kyra, num apê no centro de São Paulo, ao lado do Minhocão. O lugar ficava num prédio antigo e era uma zona fodida, sempre com um monte de gente entrando e saindo, uma pá de meninas querendo dar pros caras, um exército de cola-bancas e puxa-sacos. A Vânia ficava ouvindo o *Bestial Devastation* o dia todo. Eles não tinham telefone e usavam um orelhão que ficava em frente ao prédio. Quando tocava, ela ouvia da janela e saía correndo de camisola pra atender.

Teve uma época em que o Sepultura foi pra Europa excursionar com o Sodom, e eu fiquei dormindo no quarto do Max. A janela ficava a dez metros do Minhocão e não tinha nem vidro, nem cortina. Às cinco da manhã, começava o barulho de carro, aquela nuvem de fumaça e fuligem entrando no quarto, e não dava mais pra dormir.

Eu adorava o Max e o Igor, a gente era muito amigo. Nossa amizade era muito legal. Mas, nessa época, também rolaram algumas coisas que abalaram um pouco o nosso relacionamento.

Um dia o Walcyr, dono da Woodstock Discos, disse que tinha uma data fechada no Projeto SP, uma casa de shows grande, e perguntou se o Ratos e o Sepultura não queriam fazer os lançamentos do *Brasil* e do

Beneath the Remains lá. "Eu tenho a data e dou de presente pra vocês, podem tocar lá", disse o Walcyr. A gente tava num bar, todo mundo bêbado, e combinamos que a divisão de bilheteria seria meio a meio. Todo mundo comemorou e ficou por isso mesmo.

Começamos a fazer a divulgação do show do nosso jeito, com uns cartazes toscos na Galeria do Rock, uns flyers, mas ninguém sabia como seria o público. No dia, nem a gente acreditou: veio ônibus até do Chile pra ver o show. Vendemos quatro mil ingressos. O lugar tava apinhado, não cabia mais ninguém. O show foi foda e ganhamos muito dinheiro, mas muito dinheiro mesmo. Só que a grana sumiu. Na hora de dividir, cadê o dinheiro? Alguém do Sepultura disse: "Então vamos dividir como combinado, 70% pro Sepultura e 30% pro Ratos...", e eu fiquei puto com o Max: "Porra, Max, não era meio a meio?". Foi aí que eu vi que ele era muito cuzão com grana. Ele disse que não se lembrava do acordo e tirou o dele da reta. Acabamos recebendo quanto o Sepultura achou que deveria nos pagar. Mesmo assim, foi um monte de grana pra nós. A gente nunca tinha recebido nada parecido num show. Saímos de lá com um plaquê de dinheiro, que logo torramos em pó. Aquela foi a primeira vez que eu me decepcionei com o Max.

O *Brasil* saiu aqui e na gringa, e foi bem de vendas. Mas a versão em inglês poderia ter ficado melhor. Eu ainda tinha dificuldade de cantar em inglês, não conseguia interpretar com tanta convicção. Mas o disco abriu muitas portas pra gente no exterior. E a capa era demais, um desenho fodido do Marcatti. Fui eu que chamei ele pra fazer a capa. Eu era fã de um desenhista da revista *Mad* chamado Basil Wolverton, e sempre achei que o Marcatti tinha um traço parecido, meio escatológico. Conheci o Marcatti no Madame Satã. Eu e ele fizemos a concepção da capa, que é brutal, escrota, mostrando um monte de podres do país, a matança de índios, a poluição, aquele jogador de futebol banguela. Foi a primeira capa de disco que o Marcatti fez.

Nessa época, o Sepultura começou a bombar no exterior com o *Beneath the Remains*, e a gente achou que isso ia, de alguma forma, ajudar o Ratos também. Mas a Gloria, a nova empresária da banda, acabou com qualquer possibilidade disso. Só havia espaço no mundo pra uma banda de "Jungle Boys". Nunca tocamos com o Sepultura no exterior. Quando eles puderam escolher a banda de abertura, levaram os Titãs pra Argentina, e deu no que deu: os Titãs levaram uma chuva de catarradas que nunca esqueceram. Saíram de lá cobertos de gosma verde.

Pra piorar a minha relação com o Max, aconteceu uma coisa muito chata e da qual me arrependo até hoje. Uma noite, eu e a Vânia fomos

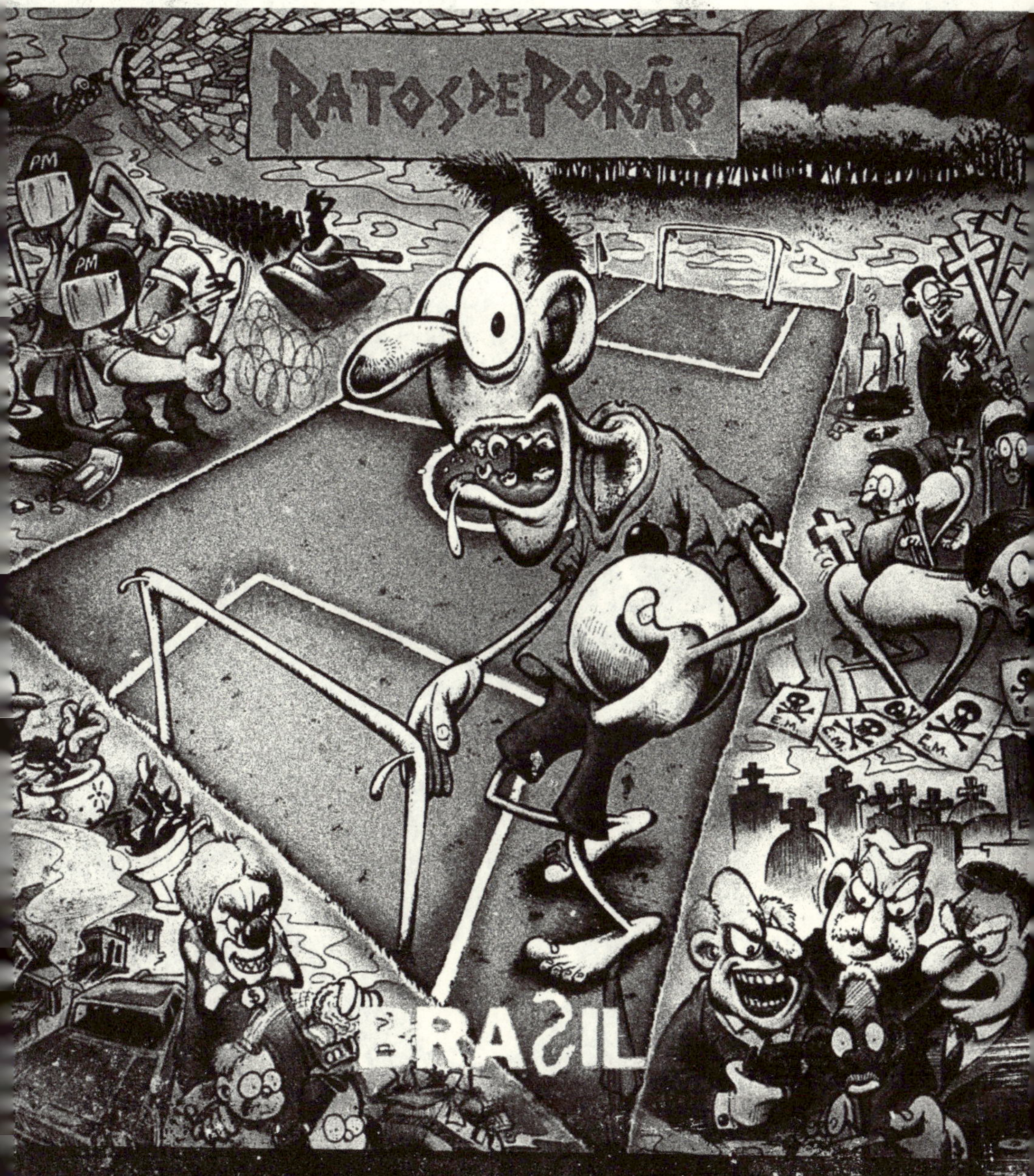
RATOS DE PORÃO
PM
PM
E.M.
E.M.
E.M.
BRASIL

1998

Mixagem do Just Another
Crime, Phoenix, 1994

com um amigo num bar podre em Santo Amaro. Bebemos pra caralho, e eu acabei dando uns beijos nela. Não rolou nada além disso. No dia seguinte, acordei de ressaca e percebi que tinha feito merda. Eu tinha atravessado o samba. Ela era a mãe dos meus amigos.

Fiquei com aquilo na cabeça. Pensei bem e decidi abrir o jogo pros caras. Uma noite, eu tava com o Max no Retrô, uma casa gótica que ficava do lado do apê deles, e disse: "Max, preciso te contar uma coisa: eu tava bêbado e fiquei com sua mãe". Ele olhou pra mim e perguntou: "É mesmo, véio?". E começou a chorar. Fiquei muito mal com aquilo. Acho que ali começou o fim da minha amizade com ele. Depois uns babacas disseram que eu tinha inveja deles, que eu só queria me aproveitar, mas era mentira. Eu era o maior fã dos caras, adorava todos eles e sempre vi o maior potencial no Sepultura. A gente dava muita risada junto, era uma coisa de amigo mesmo.

Não preciso nem dizer que a minha amizade com a Vânia também ficou muito abalada. Eu admirava demais a mulher, achava sensacional a maneira como ela deixava os filhos livres pra tentar carreira na música. Mas também sempre achei a Vânia muito superprotetora, e uma vez fiz a besteira de dizer isso pra ela. A mulher fechou a cara pra mim e nunca mais me tratou bem.

Desde a época em que conheci os caras, eu achava que a Vânia tinha algum tipo de poder sobrenatural. Eu não sabia o que era, mas sempre ficava abalado perto dela. Eu achava a casa deles em BH meio assombrada. Uma vez, eu tava dormindo no sofá da sala deles, quando senti um encosto em mim. Fiquei apavorado e de olhos fechados até a sensação passar. Foi terrível.

Nessa época, rolaram vários casos sobrenaturais. O Sepultura foi tocar em Santos e fui com eles e uma pá de amigos, incluindo o Salvatore, a Priscila, a Sônia Maia, a Fabiana e o Pedrão. A Vânia tava no show. Depois o Max ia com a gente pra casa da Priscila, no Guarujá, mas a mãe dele não queria deixar. Ela ficou doida e toda desconfiada de que a gente ia usar droga. Disseram pra gente que ela voltou pra São Paulo e, no busão, baixou o santo e ela começou a falar com uma voz diferente.

Só sei que fomos pro Guarujá e fizemos uma puta festa regada a farinha. O Pedrão, a Fabiana e a Sônia Maia voltaram pra São Paulo e foram pra casa da Sônia. No apê dela, tinha um quadro imenso de um pintor chamado Carlito Contini. Era um quadro gigante, tipo dois por dois, pendurado na parede. De madrugada, quando a galera tava dormindo, o quadro despregou da parede, caiu no chão e estilhaçou, acordando todo mundo. Disseram que o barulho parecia o de uma explosão. Enquanto isso, no

Guarujá, eu e o Max acordamos doentes: eu com uma puta dor de dente e o Max todo empelotado. Pra mim, aquilo era macumba da mulher.

Um dia, a Monika, namorada do Igor, me chamou pra ver uma coisa na casa dos moleques: "Gordo, olha só isso...". Entrei num corró que a Vânia tinha lá e vi uma camisa do *Descanse em Paz* com um monte de velas pretas e uma foto minha. Fiquei desesperado e comecei a evitar o lugar. Mas quando o Max e o Igor voltaram da Europa, fui lá rever os caras. Eu tava acostumado a almoçar lá, sempre tinha uma panela de carne moída, macarrão e farofa. Eu tava almoçando com os moleques, quando a Vânia começou a olhar pra mim com uma cara estranha. Deu um minuto e senti uma dor do cacete, parecia que meu dente tinha estourado. Fiquei com medo da mulher. Fui morar com a Ana, uma amiga do Spaghetti, uma tia superlegal, que é minha amiga até hoje. Fiquei uns dois anos no apê dela.

Minha história com o Max terminou muito mal. No fim de 1996, ele saiu do Sepultura. E aquela foi uma fase muito triste porque, logo depois, no início de 1997, outro cara que eu adorava, o Chico Science, morreu num acidente de carro.

Assim que saiu do Sepultura, o Max me ligou. Eu disse que estava triste com a treta dele com a banda, mas fiquei imparcial e desejei boa sorte nos novos projetos. A verdade é que eu gostava muito de todos os caras do Sepultura e não queria tomar partido de ninguém.

Eu achei que o Max tinha ficado numa boa comigo, até porque ele gravou "Caos", do Ratos, no primeiro disco do Soulfly. Mas aí o Sepultura me convidou pra escrever a letra e cantar na faixa "Reza", do primeiro disco deles sem o Max, *Against*, e a atitude dele em relação a mim mudou completamente.

Algum tempo depois, o Soulfly foi dar uma entrevista na MTV. Eu não tinha ideia do nível de ressentimento que a Gloria e o Max tinham comigo e fui lá, todo idiota, levando um saco de presentes pro cara. Cheguei na MTV e a banda tava sendo entrevistada pelo Fábio Massari. Entrei no estúdio e fiquei num canto, esperando a entrevista acabar pra dar um abraço no Max.

Assim que a gravação acabou, me aproximei e falei: "E aí, Max, tudo bom?", e estiquei o braço pra apertar a mão dele. Mas o cara simplesmente passou do meu lado e fingiu que não me viu. Fiquei atordoado: "Ô, Max, que é isso? Tá louco?". Aí veio o baixista deles, um puxa-saco escroto cujo nome prefiro nem mencionar: "Por que você ficou do lado deles?", e logo depois apareceu a Gloria: "Judas! Traidor!". Quando percebi o que tinha acontecido, perdi a calma: "Vão tomar no cu vocês todos, seus filhos da puta!".

Fiquei tão mal que entrei no banheiro da MTV e tive uma crise nervosa: comecei a chutar as divisórias dos banheiros, dar soco nas paredes, derrubei tudo. Na mesma hora, tinha um colega da MTV, o Fepa, enrolando um baseado no banheiro. Ele achou que era a polícia e engoliu o baseado.

Fiquei muito mal, transtornado mesmo. Levei vários minutos pra me acalmar. Resolvi ir pra casa. Entrei no elevador, apertei o botão e, quando cheguei no térreo, quem tava entrando no elevador? Max e Gloria. Cheguei pertinho do ouvido do Max e falei: "Cuzão!".

Foi a última vez que vi o Max.

Em 1990, começamos a ensaiar as músicas do próximo disco, *Anarkophobia*. Fomos pra um sítio em Parelheiros que era do pai da Claudinha, então namorada do Spaghetti. Eu e o Jão fizemos aquele disco praticamente inteiro. É o disco mais metal do Ratos. Novamente, a Eldorado nos mandou gravar em Berlim com o Harris Johns. Dessa vez a gente já sabia se virar melhor na Europa e o rolê foi bem melhor.

O Ratos cresceu bastante nessa época. Começou a entrar uma graninha dos shows e dos discos. Nós íamos na sede da Eldorado receber e tocávamos o terror no lugar, ficávamos cheirando na mesa de vidro, só doideira. Começamos a viajar direto pra Argentina, onde ficamos bem grandes.

Nossa primeira viagem pra lá foi totalmente mongoloide: fomos de ônibus, levando duzentos gramas de fumo e empesteamos o busão daqui até Buenos Aires. Na fronteira, os policiais entraram e deram uma geral no ônibus. Achei que a gente ia rodar. Eles pegaram o Spaghetti e levaram pra ser revistado. Eu tinha *certeza* que o Spaghetti tava com fumo escondido na cueca, mas não acharam nada. Acho que ele deve ter escondido no rabo, é a única explicação.

Nosso primeiro show foi na Federação de Boxe, e o lugar tava lotado. O segundo foi num pico chamado Satisfaction, onde rolou o maior quebra-pau entre fãs e policiais na porta. Eu nunca tinha visto aquilo: os policiais enchiam os moleques de porrada, depois paravam um táxi e levavam os caras de táxi pra delegacia.

O produtor que fez aquela turnê era um picareta chamado Jorge. No primeiro dia, ele disse que ia nos levar no melhor restaurante da cidade. Acabamos numa *parrillada* vagabunda e longe pra cacete. Imagine que você está em São Paulo e alguém te leva pra almoçar em Jundiaí, era longe assim. No restaurante, o tal do Jorge sumiu e não voltou mais. Deixou a gente duro e com a conta pra pagar. Cada um começou a inventar uma desculpa: "Vou cagar e já volto", e fugia do lugar.

Spaghetti, JG, e Salvatore,   Calor do caralho,
Buenos Aires, 1989   BUENOS AIRES, 1989

Com o S.O.B., do Japão,
em Schondorf, Alemanha, 1990

Meu tio MARKY

Em pouco tempo só tinha sobrado o Pedrão, nosso roadie. Os donos do restaurante botaram ele pra lavar pratos. O viado do Jorge voltou depois de umas três horas e pagou a conta. Na hora do show, eu tava louco de ácido e não queria ver o cara na nossa frente, quando a mulher dele apareceu com uma bandeja de doces pra nos agradar. Eu peguei a bandeja e joguei na parede: "Seu filho da puta! Você sumiu!". A mulher ficou apavorada.

> PEDRÃO (ROADIE): Conheci o Gordo em 1986. Eu trabalhava com o Redson e o Renato Martins na gravadora Ataque Frontal e fui num show em São Bernardo do Campo, no Pavilhão da Vera Cruz. Lembro que era um evento cuja renda ia ajudar a limpar a represa Billings, vê se pode? O Gordo e o Jão chegaram no lugar com um spray de inseticida. Eles acendiam um isqueiro na ponta e transformavam a lata num lança-chamas. Pensei: "Que gordo folgado!". Mas conheci os caras e logo viramos melhores amigos. Uma vez, fui de ônibus com eles até a casa do Jão, na Vila Piauí, ver um ensaio do Ratos. Dentro do busão vimos um negão que tinha um chapéu-coco esculpido no cabelo, com aba e tudo. A gente teve um ataque de riso que durou umas duas horas, ficamos rindo alto dentro do ônibus até chegar na Vila Piauí. Acho que isso selou nossa amizade pra sempre.

Na hora de pagar, o Jorge veio com um saco de notas. Era a época dos australes, a moeda argentina não valia porra nenhuma, e saímos de lá com um carrinho de mão de dinheiro. O cara deu as passagens de ônibus, mas disse que elas só valiam até Paso de Los Libres, na fronteira do Brasil, e que quando a gente chegasse lá era só procurar um motorista de táxi chamado Colacho, que ele ia nos ajudar. Óbvio que a gente chegou em Paso de Los Libres e não tinha porra nenhuma de Colacho, era o maior xaveco furado. Mas a gente tava tão de saco cheio que fomos dormir em Uruguaiana e depois pegamos um ônibus de volta pra São Paulo.

Voltamos à Europa no fim de 1990 pra gravar o *Anarkophobia* e fazer uma turnê. E essa foi a turnê do pó. Nós cheiramos *todo dia* na Europa. Em Berlim, conhecemos uma punk italiana que era ligada a uns traficas internacionais, e rolou um intercâmbio farinhístico absurdo. Mas a turnê foi bem melhor e mais organizada que a primeira. Vi um monte de shows legais: Dickies, Bullet LaVolta, Lemonheads, Extreme Noise Terror, e tocamos até com o S.O.B., uma lendária banda japonesa de hardcore.

> **PEDRÃO:** As primeiras turnês do Ratos na Europa eram organizadas por fax. Se você perdesse o fax com os endereços dos locais de show, tava fodido, não achava nunca mais. Essa tour de 1990 pela Europa foi a mais zoneada da história. Quem organizou a turnê foram uns amigos italianos ligados com traficas locais, então a gente não tinha um centavo, mas tinha droga à vontade. A gente não tinha a menor noção das distâncias na Europa, achava que tudo era pertinho. Um dia tinha um show em Roma, no outro em Oslo, a dois mil quilômetros de distância, e a gente lá, numa van toda fodida. Eu dirigi 35 mil quilômetros nessa turnê. Imagina um bando de índios da Vila Gustavo que de repente chega em Berlim. Não existe choque cultural maior. A gente não tinha nem roupa de frio. Quase morremos congelados. O João e o Jabá ficaram

loucos com a oferta de cervejas e começaram a colecionar toda lata que viam. No fim da turnê, eles tinham uns cinco sacos imensos de latas fedidas, com resto de cerveja, o bagulho era podre. Quando voltamos pro Brasil, claro que deu excesso de volume, e sabe o que eles fizeram? Em vez de jogar as latas fora, levaram os sacos no avião e mandaram as guitarras de navio. Demorou um ano pras guitarras chegarem de volta ao Brasil. Nossa sorte é que éramos tão podres, tão sujos, tão fedidos, que todo país queria nos ver fora dali o mais rápido possível, e nunca tivemos problemas em aeroportos. Os caras queriam nos mandar embora de qualquer maneira. A gente nem tomava banho, parecíamos uns retirantes. No dia de voltar pro Brasil, conheci no aeroporto uma modelo brasileira que tava trampando na Itália. Começamos a bater papo, mas eu tava fedendo tanto que a mina pediu licença, disse que já voltava, e foi sentar em outro lugar.

Quando o Spaghetti saiu, dezembro de 1990

Quando o BoKa entrou, 1991

Aquela seria a última turnê do Spaghetti com o Ratos. O cara tinha levado a namorada dele pra viagem. A gente avisou que era burrice trazer mulher pra estrada, que nada de bom ia sair daquilo, mas ele insistiu. Acho que ele só fez isso porque a mina tinha três mil dólares pra gastar. Mas o Ratos é bullying puro, nossas brincadeiras são muito violentas e retardadas, não são pra qualquer um. Começamos a zoar o Spaghetti e a mina sem parar. Inventamos uma novela, *A Gaiolinha do Amor*, em que eu, o Jabá, o Jão e o Pedrão ficávamos narrando a vida dos dois. O Spaghetti era o Ju Pompelmo e a mina era a Su Alpicoca, e a gente ficava inventando as historinhas. Agora imagina isso por dois meses, 24 horas por dia, sem parar? Não tem quem aguente. E o Spaghetti não aguentou: assim que voltamos pro Brasil, ele saiu da banda.

Foi aí que entrou o Boka. Ele tocava no Psychic Possessor, uma das poucas — talvez a única — banda de metal que virou hardcore. O PP gravou um disco pela Cogumelo chamado *Nós Somos a América do Sul*. O Boka foi fazer o teste e lembro que a primeira coisa que pensei foi: como é ruim o visual desse cara! Esse cabelo parece um pudim de ameixa! O Boka era surfista, tinha um penteado de surfista, dividido no meio, tipo um flã. Mas ele tocava pra caralho. Só faltava mudar o visual.

PEDRÃO: Nessa época, o Ratos era da Eldorado, e o Vagner Garcia, gerente da gravadora, conseguiu uma verba pra mandar a gente fazer divulgação nuns programas de TV. Acho que o Vagner nunca se arrependeu tanto, porque a gente só fez merda. Uma vez, fui com o Gordo no programa do Osmar Santos, na Manchete. Os patrocinadores eram uma floricultura e uma marca de salame. O Gordo fez a entrevista inteira com um discman no ouvido, escutando Exploited. Uma hora, o Osmar Santos entregou um buquê de rosas pra ele: "Isso aqui é pra sua namorada!", e o Gordo respondeu: "Quero que a minha namorada vá tomar no cu!". O Osmar ficou horrorizado. No fim, o Gordo ganhou de presente um salame do patrocinador. "Ai, sim, Osmar, finalmente um presente que a minha namorada vai gostar!".

Jota Podre, 1992

© RUI MENDES

Imagina, mandar o Ratos fazer TV aberta? Só podia dar merda. A Eldorado mandou a gente fazer o programa da Angélica, o *Milk Shake*, no Rio. Passamos três dias de esbórnia na cidade, num hotel com frigobar liberado. A zona foi tanta que, na hora de fazer o playback, nós trocamos de instrumento: o Jão cantou, o Boka tocou baixo, o Jabá foi pra bateria e eu toquei guitarra. Tem no Youtube, é engraçado demais, a guitarra parece um cavaquinho na minha barriga. Que coisa surreal: a gente cantando "Sofrer" pra uma plateia de moleques de oito anos. Nesse dia o tema do programa era "Branca de Neve e os Sete Anões", tava cheio de anão fantasiado no estúdio, e a gente ficou batendo neles e perseguindo os caras.

> **PEDRÃO:** Fazer esses programas com o Gordo era divertido demais. Uma vez, fomos no programa do Silvio Santos, quando o SBT ainda era na Vila Guilherme. Os convidados eram o Ratos de Porão e a Kátia, aquela cantora cega. A gente tava no corredor do SBT, só falando merda, e eu disse: "Sabe da maior? Essa Kátia cega não é cega porra nenhuma, é só marketing!". Daí alguém me cutuca nas costas, eu viro e dou de cara com a mulher: "Eu sou cega sim, pô!".

> **KICHI:** O Gordo só dava mancada. A gente tava no aeroporto, e ele reconheceu alguém: "Clara Nunes! Minha mãe é tua fã!". A mulher respondeu: "A Clara Nunes já morreu, seu imbecil, eu sou a Beth Carvalho!".

Em maio de 1991, fomos chamados pra abrir três shows dos Ramones no Dama Xoc, em São Paulo. A gente tinha gravado "Commando" dos Ramones, no disco *Anarkophobia*, e acho que eles gostaram da versão. Na passagem de som do primeiro dia, os quatro me cercaram: "Você quer cantar com a gente no show?". Véio, eu quase tive um treco, aquilo foi uma coisa marcante pra mim. Os Ramones *nunca* chamavam ninguém pra subir no palco com eles, era uma coisa muito rara. E eu sempre fui muito fã dos caras, os Ramones mudaram a minha vida. Eu comecei a ser punk por causa deles.

Nesses shows vi uma coisa surreal: os Ramones tomando uma geral da Rota! No primeiro show, um moleque morreu depois de ter sido esfaqueado na plateia. No dia seguinte, as ruas em volta do Dama Xoc tavam lotadas de policiais. Na segunda noite, eu cheguei pelos fundos da casa e vi um camburão da Rota parado, e os gambés enquadrando os Ramones. Tavam os quatro na parede, levando geral, parecia a capa do primeiro disco deles. Eu corri desesperado: "Tenente, puta que pariu, esses são os Ramones! Uma banda famosa!". O gambé não tinha a menor ideia do que eu tava falando.

Meu Ramone favorito era o guitarrista Johnny, apesar de ele ser de direita e gostar do Nixon. Eu admirava a disciplina dele e adorava aquele visual de cabelo tigelinha. Lembro de ver o Johnny tomando umas Budweisers no camarim antes dos shows. Era um sujeito caladão e meio sério, mas eu adorava o cara.

Da primeira vez que os Ramones vieram ao Brasil, naquele fatídico show do Palace em 1987, quando os Carecas quebraram tudo, fui ao hotel Maksoud e acabei conhecendo o Dee Dee, o baixista. Ele me pediu cocaína. Eu só tinha maconha e consegui um pouco de pó pra ele. Aí ele me convidou pra dar uma volta pela Paulista. Ele queria comprar uma revista sobre os Ramones pra ver as fotos.

O episódio mais memorável desse encontro foi que o Dee Dee pisou numa merda de cachorro e ficou puto da vida. Nesse dia, ele me contou uma história incrível: disse que o Sid Vicious era inocente, que quem matou a Nancy, namorada do Sid, foi um traficante que eles conheciam. Eu perguntei pro Dee Dee por que ele não foi testemunhar, se sabia quem tinha matado a mulher, mas ele desconversou. Foi uma tarde muito doida. Depois saímos eu, minha amiga Jac Leirner e o Joey Ramone pra dar um rolê. Fomos na casa da Jac. Eu mostrei o *Crucificados*, e o Joey falou: "Yeah, that's nice!".

JG e o Rat, do Varukers

JG, Jello Biafra, Renato Gordinho, Fabião, do Olho Seco, e Clemente, dos Inocentes

MISFITS

JS com Jerry Only e Doyle, dos MISFITS, na MTV, 1998

Rolê de dois meses pira qualquer um...

1996

Boka, GENE HOGLAN e eu em Lisboa, quando abrimos o show do DEATH, 1996.

KRAKERS

UM VEÍCULO BLINDADO DA POLÍCIA DERRUBA BARRICADAS EM CHAMAS NO CENTRO DE AMSTE... UM DIA ANTES 300 POLICIAIS FORAM DE EN... A 200 "SQUATERS" DE 2 PRÉDIOS.

O CENTRO DA CIDADE TORNOU-SE UM CAMPO DE BATALHA E A HORA DO RUSH TORNOU-SE UM CAOS.

PEDRAS E UMA CHUVA DE COQUETEIS MOLOTOV SAÚDAM A POLÍCIA QUE RESPONDE COM GÁS LACRIMOGÊNEO E BALAS DE BORRACHA. O JORNAL <u>TELEGRAPH</u> DE 30/10/90 PUBLICA UM RELATÓRIO SECRETO POLICIAL: ATIVISTAS DE EXTREM... ESQUERDA ANTI-APARTHAID APOIAM ~~IRA~~ DO IRA, RAF E ETA E FAZEM SUAS REUNIÕES ~~EM~~ "SQUAT BARS" ~~(PARA ARRECADAR)~~ ARRECADANDO DINHEIRO P/ AÇÕES TERRORISTAS. MAS O QUE É REALMENTE UM "SQUAT"? BEM, VISITEI VÁRIOS "SQUATS" EM 89 E 90 TOCANDO COM O <u>RATOS DE PORÃO</u> E PUDE VER DE PERTO COMO VIVE... E AGEM OS SQUATERS OU KRAKERS COMO ~~SÃO~~ CHAMADOS NA HOLANDA. ~~SIMPLIFICANDO~~ UM "SQUAT" SÃO CASAS ~~RECOLHIDO~~ OCUPADA ~~PELOS~~ JOVENS QUE NÃO TEM ONDE MORAR.

Estúdio Eldorado   Rua Major Quedinho, 90 7º andar
CEP: 01050 Fones: 256-5411 e 256-5416-São Paulo

Com uma incrível infra-estrutura voltada para seus ideais, eles lutam contra o governo e a polícia que tentam a todo custo tiralos de sua fortaleza. A primeira notícia de um movimento organizado KRAKER é de 5 de maio de 1970 quando vários estudantes desempregados invadiram uma rua inteira de casas e prédios do governo. Esse dia é lembrado como <u>NATIONALE KRAKERS DAG</u>. Mas esses KRAKER remanecentes do movimento hippie eram um tanto pacíficos comparados com os da década seguinte.

Em março de 80 a <u>VONDEL STRAAT</u> é ocupada, começam os combates, os KRAKERS são expulsos no dia seguinte ela é reocupada, mais duas noites de combates muitos presos e feridos. Amsterdam vira manchete nos jornais do mundo. Mas a maior batalha SQUATERS x POLÍCIA aconteceu em 25 de outubro de 85 quando a rainha BEATRIZ resolveu fazer sua coroação em Amsterdan. Depois de três dias de batalhas e protestos um squater morreu por espancamento. O governo Holandês decretou uma lei de segurança onde não era preciso jogar pedras p/ ser culpado de alguma coisa.

EM MAIO DE 89 O R×D×P× CHEGA ~~NA CASA DEMOCRO~~ NO SQUAT BONTEKOE (AMSTERDA) PARA SE HOSPEDAREM UM VELHO SONHO ~~ESTAVA SE REALIZANDO~~.

O BONTEKOE PODE SER CONSIDERADO UM SQUAT DE LUXO NO PRIMEIRO ANDAR HÁ UM BAR, UMA RADIO, UMA GRAFIKA UMA LOJA DE DISCOS, UM ESTUDIO P/ENSAIOS UMA SALA DE GINASTICA E UMA BIBLIOTECA CERCA DE 20 PUNKS E NÃO PUNKS MORAM NOS OUTROS ANDARES. O QUE ANTES ERA UMA ESCOLA, HOJE É UM CENTRO CULTURAL COM SHOWS E REUNIÕES ANTI-APARTHEID.

O PRÉDIO FOI INVADIDO EM ABRIL DE 85 E TALVES ESTE ANO ESTEJAM SENDO EXPULSOS.

EM 16/8/89 ~~em~~ MILÃO UM DOS MAIORES SQUATS DA EUROPA É DESATIVADO. O "LEONCAVALLO" É DESTRUIDO COM TUDO QUE ESTAVA DENTRO OS SQUATTERS RESISTIRAM POR ALGUMAS HORAS MAS OS TRATORES FORAM MAIS FORTES. TOCAMOS ~~em~~ NOVEMBRO ~~15~~ 90 NO "LEONCAVALLO" SEMI-DESTRUIDO ISSO SIGNIFICA QUE OS SQUATTERS TOMARAM SUA FORTALEZA DE VOLTA.

NA ITÁLIA OS SQUATS SÃO CHAMADOS DE CENTRO SOCIALE OCCUPATO AUTOGESTITO MACHIA NEIRA (PISA). C.P.A (FIRENZE). DISKAIRIKA (FOD

FABRICA (BOLOGNA) E TANTOS OUTROS ~~SQUATS~~ ~~HABITATS~~ SÃO UM ESTORVO P/ O GOVERNO ITALIANO. ACUSADOS DE APOIAREM A BRIGATE ROSSE ELES SÃO MAL VISTOS PELA POPULAÇÃO. FESTAS P/ REABILITAÇÃO DE EX TERRORISTAS SÃO COMUNS, CHEGAMOS A TOCAR NUMA DELAS.

NA ALEMANHA A MAIORIA DOS SQUATS SÃO LEGALISADOS ONDE O MORADOR PAGA UM PEQUENO ALUGUEL E A POLÍCIA OS DEIXA EM PAZ.

COM A QUEDA DO MURO DE BERLIM VÁRIOS PRÉDIOS DO LADO ORIENTAL FORAM INVADIDOS.

MAS O SQUAT MAIS CURIOSO É O STALAG 69 EM ~~COPENNHAGEN~~ INCRIVELMENTE LIMPO, INCRIVELMENTE ORGANIZADO,DECORADO COM ESCUDOS E CAPACETES DA POLÍCIA.

CAIXAS DE PLÁSTICO C/ TIJOLOS ESTÃO ~~~~ ORDENADAMENTE EM EMPILHADAS CADA JANELA. PARA QUE? PRESENTE P/ POLICIA.

Jorio

Sessão de fotos para capa
da revista Bizz, 1992

8
KURT E COURTNEY

O início dos anos 1990 foi uma época braba de pó. A gente cheirava todo dia. E a situação ficou ainda mais tensa depois que o Boka quebrou o pé andando de skate e ficamos um tempo sem tocar. A gente tava com grana e tinha o know-how da pedra, então era só desgraça. Nós ensaiávamos no Quorum, um estúdio caro que a Eldorado pagava, e gravamos seis músicas pra uma demo, que acabou sendo o disco *Just Another Crime*. Mas a gente só queria saber de cheirar e cozinhar pedra.

Eu namorava a Alê Briganti, baixista do Pin Ups. Começamos a namorar no Retrô, mas a gente se conhecia há um tempão. Eu conheci a Alê num vídeo do GBH que tava passando no Carbono 14. Tive um caso com ela bem antes, quando ela tinha uns treze anos de idade. Lembro que a mãe dela ligou pro meu chefe, no flat onde eu trabalhava, pra reclamar, dizendo que eu tava levando a filha pro mau caminho. Mas a verdade era que nós dois já estávamos no mau caminho fazia tempo.

Depois disso a gente sempre se esbarrava por aí. Ela namorou um amigo meu, e começamos a trombar no Retrô e no Dynamo, um bar de metaleiro que ficava perto da PUC. Eu gostava dela e comecei a encher o saco, pedindo ela em namoro.

PUNK/Festa
O noivado punk do autêntico casal rock'

João Gordo, dos Ratos de Porão, e Alê, dos Pin-Ups, viram noivos hoje à noite no Der Tempel, valsando ao som de bandas pesadas e DJs convidados. É a festa underground do ano

Marcel Plasse

O amor é lindo. Repare as caras de felicidade de João Gordo e Alê. O vocalista dos Ratos de Porão e a baixista do Pin-Ups estão noivando. Difícil imaginar casal menos Paulo Ricardo e Luciana Vendramini. Ou Fane e Hervoldi. "Acho que a gente é o autêntico casal rock'n'roll", diz Alê.

Yeah, mas pode haver coisa mais breguinha do que um noivado? Eles juram que o noivado não passa de motivo para uma festa, e que estão "tirando a maior chinfrim". Contudo, a verdade é que, desde a semana passada, a "brincadeira" passou a ser pra valer. João conta: "A gente viu que papai e mamãe começaram a levar a sério. Dar parabéns. A Alê entrou numas de fazer vestido...". E agora eles estão a um passo do altar.

Esse romance já dura um ano, embora eles se conheçam há quase uma década, quando ambos eram punks — curiosamente, Alê é uma das punketes da capa do histórico álbum **Grito Suburbano**, com 12 anos de idade. Odiaram-se à primeira vista e ficaram sem se falar por cinco anos. "É uma novela punk", como João define.

O noivado não tem alianças. "A gente vai fazer tatoo", diz João. Uma tatuagem com duas carinhas sorridentes, os nominhos do casal e a data. A data é hoje à noite, quando seis bandas "superinicantes", como eles dizem, sobem no palco do Der Tempel (R. Augusta, 281) para tocar a "valsa hardcore romântica que se preze", é **In Bloom**, do Nirvana.

Eles se confessam apaixo[nados]: "Minha coleção de gui[tarras]", diz João, revelando estar ou[vindo] ao mesmo tempo em que [ouve] outras bandas do inferno [para] afirmar que Pin-Ups ficou [com] influências de guitar band[s], repara João. De todo mo[do] novo álbum dos Pin-Ups, independente Devil. E o [disco] ao vivo no Britânia, sai em [breve] para confirmar, definitiva[mente].

Cada vez mais sujos e [sem] naninha. Sem banho, nece[ssita] estou fazendo ginástica, vocalista do Nymphs e do [Henry] Rollins (ex Black Flag), hoj[e] de beber — pero no muy [os] ex-punks não querem m[ais]. "Eles são bonitinhos mas [...]" João garante que a felicid[ade] "Continuaremos juntos, vez [...] dividir banda e namoro. [A] namorada que fica agress[iva] Paulo, tudo é agressivo.

O José Victor e a Horti[...] dem festejar até desmaia[r], um monte de chicotes e [...] ção", brinca Alê. Pelo jeito [...] de leão. Afinal, Ratos de [Porão] festa do 1º de maio na Praç[a...] às 10 da manhã. João [...] conta um segredo: "Na [...] bonitinhos [...] comporta[dos] mamães."

• Entre a Igreja e a cachaça, a paixão hardcore de Alê, baixista da banda Pin-Ups, e João Gordo, vocalista do Ratos de Porão, o Casal 20 do rock paulista •

Era o auge do grunge, e a Alê e eu viramos "o" casal roqueiro de São Paulo. Fizeram uma pá de matérias no jornal sobre nós. Chegamos até a marcar um casório. A gente tomava microponto, umas coisas tipo Orange, Yellow Sunshine, ela bebia Macieira, e um dia estávamos tão loucos que decidimos: vamos ficar noivos? Vamos! Fizemos uma puta festa, saiu em tudo quanto é jornal, mas, logo depois, ela me deu um pé na bunda e me trocou pelo Farofa, que era roadie do Pin Ups e vocal do Garage Fuzz. Eles acabaram juntos, e eu fiquei malzão.

> **KICHI (ROADIE DO RATOS):** Quando o Gordo levou um pé da Alê, ficou descontrolado. Lembro que fomos fazer um show na Argentina e ele ficou a viagem toda pianinho, na dele, não saiu nem pra jantar com a gente. Na hora do show, encheu a lata de uísque, começou a cheirar pó, e virou um bicho: derrubou uma estrutura de iluminação, depois jogou a bateria no meio da galera. O homem tava fora de controle. O Jão gritava: "Puta que pariu, Gordo, a gente não é o Nirvana não, mano!". Aí o Gordo vira pra mim no palco e grita: "Quero um Gatoraaaaaade, caralhoooooooo!". Eu saí correndo e arrumei um Gatorade pra ele. "Esse não é de tangerinaaaaaaaa!". Nós quase algemamos o Gordo no camarim. Ele ficou tão alucinado que comeu uma colher cheia de tinta, como se fosse sorvete, e terminou a noite só de cueca, dando autógrafo prum bando de metaleiro.

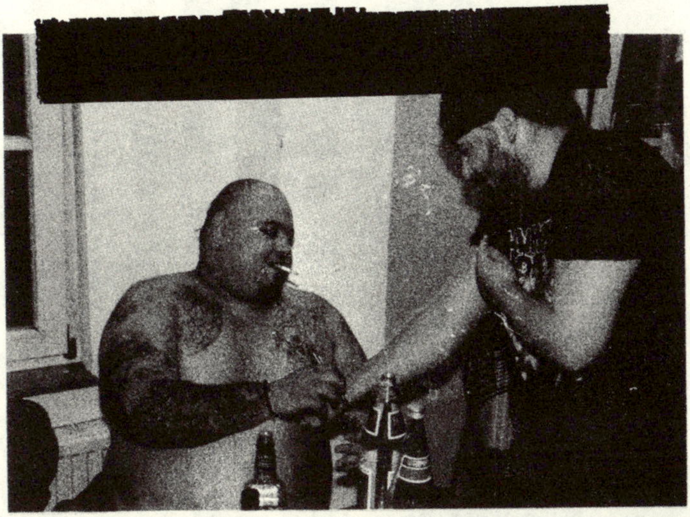

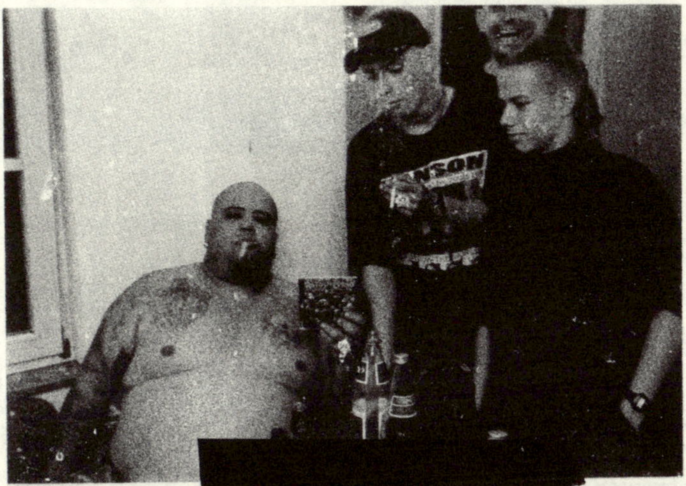

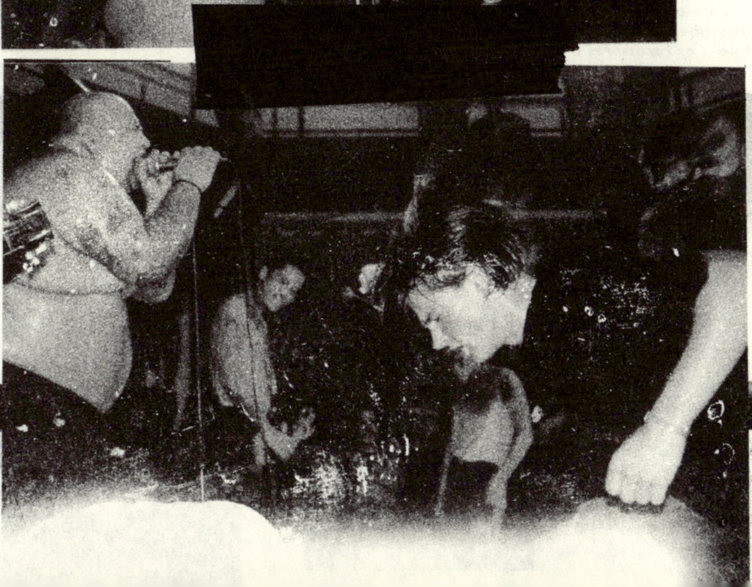

CUECÃO DO GORDO DÁ A BANDEIRADA PRO LEÃO INGLÊS

É MANSELL!

No NP, a melhor cobertura da F-1. Leia nas páginas 7, 11 e 12

ESTUPRA

O GP QUE VOC...

Durante o GP Brasil, rolaram lances sensacionais dentro e fora [do] Autódromo de Interlagos: mulheres lindas mostrando o que D[eus] lhes deu, malacos vendo a corrida sem pagar, pilotos da[ndo] vexame, ricardões atacando qualquer rabo-de-saia. O comenta[ris]ta João Gordo, os repórteres e os fotógrafos do NP não perde[ram] nenhuma sacada. Confira nesta página o que a televisão não t[eve] coragem de mostrar.

Fotos: José Luís de C[...]

NP variedades

FESTIVAL
O trapalhão Renat[o] Didi, vai levar o se[u] "Noviço Rebelde", [...] val de cinema de C[...] na Colômbia.

RATINHO:

SENDO CEN[...]

PROMOTOR QUER PROIBIR PESS[...]

Visita

Nessa época, o *Notícias Populares* me convidou pra fazer a cobertura da Fórmula 1. Foi uma zoeira do cacete. Eu tava andando pelo paddock, do lado dos carros, atraindo mais atenção que os pilotos. O pessoal da arquibancada ficava me xingando, e eu mandando todo mundo tomar no cu, foi divertido demais. Lembro que um fã gritou: "Ô piloto de provas da Sadia!" e eu quase caí no chão de tanto rir.

Essa cobertura da Fórmula 1 foi demais. Foi ali que eu percebi que tinha jeito pra comunicação, pra fazer entrevistas. Lembro que tentei uma entrevista com o Senna, mas ele foi o maior babaca e me ignorou, nem olhou na minha cara. "Ah, é, seu viadinho?", falei. "Então vou torcer pro Mansell, seu playboy cuzão!" E passei a semana toda enchendo a bola do Mansell, que foi o maior gente fina e deu uma entrevista exclusiva. Eu o chamava de "Cornell Mansell". O papo começou assim: "E aí, Cornell, como está?". O cara riu pra cacete. Minha mandinga contra o Senna deu certo: ele saiu da prova por problemas com o motor, e o Mansell ganhou. Bem-feito.

Passei uma semana toda indo ao autódromo às sete da manhã, virado do Retrô e travado de pó. Fiz tanta merda que, no último dia, a Federação de Automobilismo cassou minha credencial. Naquela época, cada jornal estrangeiro tinha um telefone exclusivo na sala de imprensa. Eu aproveitava quando não tinha ninguém e usava os telefones pra ligar pros meus amigos na Europa e nos Estados Unidos. Os pilotos ficaram putos com as matérias que a gente fazia. Tinha um piloto que era um galãzinho, filho daquele ator Jean-Paul Belmondo, e eu fiz uma foto servindo churrasco pra ele nos boxes. Olha a legenda que o NP botou: "Gordo soca a picanha na boca do galã"!

Naquela temporada tinha uma pilota, uma italiana chamada Giovanna Amati, da Brabham. Ela vinha de uma família ricaça e tinha uma história terrível — ela tinha sido sequestrada na Itália e acabou se envolvendo com um dos sequestradores. Descobrimos, nos boxes, um playboy de Ribeirão Preto que disse que tava pegando a Giovanna. O cara era tão filho da puta que revelou que ia buscá-la no hotel naquela mesma noite. Deixamos um fotógrafo de butuca e ele flagrou os dois saindo juntos do hotel. O playboy fez um texto pro NP contando a "noite de amor" deles, assinando "Ricardão da Giovanna — Especial para o NP". Ela ficou nos últimos lugares nos treinos e não se classificou pra prova. A Brabham despediu a mulher.

Depois que a Alê me dispensou, fui morar na casa da minha amiga Fabiana Figueiredo, em Pinheiros. Juro que só não fiquei viciado em crack nessa época por causa da Fabiana, que me dava uma puta força.

FABIANA FIGUEIREDO (FOTÓGRAFA): Eu acho que foram as mulheres que salvaram o João. A Sônia Maia deu uma força do caralho pra ele, e depois eu o ajudei muito também. Eu vinha de Belo Horizonte e me mudei pra São Paulo pra ser assistente da grande fotógrafa Nair Benedicto. Sempre achei o João um sujeito muito inteligente e capaz, e queria ajudá-lo. Eu achava inacreditável de onde vinha aquela inteligência, conhecendo os pais que ele tinha e a educação traumática que teve.
O João morou um tempo num apê que era meu em Pinheiros. Depois, em 1995, o meu padrinho morreu e a minha mãe herdou uma casona no Brooklyn e pediu que eu tomasse conta da casa até sair o inventário. Só que o meu padrinho tinha uma amante, que entrou na Justiça pra ficar com a casa, e o inventário levou dez anos pra ficar pronto. O João morou lá até o ano 2000.

Nessa época, o Jão e o Jabá tavam muito viciados. Lembro que a Dona Vanda, mãe do Jão, me ligava, chorando, dizendo que fazia três dias que o filho não aparecia em casa. Eles ficavam no meio do mato por três ou quatro dias fumando pedra. E o Ratos pegou uma puta fama de banda junkie.

FABIANA FIGUEIREDO: A Nair Benedicto ia fotografar uma matéria sobre usuários de crack pra uma revista e perguntou se eu conhecia alguns. Eu levei a Nair pra fotografar os meninos lá na Vila Piauí.
Era deprimente. No alto da favela tinha um depósito de lixo, num morrinho, de onde você via a favela embaixo. O Jão e o Jabá ficavam agachados o dia inteiro perto de umas árvores, fumando pedra. Eles ficavam dois, três dias naquele lugar. Lembro que saí de lá muito mal e fui direto fotografar a festa de aniversário do Chiquinho Scarpa pro Amaury Júnior. Aquilo foi um choque: num minuto, eu estava numa

Camarim do Circo Voador, 1992. A jacuzzi é uma zoação com o Jello Biafra

© FABIANA FIGUEIREDO

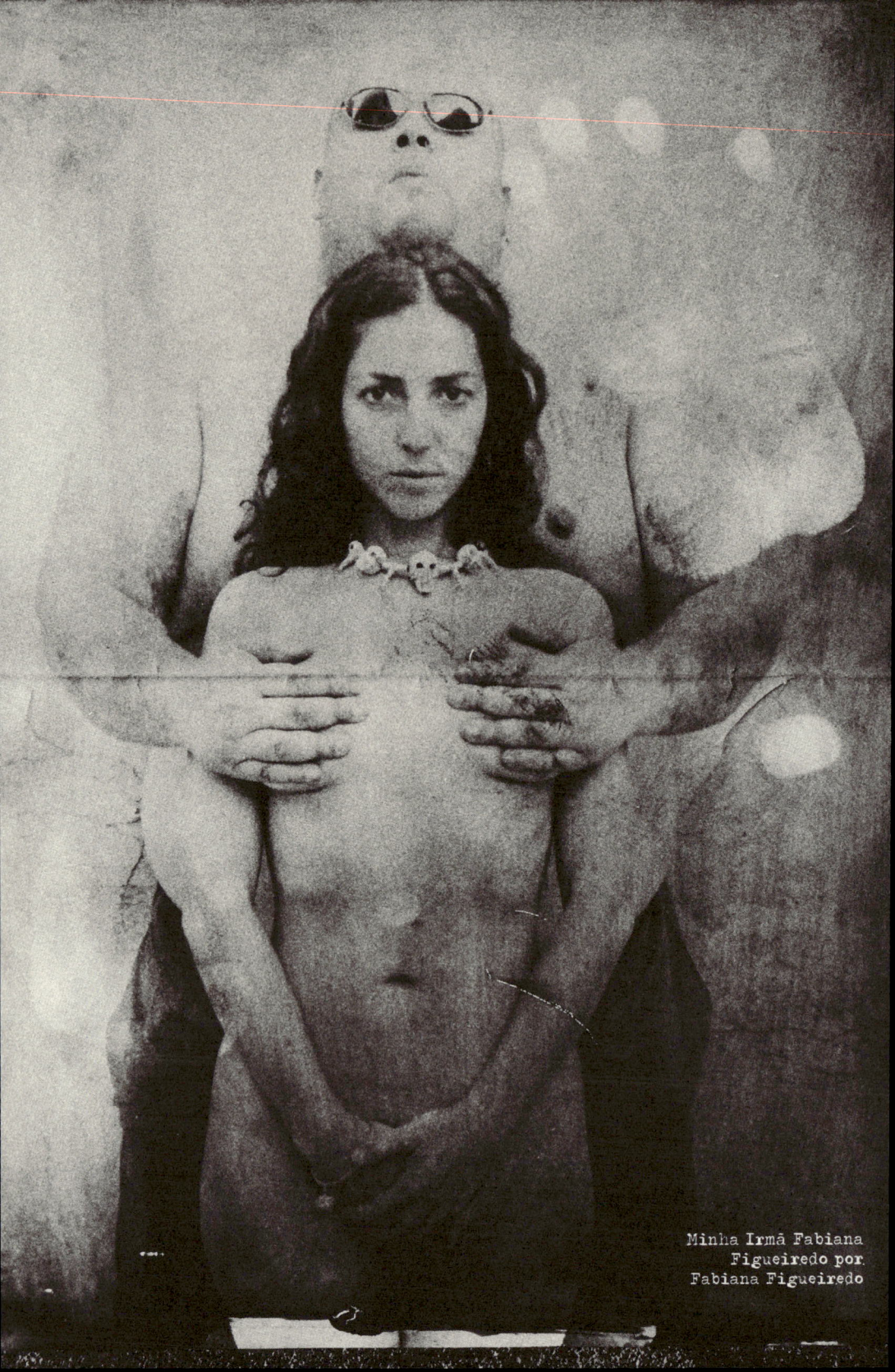

Minha Irmã Fabiana
Figueiredo por
Fabiana Figueiredo

> quebrada no meio do mato com uns crackeiros;
> no outro, fotografando os bacanas tomando champanhe
> e comendo sushi.
> Eu avisei ao João: 'Gordo, toma cuidado ou tua banda
> vai acabar!'. Tentei ajudar e levei o Jão e o Jabá
> pra passar uns dias no meu apartamento, pra eles
> ficarem longe de pedra. No dia seguinte, entro em casa,
> e cadê eles? Estavam fumando crack no banheiro
> da empregada!

Eu e o Boka não aguentamos a situação e enquadramos o Jão: "Ou você toca, ou você fuma, cara!". Aí deu um tilt nele, ele pegou e deu um sumiço, mas o Jabá continuou na pedra. O pai do Jão, o Seu Nico, tava com câncer na garganta e tinha uma voz rouca, parecia que tinha engolido uma lixa: "Gordo, tira esse filho da puta desse Jabá da banda!". Tentamos falar com o Jabá, mas não adiantou, ele continuou a faltar a ensaios e vinha com aquelas típicas desculpas esfarrapadas de crackeiro: "Minha tia perdeu um terreno, tive que ajudar ela", "Atropelei um tiozinho de moto" ou "Meu gato morreu". Tudo mentira. Não dava mais. A banda tinha que ir pra frente, e tava foda o Jabá "pé de breque". Um dia, falei pro Jão: "Você conhece o cara há mais tempo que eu. Vai lá e fala pra ele sair da banda", e o Jão trocou essa ideia. Aí o Jarbas — o nome do Jabá é Jarbas — ficou doido e disse, todo orgulhosão: "Ah, é? Então eu vou embora dessa porra mesmo!". E pegou tudo que podia: pedal, cabo, palheta, afinador, dois baixos, e foi embora. Ainda disse que ia me matar. Isso foi em 1993.

O Jabá ficou oito ou dez anos na pedra. Felizmente, conseguiu parar. Outro dia, coitado, ele tava trabalhando como pregador de outdoor, caiu do poste e se arrebentou todo, quebrou o maxilar em não sei quantos lugares, deu um talho no pescoço, ficou com o rosto todo deformado e quase morreu. Fizemos umas campanhas pra arrecadar grana pra ele e um show, o Jabá-Aid. Felizmente, ele tá vivo, não tá preso, não matou ninguém, é um sobrevivente. Voltou a tocar no Periferia S.A. com o Jão, e voltou a ser nosso amigo também. O Jão foi muito macho. Ele teve o brio, a moral de dominar o bicho do crack.

Em 1993, rolou o Hollywood Rock, com Nirvana, L7, Red Hot Chili Peppers, um monte de bandas fodas. Eu conhecia o Dave Grohl daquela turnê que fizemos com o Scream na Europa uns anos antes, e decidi colar no hotel dos caras pra conseguir uns ingressos. Ainda estava com a Alê e fui com ela ao Maksoud. Chegamos lá e a primeira pessoa que vi foi um gordão de visual punk. Achei que conhecia aquele gordo de algum lugar... "Caralho, é o Big John, guitarrista do Exploited!" Eu tinha vários discos do cara, o *Punk's Not Dead*, *Troops of Tomorrow*, era fãzaço dele. O Big John era roadie do Kurt Cobain e sabia quem eu era. A gente tinha um monte de amigos em comum. O mundinho punk era pequeno.

Aliás, aquele festival foi uma fauna do cacete: o Ian McKaye, meu ídolo do Minor Threat e do Fugazi, era roadie do L7. A gente tava no bar do hotel, bebendo com os caras do Red Hot Chili Peppers, quando o vocalista, o Anthony Kiedis, me chamou pelo nome: "Hey, Gordo, come here!", e pediu um boné do Ratos. Não acreditei. De onde ele me conhecia?

Aí chegaram o Kurt e a Courtney, e ficaram no bar do hotel com a gente. Eles só tomavam vodca com licor de cereja e uma folhinha de hortelã. A Alê tinha levado uns discos de umas bandas brasileiras. Ela falava inglês e ficou batendo altos papos com o Kurt e a Courtney. Eu falava um inglês macarrônico e fiquei na minha. Uma hora, o Kurt perguntou se era fácil descolar heroína. Eu disse que a única coisa que era difícil descolar no Brasil era herô, mas que todo o resto era mole. Logo depois chegou o Dave Grohl, e o cara fez a maior festa quando me viu: "Gordo! How are you, my friend?".

Ficamos num esquema tão patrão que fomos pro Morumbi no ônibus do Nirvana, com um monte de batedores da PM nos escoltando. Dentro do busão tava a maior zona, todo mundo bebendo e cheirando que nem uns retardados. Menos o Dave e o Krist, que eram caretaços e nem cigarro fumavam.

Vi o festival todo do lado do palco, fumando uns baseados do tamanho de umas raquetes de tênis. No dia de abertura teve o Red Hot Chili Peppers com aqueles capacetes de fogo, fiquei louco. No segundo dia, teve o L7, que destruiu, fez um puta show fodido. Eu tava no palco, com um crachá fluorescente: "Sou amigo do Kurt Cobain!!!".

Antes do Nirvana entrar no palco, no camarim, comecei a conversar com o Kurt, e ele ficou surpreso quando falei que o "Hollywood" do nome do festival era uma marca de cigarro. Ele não sabia e ficou puto. Eu disse que o festival era escroto, que não tinha uma banda underground brasileira, e ele respondeu: "Não tem? Então liga pro Pin Ups que eles vão tocar com a gente!". Ele tava falando sério, queria mesmo que eu chamasse o Pin Ups pra tocar. Eu disse que não achava uma boa ideia, mas o cara tava decidido. Já imaginou, cem mil negui-

KURT AND AXL ARE LOVERS 1993

nhos no Morumbi esperando o Nirvana e me sobe o Pin Ups no palco? O público ia quebrar tudo, ia ter uma guerra civil. Eu tava louco pra caralho, mas até *eu* achei que aquela ideia era ruim.

O show do Nirvana no Morumbi foi uma bosta. Muita gente, inclusive a banda, achou que aquela foi uma das piores apresentações da carreira do Nirvana. E acho que boa parte disso é culpa minha. Falei tão mal do festival que os caras entraram pra zoar tudo. Antes de eles subirem no palco, o Krist Novoselic me deu um papel com um manifesto e pediu pra eu ler no microfone. Eu tinha bebido tanto e fumado tanta maconha que tava com a boca na nuca, não conseguia nem falar. Eu olhava pro papel e só via um borrão. Mesmo assim falei umas groselhas lá e anunciei a banda. Mas o show foi horrível, cem mil pessoas em silêncio. Parecia um ensaio ruim.

Quando o show terminou, o Kurt perguntou pra onde a gente ia. O Giggio, dono de um bar de rock chamado Der Tempel, na Augusta, tinha me dito que podia levar os caras pra lá que ele liberava a bebida. Foi todo mundo. Meu amigo Renato Gordinho, veterano da cena punk em São Paulo, tinha um Corcel 2 azul-claro, todo batido, e no carro fomos eu e o Renato na frente, mais o Kurt, a Courtney, o Flea, do Chili Peppers, e a baterista do Hole espremidos atrás. No carro da Alê, um Golzinho, ela levou metade do L7 e uma pá de roadies.

Chegamos na Augusta, que naquela época só tinha puteiro, e o Giggio fechou a Der Tempel: "Quem tá fora não entra, quem tá dentro não sai!". Deu dois minutos, alguém apareceu com um saco de teco. Tinha no mínimo uns trinta gramas de cocaína.

> RENATO GORDINHO: Quando o Flea viu a quantidade de pó, se assustou. E você imagina o que precisa pra assustar o Flea, né? Ele disse que não tava a fim de ficar ali e pediu que eu arrumasse um táxi pra ele voltar pro hotel.

A noite foi open bar e open teco. A maioria do pessoal das bandas foi embora logo, mas o Kurt e a Courtney ficaram comigo e com a Alê. Nós ficamos no maior ratatá monstro, só na farinha, e o DJ da casa, o Aldo, começou a tocar anos 1960. Eles adoraram. Lembro como se fosse hoje: eu e a Courtney dançando o passo do submarino, aquele do B-52s em que as meninas tampavam o nariz com uma mão e desciam até o chão, ouvindo "Taxman", dos Beatles. Uma hora, eu tava dançando com ela, de olhos fechados, e um filho da puta pulou nas minhas costas e ficou pendurado no meu pescoço. Comecei a girar feito um carrossel, até que percebi que era o Kurt! Ele tava feliz da vida, rindo que nem criança. Já a Courtney tava com ciúmes da Alê, porque ela ficou a noite toda batendo papo com o Kurt. Mas eu, no meu inglês ridículo, tentei explicar que não tinha nada a ver. Eu não falava inglês direito, mas com tanta farinha na cabeça a gente fala até russo, né?

O Kurt era magrinho, mas nunca vi alguém cheirar tanto. Vinha aquele prato de tecão e ele mandava nas duas narinas. Nunca vi nada igual. Até eu arreguei antes dele. Saímos de lá às oito da manhã. Todo mundo entrou no Corcel do Renato Gordinho e fomos pro Centro. Eu ia ficar no metrô Santa Cecília, e o Kurt e a Courtney, no Maksoud. Quando passamos embaixo do viaduto da Amaral Gurgel, a Courtney viu um traveco gigante: "What the fuck! Stop the car!". O Renato parou o carro, a louca saiu do carro com o vestido todo aberto, com os peitos aparecendo, e foi lá bater papo com o traveco. Ela queria pegar na bunda da trava de qualquer jeito, queria porque queria apalpar o traveco, que não entendeu porra nenhuma. Eu disse: "Não faz isso, mulher, você vai levar uma navalhada!", enquanto o Kurt tava todo encolhido no carro, mais bicudo que um tucano. Aí a Courtney abriu a carteira, tirou uns trezentos dólares e deu pro traveco. Eu cheguei na estação de metrô com o olho em espiral, nem sei como cheguei em casa.

> RENATO GORDINHO: Depois que o Gordo foi embora, eu ainda levei o Kurt e a Courtney no Love Story. A gente ficou um tempão lá, bebendo e batendo papo. Eles adoraram ver as putas dançando. Aí o imbecil do DJ da casa teve a ideia de tocar Nirvana e mandou um "Smells Like Teen Spirit". Assim que o Kurt ouviu, disse: "Hora de ir embora!".

Aquela época — 1993, 1994 —, foi muito dura pra mim. Eu tava numa loucura de pó e vivia alucinado. Quando a Alê me deixou e começou a namorar o Farofa, eu fiquei tão arrasado que comecei a perseguir os dois. Hoje tenho até vergonha de lembrar, mas eu estava fora de mim e queria matar o cara. Cheguei a andar na rua com machado, faca

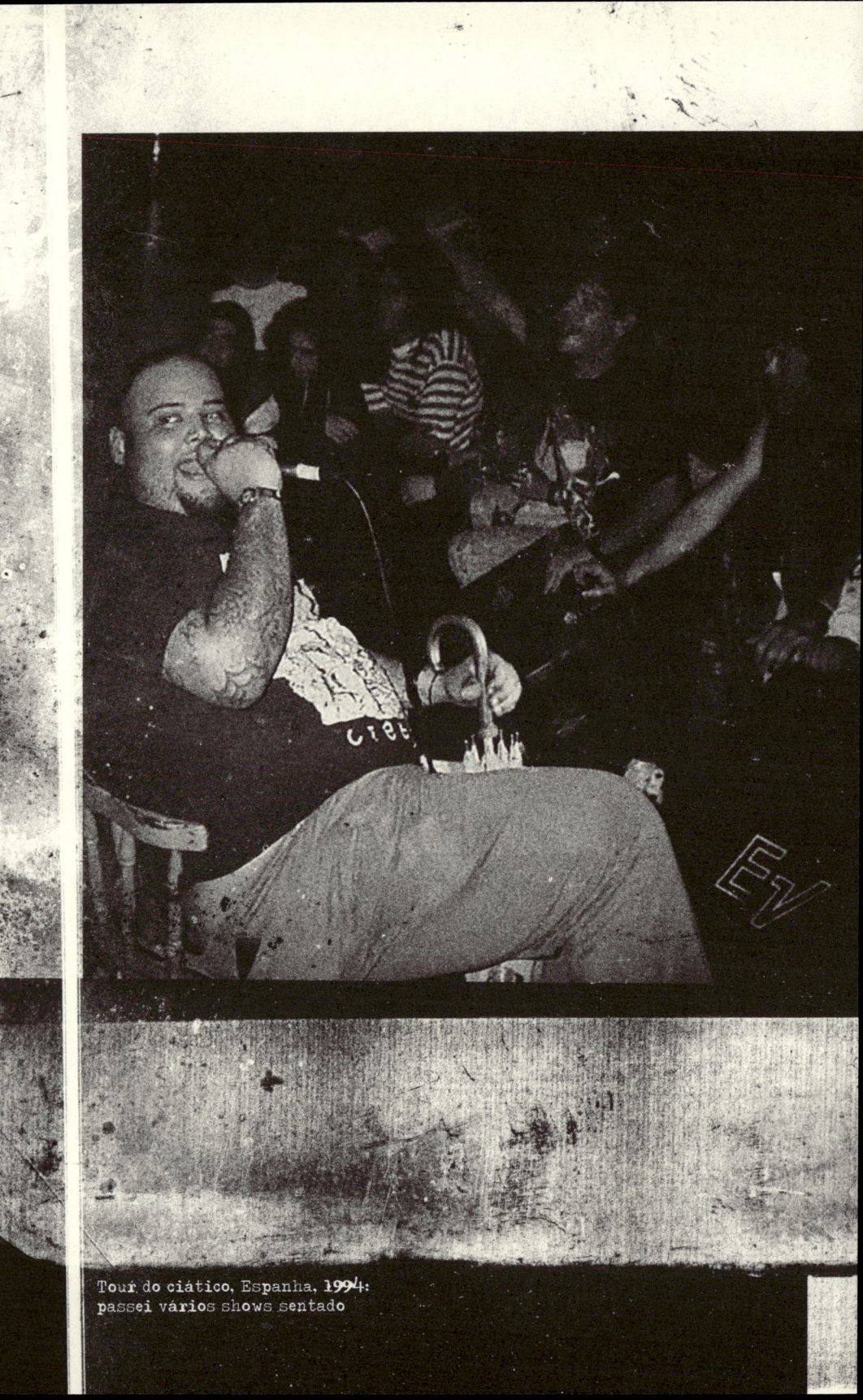

Tour do ciático, Espanha, 1994:
passei vários shows sentado

e chave de fenda. Comecei a enfiar o pé na jaca loucamente. Eu tava uma baleia, pesava 160 quilos, comecei a tomar remédio pra emagrecer, e aquilo me dava umas alucinações terríveis. Fiz até uma música sobre isso, chamada "Diet Paranoia".

Nessa época, comecei a frequentar uns bares da Vila Madalena, tipo Superbacana, e uns bares de "pego", como o Jungle e o New York, que eram uma peguidão sem limites, todo mundo no maior rodízio de farinha.

Eu tinha um amigo — o Erico — que era fazendeiro em Minas, mas foi pra Europa e deu uma pirada, acabou virando *squatter* e vivendo em prédios abandonados. Ele me mandava umas fitas VHS do *Gato Félix*, e dentro das fitas botava um monte de pastilhas de ecstasy pra eu vender. Só que eu não vendia porra nenhuma e tomava todas. Foi minha introdução ao ecstasy.

A primeira vez que tomei ecstasy, achei demais. Fui visitar os meus pais, que tavam morando em Cambuquira, uma cidade de águas termais em Minas. Eu tomei umas pastilhas num fliperama, e elas bateram muito forte. Fiquei derretendo na pracinha da cidade, batendo papo com um monte de gente que eu não conhecia. Uma hora, fui levantar do banco e tava viajando tanto que caí sentado no chão. Agarrei um dos caras pra não cair e arranquei todos os botões da camisa dele.

Não sei se foi o ecstasy, mas, nessa viagem, meio que fiz as pazes com o meu pai. A gente não se falava direito há uns dez anos, mas ele me tratou superbem. Fui com ele pra São Tomé das Letras, no fusquinha amarelo que ele adorava. Visitamos umas grutas, umas cachoeiras, almoçamos juntos, foi um fim de semana em família como eu não tinha há muito tempo.

Eu caí direto no ecstasy e, por consequência, no Hell's, um clube de música eletrônica que ficava nos Jardins e abria às cinco da manhã. Foi minha introdução ao techno e à música eletrônica. Na verdade, eu não gostava de techno, só gostava de gabba, que é uma versão esporrenta do techno, com uns 150 bpm. Também curtia ouvir o Marky Mark tocando drum'n'bass.

Quem me introduziu no gabba foi o Wattie, vocalista do Exploited, que só ouvia aquilo. Lembro que umas amigas, a Priscila Farias e a Dora Longo Bahia, tinham uma banda punk chamada Disk Putas. A vocalista era a Marcelona, um traveco, e o baterista era o Renato Cohen, que depois virou um DJ e produtor famoso de techno. Comecei a mostrar umas músicas de gabba pro Renato. Ele curtiu e começou a se interessar por musica eletrônica.

Nem posso dizer que frequentei o Hell's, porque o que eu frequentava mesmo era o banheiro do Hell's. Eu chegava às cinco ou seis da manhã e ia direto pro banheiro. Aí era um tal de nego entrar e oferecer de tudo: pó, bala, ácido, anfetamina, um festival de doideira. Foi no Hell's que a gente descobriu que era possível misturar drogas — pó com ecstasy, ácido com birita — que a gente não morria. Eu saía de lá às dez da manhã, completamente retardado.

PEDRÃO: No começo da cena clubber em SP, eu e o Gordo mergulhamos fundo. A primeira vez que a gente foi pro Hell's, não acreditamos: o lugar era cheio de mulheres lindas, todas enlouquecidas, tinha as melhores drogas, a gente era amigo dos donos da festa e não pagava pra entrar e nem pra beber. Era o paraíso. Eu nunca tinha ouvido música eletrônica, mas achei aquilo o máximo, queria ficar ali pra sempre! E o ecstasy? Que droga boa da porra!

Eu não tinha limite, tomava dez, doze, quinze ecstasies de uma vez. Sabe a maior prova de que eu estava totalmente pirado nessa época? Teve um dia em que o AC/DC ia tocar em São Paulo. O AC/DC é, junto com os Ramones, "a" banda da minha vida, e eu nunca tinha visto os caras, tava louco pra ir e até arrumei um ingresso. Só que, antes de ir pro AC/DC, resolvi dar uma passada no Free Jazz, um festival que tava rolando no mesmo dia, pra pegar umas balas com uma amiga. Acabei tomando uma dúzia de pastilhas e fiquei tão doido que não consegui ir no AC/DC, fiquei por lá mesmo e acabei vendo o show da Björk. Puta que pariu! Até hoje nunca vi o AC/DC. Tá vendo, criançada, o que o ecstasy faz com você? Faz você trocar o AC/DC pela Björk!

Eu não estava sozinho na doideira. Todo mundo do Ratos estava fora de controle nessa época. Nós chegamos a perder um voo pra um show em Barcelona porque ficamos dando teco no banheiro do aeroporto de Guarulhos.

Em 1993, a gente gravou o disco *Just Another Crime*, que foi produzido pelo Alex Newport, do Fudge Tunnel, uma banda bem moderna pra época, e que também tocava com o Max no projeto Nailbomb. A produção do Alex foi muito boa, mas eu não gosto do disco. Tem um vocal muito esquisito, não gosto até hoje, meu vocalzinho é muito bunda-mole. É nosso único disco com o Waltão (Walter Bart) no baixo.

RATOS DE PORÃO
(Brazilija)

Sirup za izkašljevanje

THIRD WORLD

Postojna
HOTEL PROTEUS

četrtek 21.5. ob 21:00

■ Continuação da capa

Ratos sempre fiéis ao p

Falar em hardcore significa falar de Ratos de Porão, influência para 11 entre dez bandas brasileiras que se dedicam ao estilo. O grupo capitaneado por João Gordo completa 20 anos de estrada em novembro de 2001 e, depois de lançar aqui a coletânea *Só crássicos* e o miniCD *Guerra civil canibal*, embarcou para uma viagem pela Europa e pelos Estados Unidos. Foram os Ratos de Porão que abriram as portas, lá, para a barulheira que se faz aqui. Na bagagem, uma dezena e meia de discos lançados. O *Guerra...* que saiu aqui, tem sete músicas e a versão que foi distribuída na Itália e na Espanha vem com dez.

"Para mim parece piada esse negócio de fazer 20 anos de banda. Beatles é que fazem 20 anos, não a gente. O hardcore está em alta agora porque o rock funciona em ciclos. As gravadoras se interessavam pouco porque para elas só importa quem vende mais de cem mil cópias. Agora é que estão pegando os grupos que misturam porrada com alguma coisa, aproveitando para vender", explica Gordo, que fez 27 shows na Europa e seis nos EUA. A média de público? "Em Lisboa, tocamos para 800 pessoas e soubemos que 500 ficaram do lado de fora, sem conseguir entrar. Na Itália, somos reconhecidos na rua. Provoquei frisson em menininhas, olha só que maluquice", brinca o cantor que, na Itália, tocou apenas em casas ocupadas por sem-teto, mais conhecidas como *squats*. As turnês do grupo pelo velho continente, antes, se limitavam a esse circuito mas na última viagem o RDP frequentou casas de shows *normais* também.

Para ele, isso pode até ser motivo de orgulho, mas orgulhoso mesmo o rapaz está por vir batendo na mesma tecla desde que começou sua carreira. "Na República Tcheca, o pessoal cantou em português o refrão de *Agressão repressão*", comemora, referindo-se a um dos clássicos de sua banda. "Hardcore é o máximo de doideira que um moleque pode fazer", sentencia. (A.P.)

Os Ratos de João Gordo (acima): turnê pelos porões da Europa e dos Estados Unidos

BOLACHAS

■ **Guerra civil canibal** (Ratos de Porão) – A selvageria começa na capa, que mostra a foto de uma mulher mordendo uma perna humana. De cara, a sigla da Organização Mundial de Comércio empresta significado a *Obesidade Mórbida Constitucional*. Vale conferir ainda a divertida *Toma trouxa*.

■ **Nadando com os tubarões** (Charlie Brown Jr.) – É um hardcore para iniciantes, apesar dos toques de hip hop. Para adestrar os ouvidos. A faixa de trabalho, *Rubão*, é um bom exercício para quem quer ingressar no mundo do barulho rápido. Depois dedique-se a *Essa é por quem ficou pra trás*.

■ **Pulley** (Pulley) – É mais para o que chamam de hardcore melódico. O que não significa que a velocidade é pouca. A diferença está mais na maneira de o cara cantar. Parece que ele quer cantar *bem*. Tem uma dose

Fui mixar o disco com o Alex em Phoenix, nos Estados Unidos. Fiquei hospedado na casa do Andreas. O bairro era demais: parecia aquelas vizinhanças da *Jeannie é um Gênio*, tudo arrumadinho, bonitinho, com a vizinha dizendo "Good morning!". Parecia um filme. Phoenix era foda, cheio de caubóis nacionalistas, aquelas casas com bandeira dos Estados Unidos no jardim, nego armado e uns fuzis gigantes presos em cima de caminhonetes. Mas eu nunca vi tanta fartura. No primeiro dia, o Andreas e o Silvio Gomes, o Bibika, roadie do Sepultura, me levaram pra um supermercado. O lugar era do tamanho de um estádio de futebol, eu nunca tinha visto nada parecido. A primeira coisa que fiz foi comprar um pacote de Doritos do tamanho de um travesseiro.

> BIBIKA (ROADIE DO SEPULTURA): O Gordo surtou. Também, imagina só: você sai da Vila Gustavo e cai num supermercado gigante em Phoenix? O olho do cara brilhava. Ele comprou um pote gigante de molho cheddar com jalapeño e comeu de colher, como se fosse doce de leite.

Também passei uns dias na casa do Max. A gente ainda não tinha brigado, e ele e a Gloria me receberam superbem. Foi legal ver ele de novo, mas eu senti que alguma coisa não tava legal. O Max vivia me ligando dos Estados Unidos: "Véio, vamos fazer uma turnê, Sepultura e Ratos, vai ser foda!", mas nunca levava o plano adiante. Ele me mandava uns cartazes que ele fazia de shows imaginários: Sepultura — Ratos — Chaos UK, ou Ratos — Sepultura — Disorder, mas nunca que a Gloria deixaria eles excursionarem com a gente. Nós tínhamos fama de banda junkie, e ela queria a gente longe do cara.

É muito triste o que aconteceu com o Sepultura. Quando eles lançaram o *Roots*, tavam gigantes, maiores que o Slayer, e logo iam chegar no nível de fama do Metallica. Mas brigaram na pior hora possível. O que rachou o Sepultura foi briga de esposas disputando espaço pros maridos. Naquela hora, faltou um agente de peito pra separar o que era pessoal do que era business.

Voltando ao Waltão: ele era o maior gente fina, mas só aguentou uma turnê com o Ratos. Passamos um tempo na Europa e o cara foi zoado todos os dias. Eu e o Jão éramos uns filhos da puta, e até o Boka, que até então era mais tranquilinho, se transformou num demônio quando entrou um cara novo pra gente zoar. O Waltão não aguentou a tortura psicológica e pediu pra sair assim que voltamos ao Brasil.

> BIBIKA: A zoeira com o Walter começou ainda no Brasil: antes do voo, abriram a mala dele, só de sacanagem, e, sabe, encontraram duas cuecas, duas camisetas, um rolo de papel higiênico e uma lata gigante de Nescau. O cara foi muito zoado.

O Boka, que sempre foi um cara organizado e tinha bons contatos, começou a marcar shows pra nós na Europa. Começamos a viajar direto. Fazíamos duas ou três turnês por ano lá. Teve uma com sessenta shows e só dois dias de folga.

Você não tem ideia do que é viajar de van com o Ratos. Quatro loucos, mais o Pedrão, nosso *tour manager*, que era tão louco quanto nós, mais um roadie e um moleque que vendia camiseta, viajando por dois meses, todos cheirando, fumando, bebendo e só fazendo merda. Não sei como a gente não morreu.

Uma vez, estávamos atravessando a França e nos aproximamos de uma bifurcação na estrada. Ninguém sabia pra onde ir, se o caminho era pra direita ou pra esquerda, e começou o maior quebra-pau na van, enquanto a gente se aproximava da bifurcação. O motorista encheu o saco e simplesmente parou no meio da estrada, que era daquelas imensas, de seis pistas. Nós só ouvimos uma buzinada, que foi ficando cada vez mais alta, mais alta, mais alta, até que um caminhão gigante passou raspando por nós. Passou tão perto que arrancou o plástico que envolve o retrovisor. Quase me caguei todo.

> PEDRÃO: O Ratos fez um show na Itália num lugar gerenciado por uns anarquistas. E o movimento punk italiano é bastante politizado, eles tiram uma parte da bilheteria de todo show pra ajudar os presos políticos, essas coisas. Depois do show, acho que foi em Florença, o organizador chegou pra banda e disse

Com WATTIE, do Exploited, e MARKY RAMONE, 2008

Nosso segundo encontro 25 anos depois, eu e o kabindérrimo DEAN JONES, do Extreme Noise Terror

Casa no
Brooklyn,
1994

que ia descontar 15% do cachê pra ajudar a tirar não sei quem da cadeia. E o Jão surtou: "Mano, que porra é essa? Eu não dou dinheiro nem pro Marquinho, meu camarada lá da Vila Piauí que rodou, e vou dar grana prum cara que nem sei quem é? Tá maluco?".
No disco *Feijoada Acidente?*, só com covers de bandas punk brasileiras, o Ratos gravou "Nós Somos a Turma", que era uma espécie de hino informal da galera punk da Carolina, composto pelo Clemente e pelo Marcelino, primeiro batera dos Inocentes. A música era uma zoeira: "Somos a turma / que mais fuma maconha / somos todos bêbados / e não temos vergonha / E o nosso lema é só / Fuma, bebe, não pensa em trabalhar / Queremos é descansar! . Um radialista português descobriu a música, começou a tocá-la numa rádio pop de Lisboa, e a música explodiu. Quando chegamos em Lisboa, ela tava em primeiro lugar nas paradas da rádio, na frente de Guns N' Roses e Pantera. E o Ratos teve que tocar a música no show, de tanto que o público pedia. O sucesso era imenso, e a Sony de Portugal se interessou em contratar o Ratos. A gravadora marcou um jantar depois do show, num restaurante de luxo, onde iria fazer um convite formal pra banda. Convidaram o Ratos e a banda portuguesa que abriu o show. Naquele dia, o Hercule, um grande tatuador que era amigo nosso, tava em Lisboa com um monte de amigos e tinha alugado uma van pra ir ao show do Ratos. Alguém tinha levado um carregamento de ácido e nós estávamos completamente alucinados. Na hora de ir pro restaurante, a limusine com os diretores da Sony parou em frente ao nosso hotel, viu a van com o pessoal do Hercule e perguntou se eles eram a banda de abertura. Ele respondeu que sim, e eles acabaram indo pro jantar no lugar da banda de verdade, que deve estar esperando no hotel até hoje. Chegamos no restaurante, um puta lugar luxuoso em Lisboa, com maître, sommelier servindo vinho, cheio de frescura, e simplesmente destruímos o lugar. Teve guerra de comida, neguinho roubando taça, agarrando garçonete, uma queimação de filme total. A diretoria da Sony saiu dali rapidinho e nunca mais tocou no assunto Ratos de Porão. Alguns dias depois, eu comentei com o João

que o Ratos tinha perdido a maior chance de ser contratado por uma gravadora multinacional, e ele: "Como assim? Do que você tá falando?". O Gordo nem se lembrava do jantar.

A única coisa que eu me lembro desse dia foi que alguém pediu um sanduíche especial da casa, tipo um misto-quente de luxo, cheio de frescura, e o imbecil do garçom português deve ter feito um risquinho no bloco pra marcar o pedido. Daí alguém pediu outro sanduíche, e o portuga marcou outro risquinho ao lado do primeiro. Quando o pedido chegou na cozinha, alguém deve ter entendido que os dois risquinhos queriam dizer *onze* sanduíches, e o garçom começou a trazer um atrás do outro, a gente nunca tinha visto tanta comida na vida. Foi aí que começou a guerra de comida. Tinha pão demais na mesa.

Em 1994, fiz uma das excursões mais dolorosas da minha vida. Eu pesava uns 160 quilos e tive uma crise de ciático assim que chegamos na Espanha. Fiz vários shows sentado, sem conseguir me levantar. Uma noite tocamos em Lisboa. Os portugueses amam o Ratos e o lugar tava lotado. No fim do show, me deu uma crise de ciático que eu não conseguia nem respirar. Caí duro no palco. Alguém chamou o resgate. Me tiraram do lugar numa maca, com cinco mil moleques gritando: "Gordo! Gordo! Gordo!". Teve o maior quebra-quebra na rua, polícia dando porrada em todo mundo, foi foda.

Dentro da ambulância tinha uma enfermeira feia pra caralho, com um bigode que parecia o Zé Sarney, e uma policial lindona. Chegamos ao hospital, eu com uma dor fodida, e elas me largaram numa maca. Eu tava morrendo de sede: "Água, água, por favor, alguém me dá uma água!", mas não aparecia um puto. De repente, ouço uma voz com sotaque nordestino: "Ôxente, é o João Gordo, é? Que tu tá fazendo aqui, hômi?". Era um enfermeiro do hospital, um pernambucano. "Pelo amor de Deus, me dá uma água ou eu vou morrer!" O cara me deu uma garrafa e eu bebi tudo. Ele disse: "Porra, João, que tragédia!", e eu achei que ele tava falando do show. "Tragédia? Que tragédia?" Ele disse: "Ôxi, tu não soube? Ayrton Senna morreu!". A primeira coisa que lembrei foi que, no táxi do hotel ao show de Lisboa, o motorista me perguntou: "E o Ayrton Senna, hein?", e eu, morrendo de dor, disse: "Eu quero que esse filho da puta morra!".

Eu e Kurt com GIGIO
Dono do Der Tempel -
preparando o terreno
da balada. 1993

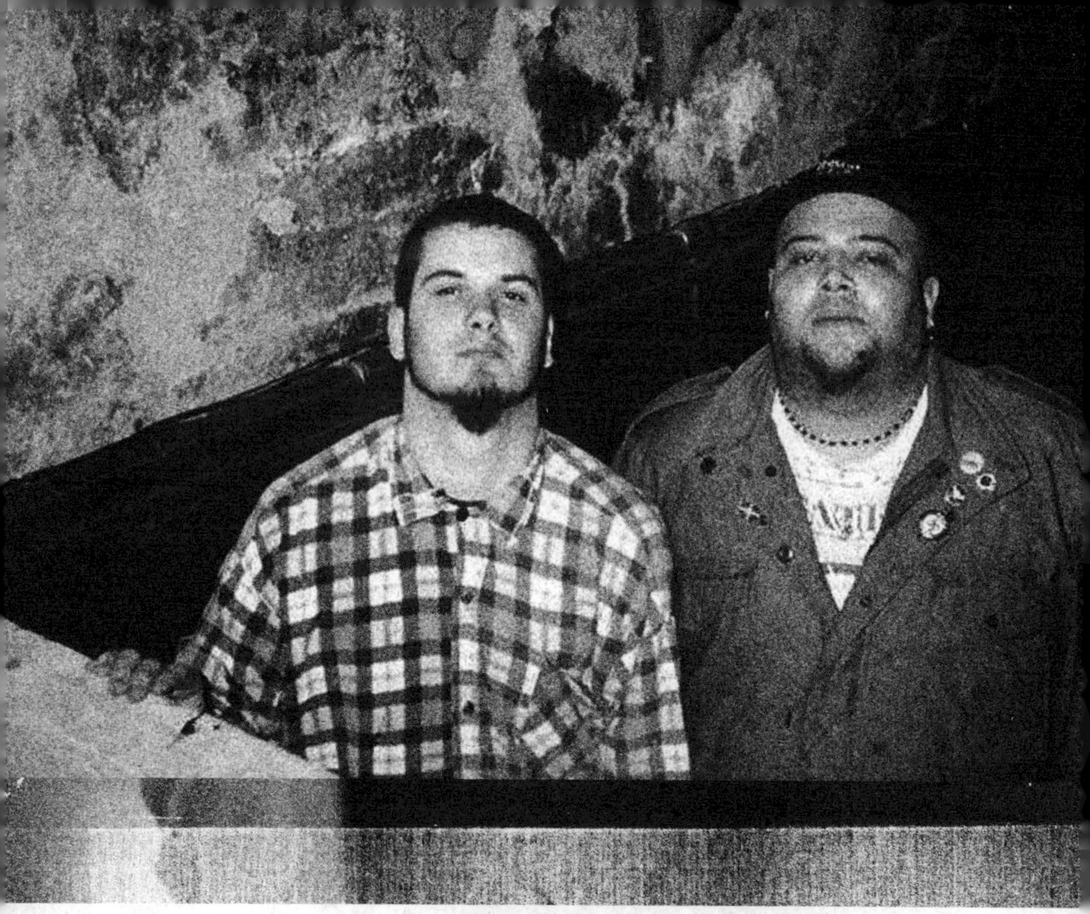

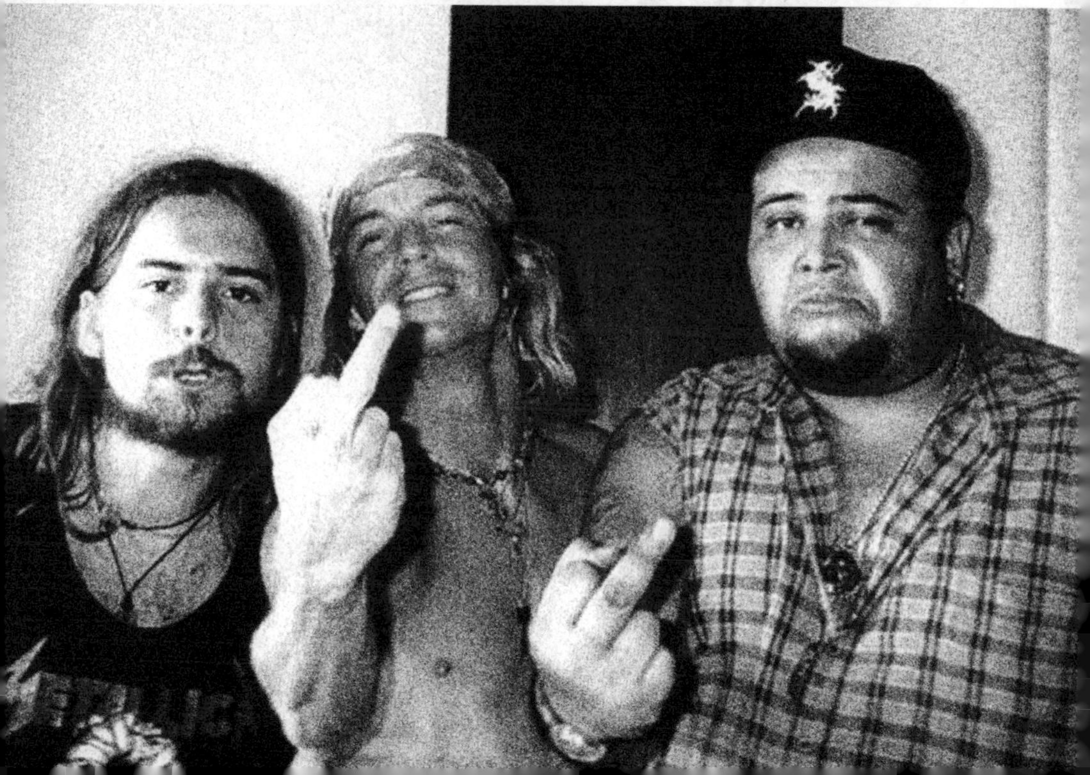

Eu com o Phil Anselmo, fumando um no La Negra, em Buenos Aires, 1995

Andreas Kisser, Brat Michaels, do Poison, e JG, Monsters of Rock, 1994

Jão, JG e Harris Johns, Berlim, 1998

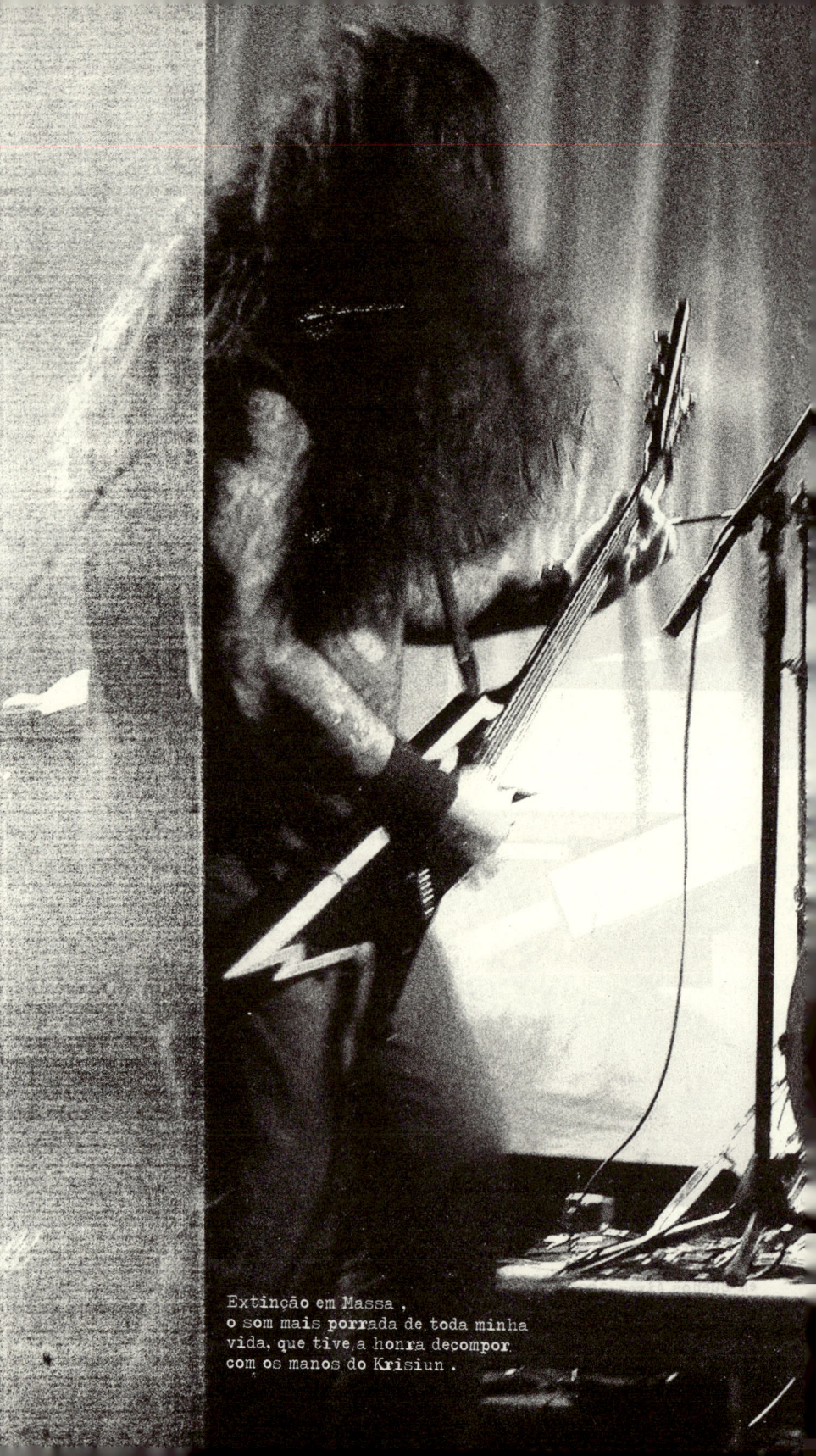

Extinção em Massa,
o som mais porrada de toda minha
vida, que tive a honra de compor
com os manos do Krisiun.

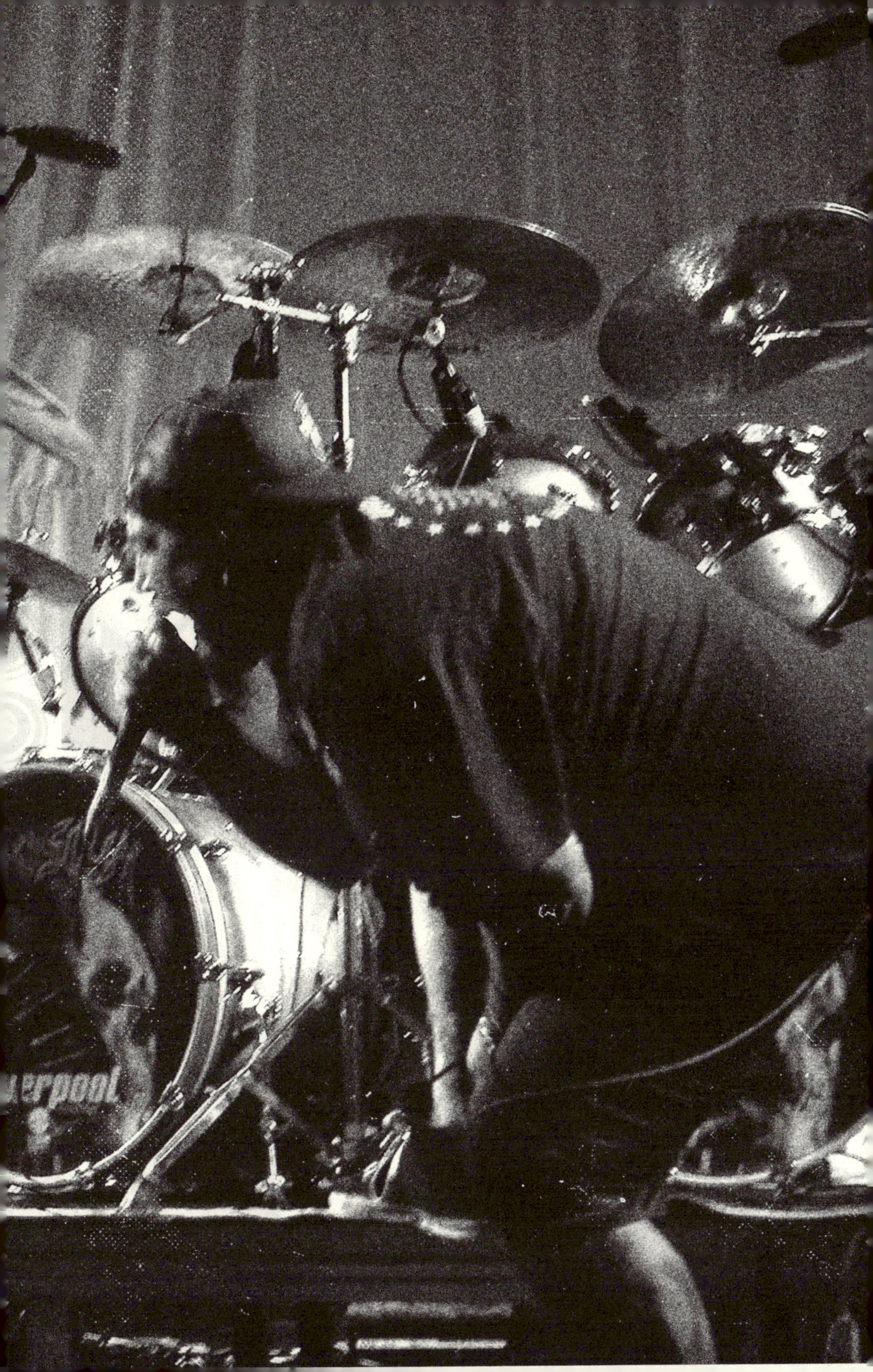

nomeia um ombudsman punk e cresce no ibope

João Gordo ac[usa]
o palhaço Tirir[ica]

Cem vezes João Gordo
MTV exibe hoje o [programa de número] centésimo do apresentador

ARTIGO
JOÃO GORDO
É GENIAL
Por Paulo Lima

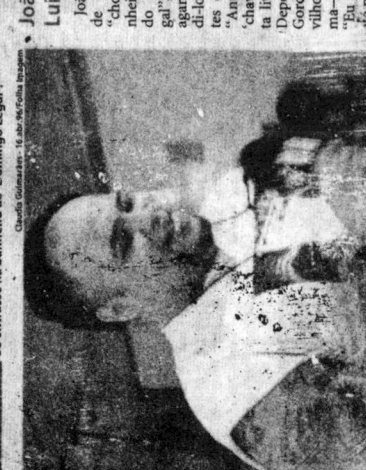

João Gordo asfixiaria Luiza Ambiel

João Gordo, 32, da banda Ratos de Porão, criaria uma cena "chocante" se entrasse na banheira da modelo Luiza Ambiel, do programa "Domingo Legal", do SBT. No quadro, Luiza agarra o convidado para impedi-lo de apanhar alguns sabonetes e assim cumprir a prova. "Antes de tudo, eu daria uma 'chave-de-pescoço' (golpe de luta livre) nela para imobilizá-la. Depois, eu a asfixiaria", diz João Gordo. Apesar de achá-la maravilhosa: —"Ela é um tesão", afirma—, Luiza já resiste e ele poderia se afogar. Por isso, eu agiria [...]

QUE VOCÊ FARIA Se entrasse na banheira do "Domingo Legal"?

GORDO POP SHOW

Em meados dos anos 1990, eu vivia só pro Ratos, não tinha outro emprego, não tinha grana nem pra pegar ônibus. O que a gente ganhava com show e disco não dava pra nada. Então, eu precisava urgentemente de uma fonte de renda. O Ratos só atraía confusão. Em 1996, a gente foi responsável pelo fechamento do Circo Voador, no Rio.

> **PEDRÃO:** Fomos ao Circo fazer um show com o Garotos Podres. Alguém chegou no camarim e disse: "O prefeito tá aí!". Nós entendemos que era o Perfeito Fortuna, um dos donos do Circo. "O Perfeito? Legal, chama ele pra fumar um beque com nós!". Mas era o futuro prefeito do Rio, Luiz Paulo Conde, que tinha acabado de ser eleito. Quando o público viu aquela comitiva de políticos, com charanga e tudo, começou a vaiar, jogar lata e xingar: "Filho da puta! Filho da puta!", e o Conde fugiu dali rapidinho. Mas a gente nem se ligou no que tinha rolado. Voltamos pra São Paulo naquela mesma noite.

Quando chegamos, um monte de gente começou a ligar pra nós: "O que vocês fizeram? Vocês fecharam o Circo Voador?". A gente não entendeu nada, não sabíamos o tamanho da merda que tinha dado. O mais engraçado foi que o Garotos Podres esqueceu o pano de palco no Circo, e um jornal do Rio publicou uma foto das crianças que eram atendidas pela creche que funcionava lá, todas com carinhas tristes e, no fundo, o pano: "Garotos Podres". O Conde fechou o Circo por oito anos por causa disso.

FOLHA DE S. PAULO (19/11/1996): O prefeito do Rio, Cesar Maia, anunciou ontem a cassação do alvará de funcionamento do Circo Voador, uma casa de espetáculos localizada na Lapa (centro do Rio) de onde o prefeito eleito, Luiz Paulo Conde (PFL), foi expulso na noite de sábado por um grupo de jovens punks.
Segundo Maia, o incidente serviu para dar um motivo concreto à Prefeitura do Rio para fechar o Circo Voador, objeto, afirmou, de muitas queixas relativas a barulho e confusão. Maia não se sensibilizou com argumentos de que o local seria um dos pontos de maior tradição na cidade. "Tradição de quê? De bagunça? De desordem? De maconha? De cocaína?", disse o prefeito.

A MTV começou a chamar o Ratos pra fazer matérias, e as pessoas perceberam que eu era engraçadinho, que me virava bem na frente da câmera. Me chamaram pra fazer umas matérias de repórter. A primeira foi no Phytoervas, um desfile de moda. A matéria foi o maior choque de imagens: o evento era o maior rega-bofe, cheio de modelos lindas, e eu lá no meio, um escrotão de duzentos quilos, chamando as mulheres de gostosas e zoando o barraco. Deu o maior caldo, e a MTV começou a me chamar várias vezes. Lá pela terceira ou quarta vez, eu, duro pra caralho, sugeri que eles me contratassem. Não lembro se foi pra Astrid (Fontenelle) ou pra Ana Butler, mas eu disse: "Porra, eu tô duro, tô desempregado... Me contrata, ué!". E eles me contrataram.

João Gordo lidera tribo punk para expulsar prefeito Conde do show

Luís Paulo Conde, novo prefeito eleito do Rio de Janeiro, ao comemorar sua vitória nas urnas no sábado, 16 de novembro, não foi muito feliz com sua escolha. Conde foi ao Circo Voador, na Lapa (Centro), onde estavam sendo realizados shows das bandas Garotos Podres e Ratos do Porão, pertencentes ao movimento punk.

A escolha surpreendeu até mesmo os produtores da casa que se preocuparam com a receptividade que o novo prefeito teria. "Talvez, as diferenças não saibam conviver tão bem com eles (os políticos)", declarou Maria Juçá, coordenadora do Circo Voador.

Conde chegou ao local às 23h47 seguido por quatro seguranças e por Rodrigo, filho do atual prefeito César Maia. Além disso, já havia à sua espera um grupo de quase 200 cabos eleitorais, acompanhados de uma bandinha arregimentada por Rodrigo. Os punks, carecas e head bangers que esperavam o início do show ficaram surpresos.

Ao dar-se conta de quem estava no local, a tribo iniciou um pequeno tumulto, gritando frases nada amenas. Conde não percebeu o que acontecia, afinal estava em meio aos abraços e cumprimentos recebidos de partidários.

João Gordo, líder da banda Ratos do Porão acompanhado por boa parte dos 830 jovens que ali se encontravam saiu do Circo gritando: "Vamos agitar, galera, não queremos esse cara no nosso show. O movimento punk nunca há de morrer". E ainda se perguntava: "Será que ele não sabe que o punk é o movimento mais antipolítica que existe?"

Ao ver toda a confusão, o superintendente da Guarda Municipal, coronel Paulo César Amêndola, entrou no meio dos assessores e pediu a retirada imediata de Conde do local. O prefeito, espremendo-se para entrar na Blazer cinza que o esperava, resmungou, "ainda mais essa". Aparentemente nervoso, por pouco não errou a porta e ocupou o banco do motorista. Do lado de fora do Circo, alguns carecas ainda tentaram apedrejar o carro. Por fim, a visita de Conde durou 12 minutos.

O movimento punk chegou ao Brasil nos anos 80, encontrando adeptos em Brasília e na periferia do ABC paulista. Nascido para acrescentar algo de novo ao rock que estava sendo considerado monótono, no fim dos anos 60, em Londres, eles não queriam apenas cantar, mas "demolir o mundo", segundo o vocalista Johnny Rotten. Suas roupas negras eram um contraponto ao colorido hippie. O visual era agressivo, repleto de botas, roupas de couro e adereços como pregos e alfinetes.

No início dos anos 80, o movimento punk brasileiro teve uma importante consolidação, com o surgimento de bandas como Camisa de Vênus, Inocentes, Garotos Podres e Ratos do Porão. Cerca de três mil punks estão concentrados em São Paulo, a maioria são pobres, auxiliares de escritório, contínuos e recepcionistas.

, 23 de novembro de 1996

João Gordo

• Na inauguração do novo Circo Voador, a coordenadora **Maria Juçá** divertia-se lembrando o diálogo que teve com Marcelo Conde, filho de LP Conde, tentando demovê-lo da idéia de levar seu pai ao show do Ratos do Porão, aquele que todo mundo sabe como terminou: "Tentei explicar que era um show de punk. Ele só repetia que o pai dele gostava muito de funk e lidava bem com as diferenças", lembra Juçá. "Eu retruquei dizendo que as diferenças é que não iam lidar bem com o pai dele".

julho de 2004

ANDRE VAISMAN (CHEFE DA MTV): Acho que vida do Gordo foi salva por duas mulheres, a Ana Butler e a Astrid. Lembro perfeitamente elas dizendo: "Ou a gente contrata o João, ou ele morre!".

O primeiro programa que fiz foi o *Suor MTV*, com a Sabrina Parlatore. Era um programa de férias de verão, a gente ia pra praia e ficava lá uns dois ou três meses. A MTV me deu um cachê que hoje seria de uns 12 mil reais pelo trampo, e aquilo pra mim foi uma fortuna. Fui pro banco, saquei o cheque e comprei um caminhão de pó.

ANDRE VAISMAN: A primeira gravação do *Suor* foi um fracasso. O João tava ressacado de alguma balada química e não rendeu. Até entendermos como ele funcionava, nós penamos. A gente ia quinta-feira pro Rio, gravar no fim de semana. Na própria quinta, o Gordo subia o morro pra pegar as coisas e, quando descia, não tava em condições de gravar. O que fizemos? Começamos a mandá-lo na quarta. Assim, ele tinha um dia a mais pra se recuperar das baladas.

Nessa época, eu morava de favor com a Fabiana, que tinha se mudado pra uma casa grande no Brooklyn. Meu *dealer* era um puta cara chato, mas muito bem-conectado. O cara me ligava: "E aí, Gordo, chegaram umas paradas boas...", e vinha de lambreta até o Brooklyn trazer as paradas. O negócio era nervoso. Ele tinha heroína, todo tipo de bala, ácido, pó, o que eu quisesse ele tinha, era um supermercado de entorpecentes. E eu queria tudo.

O *Suor MTV* tinha duas equipes, uma pra mim e outra pra Sabrina. A minha equipe gostava de mim porque meu negócio era filmar tudo rapidinho, de primeira, pra acabar logo e zoar o barraco. Eu tava sempre doido, falando uma pá de bosta, inventava tudo na hora, e aquilo começou a ficar engraçado na TV. Comigo sempre foi assim: o primeiro take é sempre o melhor. Até hoje, quando gravo, acabo sempre escolhendo o primeiro take, que é sempre o mais espontâneo.

CACÁ MARCONDES (DIRETOR DE PROGRAMAS DA MTV):
O João tinha um talento natural pra falar na frente de uma câmera. O *Suor* a gente gravava em quinze minutos, com uma câmera só. O João improvisava muito e não parava de falar um segundo. Mas, quando tinha que memorizar alguma coisa, tipo: "Hoje é quarta-feira, estamos aqui em Salvador", eram necessárias umas sete tentativas pro negócio ficar bom. O Gordo só funcionava quando estava solto. Eu adorava trabalhar com o João, mas ele dava uns sustos na galera de vez em quando. Uma vez, em Búzios, ele dormiu fumando um cigarro ele sempre fazia isso e, quando acordou, o edredom tinha um buraco grande, o cobertor tinha um buraco menor, o lençol tinha um buraco menor ainda, e até a camiseta que ele usava tava furada. O cigarro chegou a queimar a barriga do João. A gente morria de medo de ele causar um incêndio dormindo.

Eu costumava tomar ácido pra gravar. O ácido me deixava contente, e eu falava merda pelos cotovelos. Gravava tudo rapidinho e ficava o resto do dia na piscina. O programa tinha o patrocínio da Kodak, e a empresa contratou umas Kodaketes, umas gostosas que ficavam andando de minissaia pra lá e pra cá. A gente ficava louco.

Fiz duas temporadas do *Suor*. Na segunda, filmamos em Porto Seguro. Eu levei um carregamento de pastilha, LSD e pó, e fizemos uma balada monstro. A equipe tomou conta da pousada. A merda era tanta que os outros hóspedes ficaram com medo da gente. Tinha uns franceses que se escondiam quando a gente chegava. Acho que só a Sabrina, que era caretona, não entrou na loucura. Quem era louco, tava louco comigo.

> CACÁ MARCONDES: Uma vez, a gente tava num hotel de luxo em Salvador. A equipe, umas quinze ou vinte pessoas, tava toda na piscina, e o João acendeu um baseado gigante. Veio um cara do hotel, todo sem graça, pedir pra ele apagar: "O senhor me desculpe, mas é que os hóspedes estão reclamando", e o João respondeu, exagerando no sotaque baiano: "Ô, meu rei, diga pra eles que é João Gordo, da MTV, que tá fumando!". E o cara foi embora, pianinho. Nessa mesma viagem, a equipe da MTV foi convidada pra festa de inauguração de uma boate de um amigo do dono da emissora afiliada. O lugar era chique e tava rolando um som meio dance. Veio uma colunista social baiana, tipo uma Amaury Júnior de lá, entrevistar o João. "Estamos aqui com João Gordo, da MTV! João, que prazer! O que você está achando dessa casa ma-ra-vi-lho-sa?" "Uma merda!" "Verdade? Que pena, João. Mas, na sua opinião, o que a casa precisa pra melhorar?" "Pra melhorar isso aqui? Só uma chuva de farinha!"

O maquiador da equipe era o Max Fivelinha, e eu sempre achei ele espontâneo, uma bicha afetada e engraçada pra caralho. Comecei a botar o cara pra fazer umas paradas, zoava ele direto, e o Max começou a aparecer. Acabou virando atração da emissora. A gente dava muita risada com ele.

"Suor" une a bela a fera na telinha

Reportagem Local

Sabrina e o irreverente roqueiro João Gordo apresentam o "Suor MTV", com estréia marcada para dia 6 de janeiro.

O programa —que irá ao ar de segunda a sexta, às 13h— será exibido durante o verão em nove praias brasileiras: a Barra e [...] (no Rio), Maresias e Guarujá (São Paulo), Atlântida (Rio Grande do Sul), Joaquina e Praia [...] (Santa Catarina), Arraial [...] e Salvador (Bahia).

Sabrina apresenta os clipes e João Gordo promove uma gincana com brincadeiras inusitadas como "quem vira o melhor croquete".

"O 'Suor' dá uma cor mais regional para a MTV nos meses de verão. É uma oportunidade de mostrar outros sotaques, outras pessoas e sair do eixo Rio-São Paulo", explica Cris Lobo.

O programa foi uma experiência vitoriosa da última temporada. "Os dois juntos se deram bem. O João é bem-humorado e deixa as pessoas à vontade. O retorno do 'Suor' também foi muito bom", avalia Cris.

"Este ano, vamos ter uma maior participação do público. Vou entrevistar umas pessoas nas praias", diz Sabrina.

(MS)

João Gordo e a VJ Sabrina em cena do programa "Suor MTV"

JÁ QUE ESTÃO FAZENDO CLONE DE OVELHA, UMAS 100 A MENOS NÃO VÃO FAZER FALTA.

abril de 1997

João Gordo comanda hoje novo jogo interativo na MTV

A MTV lança hoje, 19h, "Garganta e Torcicolo no Paraíso das Ovelhinhas", primeiro game interativo da emissora no Brasil. O programa, exibido ao vivo, tem apresentação de João Gordo, líder do Ratos do Porão. A proposta é fazer com que, de casa, dois telespectadores, previamente cadastrados, participem do jogo pelas teclas do aparelho telefônico.

O ga[me] Gargant[a...] ram tra[...] da Noje[...] Ovelhinh[...] as criatu[ras...]

Apenas uma regressará, a outra se transforma em ovelh[a...]

GARGANTA & TORCICOLO NO PARAÍSO DAS OVELHINHAS. O PRIMEIRO GAME INTERATIVO DA TV.

[...]S SÃO CRUEIS.
[...] DE COMPANHIA QUE VOCÊ PROCURAVA.
GARGANTA E TORCICOLO NO PARAÍSO DAS OVELHINHAS. O NOVO PROGRAMA DA MTV. UM GAME EM QUE VOCÊ PARTICIPA AO VIVO, POR TELEFONE, MATANDO OVELHAS E MAIS OVELHAS NA PORRADA. COMO SE NÃO BASTASSE, A APRESENTAÇÃO É DO JOÃO GORDO. LIGUE, PARTICIPE, NÃO PERCA. OU VOCÊ MATA A OVELHINHA OU ACABA VIRANDO UMA. ESTRÉIA 1º DE ABRIL, NA SUA MTV. DE SEGUNDA À SEXTA, ÀS 19H00.

Daí, eu fui me destacando na emissora, e o Andre Vaisman, que pra mim foi o melhor chefe que a MTV já teve, me deu o *Garganta e Torcicolo* pra fazer. O *Garganta* era um game show, a molecada ligava num 0900 e jogava uns joguinhos. O programa usava uma tecnologia dinamarquesa. O dublador botava uns fios presos na cara, e a animação mexia o rosto quando ele falava. Quem dublava o monstro era o Guilhermão, que faz a voz do Paul Senior, do programa *American Chopper*. O programa fez um sucesso fodido, era ao vivo, às três da tarde, a molecada pirou. Eu tava sempre doidaço, sem breque, era um caminhão sem freio. Eu entrava louco e saía retardado. Comecei a ir ao programa virado da Love Story. Às vezes, chegava na emissora com duas putas, uma em cada braço.

> ANDRE VAISMAN: O melhor do Gordo era a espontaneidade, e a gente deixava ele solto. Uma vez, ele estava no ar com o *Suor MTV*, e eu estava na emissora com um anunciante, vendo o programa num monitor. O Gordo estava numa praia em Santa Catarina, entrevistando uma menina lourinha que devia ter uns doze anos. Ele perguntou: "O que você mais gosta nessa praia?", e a menina: "Gosto daqui porque não tem neguinho!", e o João começou a xingar: "Sua nazista filha da puta, some daqui!". E o anunciante: "Isso não está no ar, né?". E eu disse que não, que aquilo era só a gravação e que seria editado depois. Óbvio que o programa estava no ar.

Foi ali que comecei a ficar famoso pra um outro público, uma molecada mais nova que nem sabia o que era Ratos de Porão. Mas também comecei a virar alvo de muita crítica de gente que dizia que eu tinha me vendido pro mainstream, essas coisas. Naquele tempo não tinha rede social, eu não sabia da quantidade de pessoas que me xingavam e não sentia o peso das críticas. Os meus programas da MTV eram muita zoeira, tenho certeza que influenciaram bastante gente. Pra toda uma geração, eu virei o *Bozo from hell*. Os moleques ligavam pro programa: "Gordo filho da puta!", "Gordo, vai tomar no cu!", e tudo ia ao ar, não tinha freio. O cenário do *Garganta* era uma zona, cheio de pôster de banda, tinha uma bandeira basca, parecia um conclave do ETA. Ninguém entendia porra nenhuma.

NEIRO DE 1998

MTV

João Gordo segue trilha de Beavis e Butt-Hea

Em 'Gordo Pop Show', que estréia amanhã, VJ impõe estilo trash para comentar videoclipes

EDUARDO ZANELATO
Especial para o Estado

Uma versão ainda mais trash da dupla Beavis & Butt-Head é a novidade da programação da MTV a partir de amanhã. Durante as férias dos monstros Garganta e Torcicolo, João Gordo comanda *Gordo Pop Show*. No programa, o apresentador comenta videoclipes dos mais variados gêneros e recria o estilo que é uma das marcas do desenho animado criado por Mike Judge.

"João Gordo será uma espécie de ombudsman: o

▶ primeira perdi bastante peso, mas na segunda não estava muito disposto", lembra. Em maio, à frente da banda pur' de Porão, ele rnê pela Er ão sei co r-ganta menta

Se vaçõe Show o tra tador querer

ma diariamente."

Suor — João Gordo ter ficado chateado p participar do *Suor* Muito "A

RECHO QUE DAVA 1 SALÁRIO PRA QUEM FIZESSE 65 ANO

RATINHO: 'QUEREM ME CENSURAF

Zé Carlos pastou antes de brilhar no Tricolor, que ontem empatou
PAG. 8

CONVOCA
VELAÇÃO

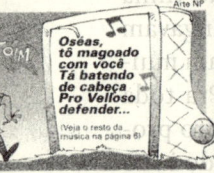

Oséas, tô magoado com você Tá batendo de cabeça Pro Velloso defender...

PAG. 11

A NO BIXIGA
urado' faz topless

PAG. 5

COM COCAÍNA
nha defunto dentro

Promotor tenta proibir que Ratinho ajude os doentes. Ele desabafou no programa do João Gord

■ TERROR NA VILA EMA

ROUBOU, RAPTOU
CHOROU E MORRE

> ANDRE VAISMAN: Acho que a molecada se identificou com o Gordo porque ele destoava do que se via na TV. Na época, a MTV tinha um monte de apresentadores bonitinhos, o Rodrigo Leão, o Edgard Piccoli, o Gastão, todos uns caras fofinhos. Aí aparece o Gordo, que responde quando a molecada xinga, manda o moleque se foder, essas coisas. O Gordo acabou com aquele mundo dos bonitinhos.

Foi no *Garganta* que criei o Fudêncio, um boneco que me acompanhou por anos. Meu pai tinha comprado o Fudêncio nas Casas André Luiz, é um brinquedo de 1960. Eu colocava roupinha nele, depois um moicano, pintava a cara dele, e a molecada achava engraçado demais. Aí começou a chover um monte de encomendas pra mim. Eram umas bonecas que os moleques tinham roubado das irmãs e zoado completamente, tirado as cabeças, pondo chifres, cada coisa mais louca que a outra.

Comecei a fazer umas entrevistas insanas no *Garganta e Torcicolo*. A primeira foi com o Zé do Caixão. Depois, levei um monte de gente louca: o Ratinho, o Marky Ramone e o Jerry Only, do Misfits. Foi um puta sucesso, mas a tecnologia da animação era cara e a MTV mudou o programa.

> CACÁ MARCONDES: Já no *Garganta*, deu pra perceber que o João tinha jeito pra improvisar. De vez em quando, a tecnologia da animação dava pau, e o personagem ficava travado na tela. Uma vez, o João ficou puto: "Se essa merda não voltar a funcionar em dez segundos, vou mostrar a bunda!". E o Guilhermão, que fazia a dublagem, começou uma contagem regressiva: "Dez... Nove... Oito...". Quando chegou no zero, João agachou e mostrou a bunda pra câmera. Eu tava na mesa de corte e não acreditei. Outro acontecimento engraçado envolveu os Titãs. Eles estavam lançando um disco e fizeram um show de tarde, na porta da emissora. Por causa do show, o *Garganta* atrasou, e o João ficou puto. Quando entrou no ar, ele começou a detonar o Titãs: "O programa de hoje atrasou por causa dessa merda de banda, que não sabe cantar, não sabe tocar, não sabe fazer porra nenhuma!". Por alguma razão, o João tinha ficado especialmente revoltado com a música "É Preciso Saber Viver", e ele ficou cantando: "É preciso... saber vender!".

GORDO A GO-GO
Programa 39 (21/5)
Gretchen
Eduardo Nunes

Escalada
Gordo fala com a galera, mostra seus discos e anuncia a vinda de atrações... hoje vamos ter a verdadeira rainha do bumbum, a Gretchen. Também vamos receber o polêmico escritor Eduardo Nunes, autor do livro "Sedução, uma estrada de mão dupla", que ensina as mulheres a seduzir os homens. Max Fivelinha foi no motel com a Tathi, do Erótica!

Bloco 1 (12'00)
COMEÇA FECHADO NO GORDO, ELE FALA SOBRE O DISCO E DEPOIS ABRE PRA GRETCHEN

Gordo
Você está completando 25 anos de carreira. Vai ser por...

Gordo
A gente descolou um trecho seu em ação. Vamos ver.

    Roda vt
    Fita J4420
    In: 21:48   Out: 22:08   (20s)

> Acontece que o Branco Mello estava se recuperando de uma cirurgia e não tinha tocado com a banda, mas estava em casa assistindo à MTV. Ele ligou no departamento artístico pra reclamar, e logo veio uma ordem pro João se desculpar. E o Gordo fez a maior voz de bonzinho: "Pô, Branco, não fica mal, não, o show de vocês foi do caralho, Titãs são do caralho, vocês são foda!". Ficou evidente, pra quem tava vendo, que alguém tinha mandado o cara dizer aquilo.

Enquanto o Andre Vaisman foi chefe, o ambiente na MTV era muito bom. Depois que ele saiu, a política começou a ser a de gastar o mínimo possível pra chefia dividir os lucros. Nos doze anos que fiquei lá, só uma vez a empresa dividiu os lucros com os funcionários. Lembro que todo mundo ganhou um bônus e uma bicicleta no fim do ano. Foi uma vez só, depois virou uma brodagem escrota, só os chefes se davam bem.

Eu trabalhei sossegado na MTV até começar a reclamar. Enquanto eu não abria a boca pra reclamar, eu era uma das "marcas" da emissora, todo mundo gostava de mim. Fiquei com o mesmo salário por quase oito anos e ganhava uma merreca. Cansei de ouvir a diretoria dizendo que pra eles não interessava audiência, só interessava o patrocinador, e quem atraía patrocinador não era eu, era a Cicarelli.

Enquanto isso, meus programas iam superbem. O *Gordo Pop Show* começou a se destacar. Um dos episódios mais comentados foi o em que eu entrevistei o Sérgio Mallandro e o Bozo juntos. O Mallandro ficou o tempo todo dizendo que ia contar um segredo sobre mim. Tenho certeza de que ele falou com alguma amiga puta, que disse pra ele que eu tinha broxado ou algo do tipo, e ele queria falar aquilo no ar. Numa hora, não lembro por quê, o assunto chegou em cocaína, e o Mallandro jurou pelos filhos dele que nunca tinha dado um teco na vida, vê se pode? A gente começou a discutir e o clima ficou pesado. Eu xinguei ele, e o Bozo ficou botando panos quentes, tentando apaziguar: "João Francisco, sossega, João Francisco!". Você sabe que um programa é realmente doido quando a pessoa mais sensata ali é o Bozo.

Alguns programas foram emocionantes pra mim. Teve um em que eu quase enfartei de emoção ao entrevistar o Genival Lacerda. Sempre fui fã do tiozinho, adorava ver o Genival balançando a pança no Chacrinha ou no Silvio Santos. Outros programas foram um saco: um dia, eu tava doido e disse, no ar, que alguém tinha que dar um tiro no Caetano Veloso. Foi uma estupidez, uma dessas frases imbecis que a gente fala

15 de março de 2002

TRÉGUA Caetano Veloso grava o "Gordo a Go-Go" de segunda, na MTV, às 23h; para divulgar seu novo CD, Caetano fez as pazes com João Gordo, que havia dito que o odiava e que queria matá-lo

NOTA 10 Para a entrevista de Ferrugem e João Gordo a Marília Gabriela na Rede TV!. Foi um barato. Ela, que já tinha, aliás, ido ao "Gordo a-go-go", entrou no clima da dupla e o papo foi recheado daquele humor maravilhoso...

Poupança

● Max Fivelinha e João Gordo enchem o cofrinho. Uma pequena multidão estava reunida na Rua do Acre, ontem, assistindo à gravação de mais um comercial de carros estrelado pela dupla.

Terça-feira, 5 de fevereiro de 2002

100 vezes 'Gord

João Gordo e Max Fi nha comemoram 100 ções do *Gordo A Go* amanhã, às 23 horas MTV, com Tatiana Bis to, a Ninja do Funk (c da revista *Sexy* deste m Narcisa Tamborindegu Jorge Lafon, o Vera Ver

10 DE NOVEMBRO DE 2002

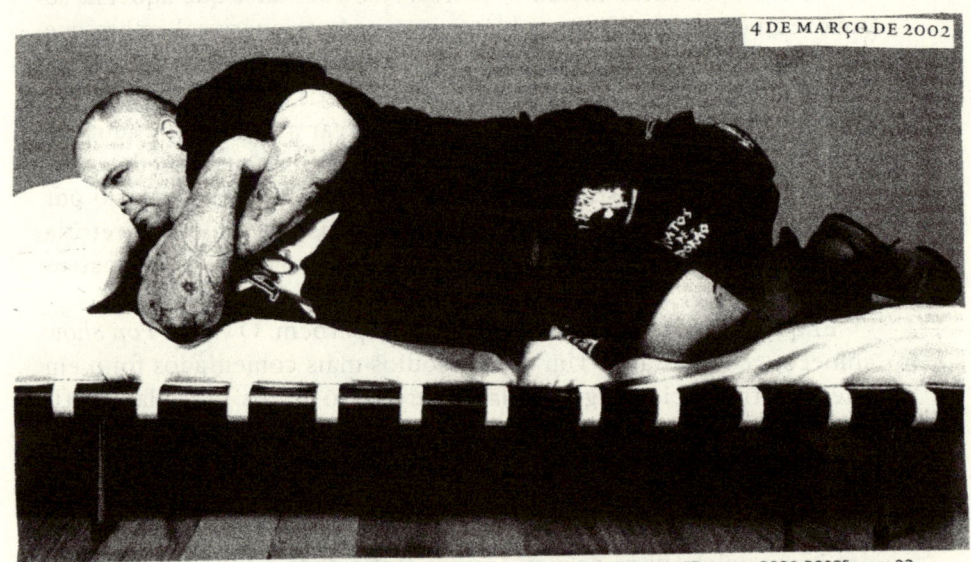

4 DE MARÇO DE 2002

FOTOGRAFIA O Espaço Paul Mitchell (r. da Mata, 70, Itaim, tel. 3079-0300) expõe "Retratos 2000-2002", com 22 ... ns de Ana Ottoni, como a do músico João Gordo (foto), publicadas na coluna "Mônica Bergamo", da Folha; de hoje, ..., a 22 de abril; seg. a sex., das 10h às 20h, sáb., das 19h30 às 24h, dom., das 10h às 17h; entrada franca

31 de maio de 2002

João Gordo entrevista C

O presidenciável esteve anteonter Go-Go" para dizer o que pretende pesar do tom escrachado de João abordou temas importantes para emprego. O programa vai ao ar e MTV quer agendar entrevistas co

28 de maio de 2002

Ossos do ofício

Ciro gravará amanhã a primeira entrevista, a ser exibida na próxima segunda-feira, do ciclo

sem pensar quando tá virado de pó e ecstasy. De vez em quando, escapava um bagulho desses da minha boca. O Caetano ficou puto e exigiu retratação. Alguns dias depois, ele foi ao programa e tive que entrevistá-lo. Eu disse: "Caetano, eu não quero que você morra, foi só um jeito de falar", mas baixou a baiana e ele quis que eu me retratasse. O engraçado é que eu tava entrevistando o cara e, atrás das câmeras, tava toda a diretoria da Abril e da MTV, me vendo ser metralhado pelo Caê.

Rolaram outras entrevistas antológicas: uma vez, o Márcio, do Trio Los Angeles, quis me dar um beijo no ar e eu enchi ele de tabefe, foi engraçado demais. E a Narcisa? A mulher foi ao banheiro e voltou toda pega, depois começou a falar da plástica que tinha feito nos peitos. Eu elogiei os peitos dela e perguntei se podia pegar no peitinho pra conferir se a cirurgia tinha sido um sucesso. Ela disse que tudo bem, e eu fiz um "fom-fom", a molecada riu pra caralho no estúdio. Entrevistei uma pá de gostosa: a Tiazinha, a Feiticeira, e até a Tammy Gretchen quando ela ainda era mulher. Rolou até um clima entre a gente.

CACÁ MARCONDES: Lembro a única vez em que um convidado deixou o Gordo constrangido. Foi o Canibal, da banda punk Devotos do Ódio, de Pernambuco. O Gordo tava entrevistando o cara e, pra variar, o Canibal não tava entendendo nada. Aí o Gordo botou no ar uma menina que devia ter uns onze anos de idade, e ela começou a detonar o Canibal. O Gordo mostrou o disco do Devotos, e a menina: "Isso aí é uma merda!".
E o Canibal: "Tá nervosa, fia? Então enfia o dedo na boceta e rasga!". Isso às seis da tarde. O Gordo abriu um olhão e tentou seguir como se não tivesse rolado nada: "Vamos jogar!".

Um dos programas que fiz na MTV foi o *Gordo On Ice*, que tinha um cenário que era um iglu. Os convidados tinham que entrar de quatro no iglu. Uma vez, entrevistei a Fat Family. Imagina o trabalho pra caber todos aqueles gordos ali? Devia ter uma tonelada dentro daquele iglu. Só eu pesava quase duzentos quilos e ainda usava um capotão. Eu parecia uma casa. Foi nesse programa que rolou a treta com o Los Hermanos, quando o Marcelo Camelo disse que não gostava de Ramones e eu expulsei o cara do cenário. Até hoje tem fã dos Ramones que xinga o Camelo por causa daquilo.

Comecei a ficar bem conhecido, e rolou uma coisa que nunca imaginei que pudesse acontecer: empresas passaram a me chamar pra fazer comerciais. O primeiro foi do carro Gol, com aquele cara das Casas Bahia. Depois fiz um da Kibon e um do Guaraná Antarctica. Esses trabalhos me permitiram comprar meu primeiro apartamento, na Vila Madalena. Mas eu também ficava num puta dilema: eu tinha vergonha de ganhar dinheiro e ficava com a consciência pesada.

Os anos de 1997 e 1998 foram o auge da minha doideira. Eu ficava de quinta a domingo sem dormir, depois tinha uma ressaca monstro na segunda, terça e quarta. Por coincidência, foi justamente nessa época que eu virei um ídolo infantojuvenil, o gordo escrotão que falava uma pá de bosta e que a molecada amava.

Nessa época, eu namorava a Flávia, uma DJ bonitona. Nosso relacionamento era baseado em consumo de ecstasy e teco. Fiquei um ano namorando e derretendo com ela. Um dia, voltei de uma tour de dois meses com o Ratos na Europa e ela me deu a notícia que tinha me trocado pela DJ Paula. Fiquei perplexo, mas o estranho é que tomar chifre de sapata não dói tanto. Fiquei puto, mas não melancólico.

Fiquei puto de verdade quando o nosso baixista, o Pica-Pau, pediu pinico nessa mesma turnê e saiu do RDP só porque tava de saco cheio de viajar. O cara foi meu amigo de balada e escudeiro fiel por quatro anos, e de repente teve um tilt e desaparece? Fiquei sem amigo, sem namorada e sem rumo.

Uma vez, o Homero Salles, diretor do programa do Gugu, me chamou pra uma reunião numa dessas torres de vidro da Berrine. Cheguei lá e tinha o cara, uma secretária e dois executivos chabis, de terno com ombreira. A sala tinha uma mesa gigante de vidro, e a primeira coisa que fiz foi esticar uma carreira de meio metro. "Fala aí, Homero!"

Ele disse que tinha um programa mirabolante pra mim na Rede Manchete. Ia ser um Disk 900. Meu salário, só pra começar, seria de 120 mil reais. Na MTV eu ganhava oito mil. E isso sem contar o extra que viria do Disk 900. Ele disse que eu ia ganhar, no total, entre 150 mil e 180 mil por mês. Eu virei e disse que não queria. Ele ficou chocado: "Como assim, não quer? Tá maluco?". Eu falei: "Seu Homero, eu ganho oito paus por mês e já sou louco assim, imagine se você me pagar cento e oitenta? Vou cheirar tudo e morrer na hora!". Pra piorar, ele disse que o programa seria eu com o Thunderbird, e eu caí na gargalhada: "Você quer botar os dois maiores farinheiros da TV juntos? Vamos morrer eu e o Thunder!".

GORDO, O FILME

A 1ª super produção cinematográfica criada especialmente para o rádio!

ESTRELANDO
João Gordo
uma atuação brilhante como apresentador

89 A RÁDIO ROCK
mais um programa original da Rádio Rock

Quinta-feira, 10 de maio de 2001

BENI, DIRETORA DE MARKETING DA KIBON:
E UM GALÃ DE NOVELA SUA FILHA PREFERE.

JOÃO GORDO
APRESENTADOR DA MTV

MAIS — "Dou MAIS para mim, porque mudei para cacete neste ano. Melhorei muito, deixei as drogas e tive bom rendimento no campo profissional. Também estou com uma namorada maravilhosa e gostosa."

MENOS — "Também vai para mim, Porque, apesar de todas as mudanças positivas que aconteceram na minha vida, continuo o mesmo crápula de sempre" (muitos risos).

Os 20 anos do punk no Brasil.

DE JOÃO GORDO
A JOÃO GORDO

o guerrilheiro que virou comentarista da Globo, 248 sem-teto invadem na minha prévia de oito andares. É um ensaio caliente com a TRIP Girl argentina Margarita Molfino

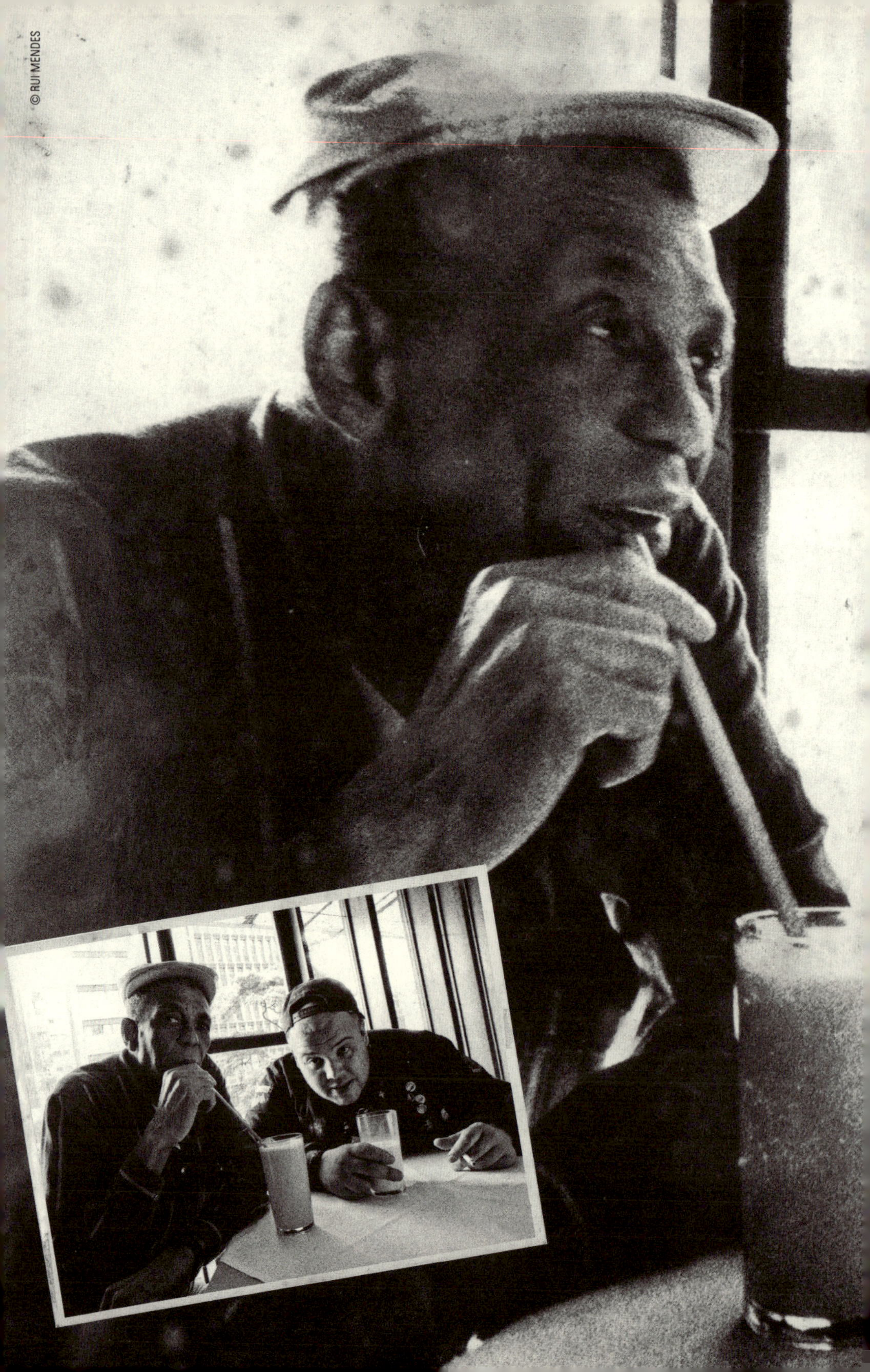
© RUI MENDES

Foto mais que crássica: Bezerra tomando suco de laranja e JG tomando leite para a revista Bizz.

Os convites que recebi nessa época foram surreais. Até o Beto Carrero queria produzir um programa comigo. Ele me chamou pra conversar num dos restaurantes dele. Disse que tinha um espaço no SBT e me ofereceu oitenta paus por mês. Mas eu só dava gargalhada, tava achando aquilo engraçado demais. A única coisa que eu consegui dizer foi: "Aí, Beto, tu é Carrero, mas eu sou o rei das carreiras!".

O programa que eu mais gostei de fazer na MTV foi o *Gordo a Go-Go*, porque tinha uma puta produção, a gente tinha um estúdio grandão com plateia ao vivo, e pude levar uma pá de bandas boas pra tocar. Que outra MTV do mundo botou Discharge, Toy Dolls, GBH, Krisiun, Sepultura e Rezillos pra tocar em horário nobre, com patrocínio da Skol? Nenhuma. Aquilo era surreal. O *Gordo a Go-Go* me impulsionou pro mainstream. Ganhei até o prêmio da APCA (Associação Paulista de Críticos de Arte) de melhor apresentador.

Foi no *Gordo a Go-Go* que rolou a entrevista mais famosa que eu fiz. Ou melhor, que eu não fiz: foi aquela briga com o Dado Dolabella. Eu nem conhecia o cara, o único Dolabella que eu conhecia era o Carlos Eduardo, o pai dele, que fez o delegado Diogo Falcão na novela *Irmãos Coragem*. Mas a produção disse que ele era famosão, que as meninas gostavam, e ele tava lançando um CD, então marcamos a entrevista. Só que o playboy veio pra causar. Ele entrou com uma mala de metal. Bem no início do papo, tirou uma machadinha, uma corrente e um cabo de enxada. Tava na cara que só queria causar.

Dado tira uma machadinha da maleta de metal.
JOÃO: Você costuma usar isso nas pessoas?
DADO: Costumo!
JOÃO: Você trouxe isso pra eu enfiar no seu rabo?
DADO: Na verdade, isso aqui vai ficar na minha mão, se a gente tiver um problema [...] Pô, eu era teu fã, mas tu traiu o movimento!
JOÃO: Que movimento, playboy?
DADO: O movimento punk!
JOÃO: Quem é você, seu playboyzinho de merda, pra falar de movimento punk?
João bate com cassetete na mesa. Dado bate com a machadinha e racha a mesa de vidro. João e Dado levantam e se encaram, e o clima esquenta. João pega uma corrente. Membros da equipe de filmagem apartam a briga.
JOÃO: Vai se foder!
DADO: Te mato!

Jorge Ben nosso herói! Até hoje neguinho se recusa a chamá-lo de Benjor.

Didi Mocó Sonrisal Colesterol Novalgina Mufumo e JG: doeu de tão crássico

Com o Master, Silvio Santos... pirei..

2Dedé Santana no Gordo a Go-Go

Eu e Luana Piovanni no CIBDJ, 2000

Eu e o finado Redson confraternizando no Camarim da Virada Cultural. Senti muito a morte dele.

Eu e Zeca Pagodinho, caretas no VMB

Eu e Planet Hemp, cantando quem tem Seda

Eu e Ana Hickmann, antes do atentado

JG e Donita Sparks, Hollywood Rock, 1995

MAX, Eu e IGOR, BH, 1988

JG e Julliette Lewis, VMB, 2008

Kiko, Chaves e Nhonho,
NIRVANA MAYHEM, Hollywood
Rock, 1993

JG e Gabba
Chaos U.K.,
Bristol, 1999

JG e os mexicanos do
CONTROL MACHETE

Alex Camargo, do
KRISIUN, JG e Shane
Embury, do Napalm
Death. In grind we
trust!

Dando um teco
no banheiro
do CBGB, Nova
York, dez.
2000

JG e os manos
do RZO

Serginho Malandro e Bozo sendo entrevistado no Gordo a Go-Go

JG e Astolfinho na TV Cultura

Mágico dos Mágicos! Mister M e Eu

Outra treta feia que tive foi com o Chorão. Tudo começou um dia no *Gordo Pop Show*, quando eu sacaneei um vídeo do Charlie Brown Jr. Algum tempo depois, eu tava no VMB, quando o Chorão veio tirar satisfação: "Qual é, mano, não gosta da minha banda?". Eu tava com um prato de sopa na mão, comendo, e começamos a discutir feio. Mandei o Chorão se foder e ele encrespou. Acabei dando um banho de sopa no cara.

Por vários anos, falamos mal um do outro. A gente tinha vários amigos em comum, e eles ficavam tentando pôr panos quentes na briga. Me lembro do Sandrão, do grupo de rap RZO, me ligando pra dizer que o Chorão era gente fina. Mas a briga continuou: eu tava numa festa do *Rockgol*, com um puta ataque de ciático, andando de bengala, quando o Chorão me ameaçou.

Mas o pior aconteceu em outra edição do VMB, e foi bizarro: eu tava na coxia do Credicard Hall [atualmente, Citibank Hall], andando pro palco junto com a Dercy Gonçalves — a gente ia apresentar um prêmio juntos — quando, no escuro, tomo uma porrada no ombro. O cara bateu e saiu correndo. Era o Chorão. A coitada da Dercy nem percebeu.

Eu fiquei puto. Fui na cozinha do Credicard Hall, disse pro garçom que precisava de uma faca pra cortar um pernil, e saí de lá com uma peixeira. Um cara da MTV viu e alertou pelo rádio: "O Gordo tá armado!". Mas o Chorão tinha sumido.

Horas depois, já na festa pós-VMB, eu tô sentado num sofá e alguém bate no meu ombro: "Pô, mano, tu é foda, vamos parar com isso!". Era o Chorão, quase chorando. Ele disse que era o maior fã do Ratos, mas, por causa da nossa treta, tinha jogado fora a coleção do RDP. Ele queria fazer as pazes.

No início, eu ainda tinha o pé atrás com o cara, mas depois viramos amigos. Ele gostava muito de mim, e eu aprendi a gostar dele também. Toda vez que ele viajava, trazia uma lembrança pra mim. Um dia, a mulher dele me convidou pra discotecar numa festa surpresa de aniversário na casa dele, e o cara quase chorou quando me viu lá.

Foi um baque muito grande quando o Chorão morreu (em 2013). Fiquei muito, mas muito mal. E tenho uma sina com o cara, que é de lembrar dele todo dia. Nós éramos quase vizinhos na Vila Madalena. Toda vez que passo em frente ao apê dele, me lembro do cara.

No início dos anos 2000, eu ainda morava na casa da minha amiga Fabiana, e a energia do meu quarto era tão podre, tão negativa, que as paredes ficaram pretas e o teto caiu. Uma vez, eu tirei a cama do lugar e tinha uma bola preta no chão e nas paredes. Era muita energia ne-

Eu e o Sabotage; lá atrás, o Chorão... 3
2 = 1, por enquanto...

Eu e o finado Chorão, na paz do VMB

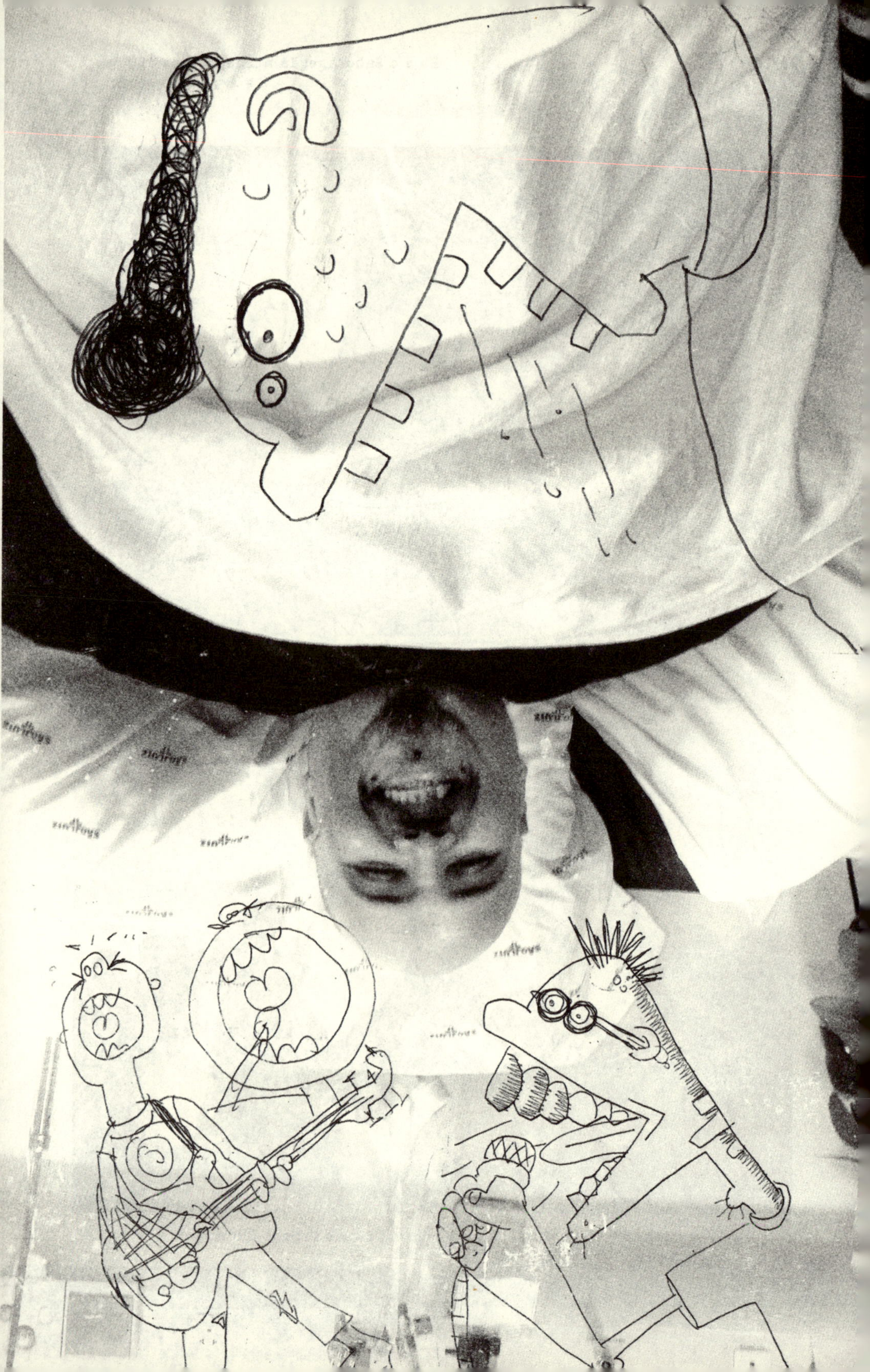

gativa concentrada. Eu chegava em casa às seis da manhã, virado do Love Story, sempre com umas putas. Eu era o rei das putas. Mas, de cem que levei pra casa, se comi cinco foi muito, porque eu não tinha condições físicas de comer ninguém. Eu fumava três maços de cigarro por dia e cheirava heroína, fora o ecstasy, o pó, a cerveja e o uísque. Eu só comia merda, feijoada e hambúrguer o dia todo. As minas iam lá pra casa e ficavam jogando baralho e ouvindo som comigo e se drogando. Não sei como não morri. Sou um cara de sorte, um protegido.

Uma vez, tive um piripaque saindo da gravação do *Gordo on Ice* e indo pra um show do Ratos. Dois anos antes, eu tinha ido a Paraty visitar uns amigos, o Matthias Prill e o Renato Gordinho, quando tomei um porre de pinga caramelada, caí de um barranco e quebrei a costela. Só que eu nunca tratei disso, deixei a costela quebrada mesmo, e ela ficou com uma ponta cutucando a pleura.

Dois anos depois, tô saindo da MTV de van, quando a van passou numa lombada e eu senti uma dor absurda no peito, parecia que alguém tinha enfiado um espeto de churrasco em mim. Com meu peso, a costela perfurou a minha pleura e o meu pulmão encheu de sangue. Eu não conseguia respirar, parecia que tava me afogando. Nunca senti um desespero daquele. Tive certeza de que ia morrer.

A verdade é que eu não me importava. Eu não tinha nada a perder. Se eu morresse, foda-se. Eu não tinha família, não me importava com nada nem ninguém. Eu era um camicase.

Esse dia foi a primeira vez que o Ratos tocou sem mim, num show em Ilhabela. Fui levado pra UTI do Sírio-Libanês e me entupiram de remédios. Me lembro de ter tido umas visões coloridas, parecia um delírio de ácido. Vi cores muito saturadas e vivas, e fiquei numa paz de espírito que nunca tinha sentido antes. "Nossa, que legal isso, que coisa bonita! Lindo demais!" Meu médico, o dr. Ciro, entrou na sala e estava vestido de centurião romano. Aí olhei pro chão e tava todo forrado de cascavéis, era um mar de cobras. Uma hora, eu abri o olho e vi uma moça bonita cuidando de mim, uma mulher linda... "Ah, gatinha... onde é que eu tô?" "Tá na UTI do Sírio-Libanês!" Foi aí que caiu a ficha.

Não sei se foram os remédios ou a minha loucura, mas a verdade é que eu fechava o olho, depois abria e via a minha mãe, fechava de novo, abria e via uns colegas de infância, depois via a Astrid, da MTV, e via até o Lenine, acredita? Posso estar delirando, mas acho que ele foi me visitar. Fiquei três dias na UTI do Sírio e depois me transferiram pro Nove de Julho. Só a internação no Sírio custou dezoito paus. E o Turco Loco pagou a conta. Tem coisas que as pessoas fazem pela gente que não dá pra esquecer.

> **DONA LAURA:** Quando o Joãozinho foi internado na UTI, o Pedrão ligou aqui pra casa e me contou. Eu fiquei desesperada. Comecei a chorar. O Milton pegou o telefone e falou com os médicos. Eles disseram que a situação era grave, mas que iam fazer todo o possível pra salvar o nosso filho. Disseram que a gente podia visitá-lo no dia seguinte. Eu fui pra igreja e passei horas pedindo a Jesus pra salvar o meu menino. Naquela noite, eu nem dormi, fiquei rezando a noite toda. No dia seguinte, fui com o Milton pro hospital. Assim que vimos o João, ele disse: 'Mãe! Deus existe, mãe, ele veio aqui falar comigo!'. Eu chorei, o Milton chorou, o João chorou, até os médicos choraram. Depois o João disse que não teve visão nenhuma, que aquilo era só o resultado dos remédios que ele tinha tomado, mas eu tenho certeza de que ele encontrou Deus.

À noite, eu ficava sozinho no quarto da UTI, totalmente entubado. A TV tava ligada e ouvi a Lilian Witte Fibe no Jornal da Globo: "O cantor da banda Ratos de Porão e apresentador de TV, João Gordo, está na UTI..." Caralho, velho, sou eu! No hospital tive que fazer uns lances traumáticos. O pior foi uma broncoscopia, que é enfiar uma sonda pelo nariz. O doutor te dá uma injeção na garganta pra dilatar. Achei que ia morrer. Depois fizeram uma punção, que é uma agulha de tricô que fincam nas suas costas pra sugar o sangue.

Uma hora o médico perguntou: "Você fuma bastante, né?". Eu disse que sim, três maços por dia. Ele disse que eu precisava parar urgentemente, e eu respondi que já tinha ouvido aquele papo mil vezes. "Deixa eu te mostrar uma coisa então", ele disse, e levantou o saco do dreno. Tinham dois ou três litros de uma gosma preta, parecia uma Coca-Cola enlameada, de cor ocre, com uns ectoplasmas sanguíneos boiando. "Puta que pariu, isso tava dentro de mim?" "Tava", ele respondeu. "E tem muito mais. Quer ver?"

Nesses dias que fiquei na UTI, eu recebi uma visita muito peculiar. Vou chamá-la de Suzy, até porque a verdade é que não me lembro do nome dela. Suzy era uma menina gordinha, bonita e muito sexy. Ela vinha de uma família rica pra cacete. Eu tinha conhecido a Suzy no clube Lov.e, onde ela chegava num carrão com motorista e segurança. A gente tinha trocado uns beijos lá no Lov.e, mas nunca passou disso.

Um dia, tô lá na UTI do Hospital Nove de Julho, quando recebo a visita da Suzy. Eu demorei a reconhecer a mina, até porque estava bem zonzo de remédios e completamente desorientado. Eu mal conseguia distinguir sonho de realidade. Pra piorar, cortaram o meu cigarro, e comecei a sofrer uma crise de abstinência de nicotina tão forte que passei a alucinar. A coisa ficou tão feia que tive uns pesadelos com o logotipo da Marlboro: até hoje, acho que aquele triângulo vermelhinho é um sinal do capeta e tem alguma mensagem subliminar.

Bom, voltando à Suzy: eu tava lá, todo estragado, quando aparece a mina, fecha a porta do quarto, põe os peitos pra fora e começa a me beijar. Eu tava com uma sonda no pinto e o bagulho doía demais, mas mesmo assim agarrei a mulher e só não transamos lá mesmo porque eu não sabia tirar a maldita sonda da rola. Foi aí que me liguei como agem aqueles piercings de uretra: você fica de pau duro e o negócio dá um tesão danado.

clima pesado

ão foi exatamente um João Gordo sorridente, que *CONTIGO!* flagrou no Spa 7 Voltas na semana sada. Recuperando-se da infecção pulmonar que o ou a ser internado às pressas recentemente, o VJ, m de não ter emagrecido como os médicos pediram, á muito assustado com o incidente: "Pensei que fosse nhecer o capeta de perto", desabafou. Sobre sua saída *Gordo On Ice* e um novo programa que a MTV lhe vai recer, foi categórico: "Só não vou aceitar se tiver que tir aqueles trajes quentes com o ar-condicionado do no último, como era no *Gordo on Ice*".

oqueiro João Gordo ede cigarro na UTI

LEDA ROSA

oão Gordo continua sem juízo. Depois de quase er sem ar, na tarde sexta-feira, o ico e líder da banunk Ratos de Poapresentador da V, foi internado no ital Sírio Libaos médicos diagicaram insuficia respiratória da e o colocaram Unidade de Terantensiva, onde la permanece. s pais o visitaram final de semana. pes.r da gravidade estado e de todo o ssimo aparato méque o atende, João ediu cigarro à equihospitalar, sem falar brincadeiras que com os profissios que atendem. Os problemas de João não co-

O ROQUEIRO e apresentador da MTV teve falta de ar e foi internado, sexta-feira, no Sírio Libanês

to grave. Temi pela vida do João".

O renascido

Desde que foi internado em um spa, João Gordo passa o dia pensando na vida, comendo, rezando... e falando palavrão

"É f..., cara!"

Por JOÃO MARCOS BEZERRA

O jurássico roqueiro João Gordo é a nova vítima daquela velha história de que apenas um grande susto nos faz pensar na vida. Bastante traumatizado com a infecção pulmonar que o levou à UTI do Hospital Nove de Julho, o vocalista da banda Ratos de Porão e apresentador da MTV não é mais o mesmo. Nesta custosa, rápida, emocionante e exclusiva entrevista à revista *CONTIGO!*, o cabisbaixo e triste João Gordo pouco lembra aquele agitado e hard roqueiro. A não ser pela boca suja.

João, sou da revista CONTIGO! e gostaria de falar com você.
Porra meu, vocês são foda. Fico puto com isso, a imprensa só me procura agora? Já mandei meia dúzia de jornalistas embora. Não tenho nada para falar.

Não quero incomodar, mas nossos leitores querem saber como você está.
Já estão incomodando, é foda.

Fui pautado para isso, é um trabalho.
(Silêncio por uns dois minutos)
Vai, cara. Fala então, mas é contra minha vontade.

Qual é a sua rotina aqui?
Ninguém vai acreditar, cara, mas passo o dia inteiro pensando na vida e descansando. Só isso. É foda. E muita zoada.

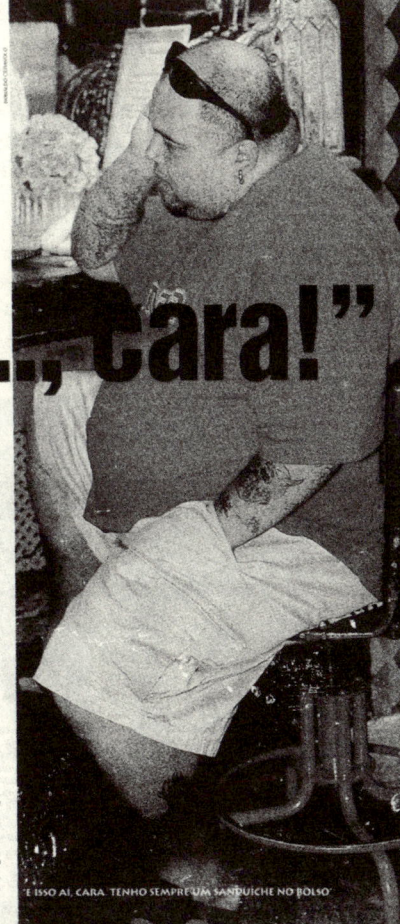

E ISSO AI, CARA. TENHO SEMPRE UM SANDUICHE NO BOLSO

batismo do roqueiro, de 35 anos, procurou o endocrinologista Guimarães Júnior para po- excesso de peso. Em 45 dias

CAMPANHA

"Seu Ciro" a go-go

Candidato diz na MTV que viciado precisa de carinho

JULIANA VILAS

Com jeito de garotão e aparentemente à vontade, o candidato do PPS, Ciro Gomes, se saiu bem das perguntas polêmicas feitas por João Gordo na gravação do programa *Gordo a go-go*, que vai ao ar no dia 10 de junho na MTV. "Sou contra a descriminalização das drogas. Mas acho que o usuário não é criminoso, ele precisa de carinho, hospital e assistência médica", opinou Ciro, que escapou das questões sobre suas experiências com os tóxicos. Pelo menos, não mandou o velho "fumei, mas não traguei".

Sobre aborto, disse ser contra, mas afirmou que isso não é um problema de governo. "Ninguém é a aborto. Mas isso é assunto não de política. Não deveria do", garante Ciro, que se d voravél ao projeto de união homossexuais. O sempre João Gordo, que no final tro mal "governador" por "seu C feriu não falar dos outros c temendo ser processado. A respondeu: "Tem que mete João. Eu tenho 18 processo mar ladrão de ladrão." Usan gem e gestos informais e evi mos que poderiam soar pedan blico jovem da emissora – n 15 a 29 anos –, Ciro pedia à para visitar seu portal na i tom descontraído marcou o no qual Ciro mostrou que mú bem o seu forte. Ele contou de forró, acha o cantor Falcã já integrou um conjunto de ro ventude. "Era percussionista nha muita função na banda."

Nos corredores da emissor da filha Lívia, 18 anos, Cir brindes que ganhou da MTV o DVD do show acústico de ta, comentou animado: "Oba, ta! Será que tem *Festa do* O frevo de Moraes Moreir Silva não está no show, par ção do candidato.

PARCEIRO Ciro Gomes para João Gordo: "Tem que chamar ladrão de la

5/6/2002

Alguns dias depois, saí da UTI e me internei num spa. E a Suzy foi atrás de mim. Ela inventou pros pais que precisava fazer um regime e conseguiu que eles a mandassem pra lá. Ela ia todo dia pro meu quarto e a gente passou vários dias transando. A mina me encheu de presente, mandou cartão com mensagens de amor e começou a querer namorar comigo.

Esses dias no spa foram demais. Eu passava a maior parte do tempo transando com a Suzy e jogando baralho com os pacientes. E os pacientes eram especiais: uma turma de astros da Globo, incluindo o Antônio Grassi, o Luis Gustavo e um de meus grandes ídolos de infância, o Francisco Cuoco! Contei pro Luis Gustavo como eu adorava a novela *Beto Rockfeller* e paguei um pau monstro pro Francisco Cuoco. Cada vez que eu via o homem, vinha na cabeça a trilha sonora da novela *O Astro*: "Minha pedra ametista...". Uma tarde, convidei os três pra ouvir um som no meu quarto. Oferecí um baseado pro Francisco Cuoco, mas ele recusou: "Eu fumava essa merda pra trepar", disse. "Então, o senhor dá licença, Seu Cuoco, que eu vou fumar!". E fumei um baseado na frente do Francisco Cuoco. Foi uma das glórias da minha vida!

Fiquei no spa algumas semanas e voltei pra casa. Eu tinha perdido mais de vinte quilos depois da internação da UTI e uns dez no spa. Um dia, recebo uma carta da Suzy dizendo que me amava e pedindo desculpas por ter escondido de mim um segredo: "Eu tenho dezesseis anos!". Aquilo foi uma bomba. Ela dizia que entrava nas boates sem mostrar identidade e, como gastava muito, ninguém nunca pedia os documentos dela.

Fiquei desesperado. Aquilo podia dar uma merda gigante. A Suzy me ligou: "Você não gosta de mim?". Respondi: "Gostava quando você tinha dezenove, agora, que tem dezesseis, não gosto mais". Mas a menina não se conformou e começou a me perseguir. Eu disse que não podia ter nada com ela, mas ela insistia, ia na minha casa direto, era um saco. Um dia, alguém tocou a campainha. Atendi e era o pai da Suzy, que eu nunca tinha visto na vida, com um advogado e a PM. "Você vai pro distrito agora!" O coroa era ricaço, um industrial fodido, e tinha contratado um detetive pra monitorar os telefonemas e as andanças da filha. Fui pra delegacia. A delegada me passou a maior descompostura e perguntou se eu tinha feito sexo com a menina. "Fiz, mas não sabia que ela era menor!". Por sorte eu tinha guardado a carta em que ela dizia que tinha mentido sobre a idade. Foi isso que livrou a minha barra.

meu pai é uma figura

Família: eu que sempre fui contra e achava uma merda... Hoje é o meu norte e a base da minha sobrevivência.

Ñuka, 2003-2016

10
FAMÍLIA PUNK

No ano 2000, a Fabiana Figueiredo teve que devolver a casa da família, e eu fiquei sem teto. Quem me ajudou, de novo, foi o Turco Loco. Ele tinha um apê de um quarto em Moema e me emprestou. Mas dei o maior azar: o apê ficava ao lado do apê do síndico, que sabia quem eu era e ficava o tempo todo me vigiando. O cara reclamava de barulho e dos cheiros esquisitos que saíam do meu apartamento. Fiz de tudo pra não deixar a fumaça escapar pro corredor: enchi a porta do meu quarto de Silver Tape, acendia um monte de incenso, mas a marofa se espalhava pelo andar todo, e lá vinha o síndico reclamar.

Eu tinha jurado que a experiência de quase morrer iria mudar a minha vida e que eu ia dar um tempo nas baladas, mas é claro que não fiz nada disso. Até dei uma acalmada durante uns meses, mas, depois de uma longa tour, que acabou num show no CBGB de Nova York, quando nevou, eu estava pronto pra continuar minha saga de drogas e putaria, sem medo e sem culpa. Pra piorar, no fim de 2000, encontrei um trafica em São Paulo que tinha uma heroína da melhor qualidade, a cem doletas o grama.

Uma noite, eu tava com cinco gramas de pó em casa e chamei o Pedrão pra dar uns tecos. Cheiramos tudo. Depois fomos pra uma festa mexicana num bar. Era aniversário do DJ Zegon, um amigo meu. Tomamos tequila a noite toda. Eu já tava trilili quando esbarrei com um amigo, que me deu um papel de heroína. De lá, eu e o Pedrão acabamos no Lov.e. Assim que cheguei, fui logo pro banheiro de deficiente, que era o ponto de encontro da função. Fiz um *speedball*, uma mistura de cocaína e heroína, cafunguei tudo e saí pra pista de dança. Não me lembro de mais nada, apaguei ali mesmo e caí de costas na pista, com meus quase duzentos quilos.

O pessoal do clube chamou a ambulância pra me tirar de lá, mas precisava de um guindaste. Por sorte, o Arthur Veríssimo, DJ e jornalista, tava por lá e catou tudo que eu tinha nos bolsos, ou iam me levar direto pra delegacia. Valeu, Arthur!

Quando acordei, parecia um pesadelo: eu estava no mesmo hospital, na mesma UTI, sendo atendido pela mesma médica. Passei o Natal e o Ano-Novo de 2000 pra 2001 no hospital, vendo *Esqueceram de Mim* e *Turbo Man* [*Um Herói de Brinquedo*] na TV. Deprimente.

Foi no início de 2001, logo depois dessa segunda internação, que minha vida começou a mudar de verdade. Foi quando comecei a namorar a Vivi.

Eu conhecia a Vivi desde 1996, quando o Ratos foi fazer um show na Argentina. Ela trabalhava numa revista de metal e foi me entrevistar. Essa entrevista tá no Youtube, no programa "MTV — Ratos de Porão na Estrada". Depois, ela se mudou pro Brasil, morou em Camboriú (SC) e foi casada com um metaleiro, mas logo deixou o cara e se mudou pra São Paulo, onde começou a trabalhar na Century Media, uma gravadora de heavy metal.

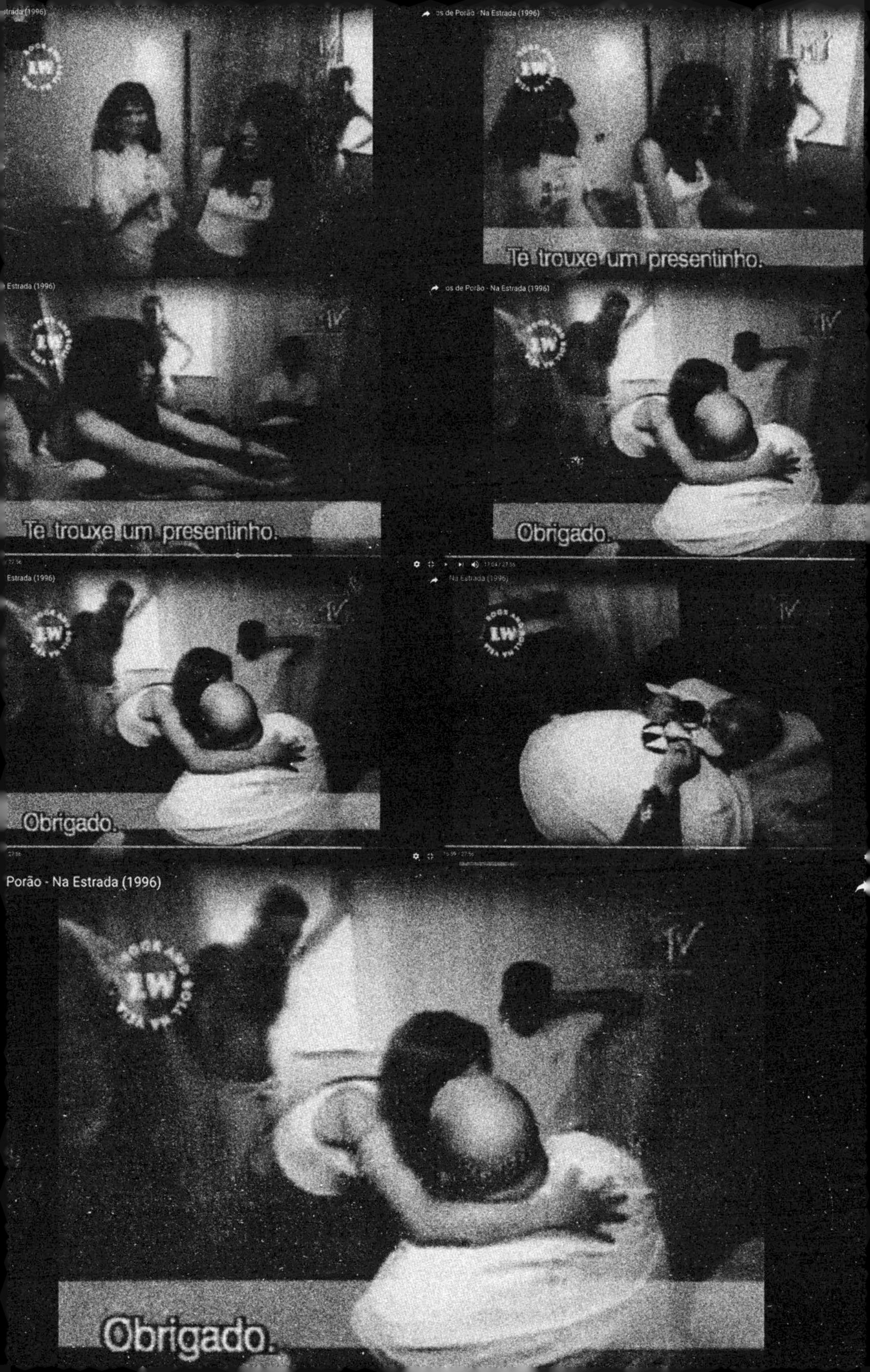
strada (1996)
os de Porão - Na Estrada (1996)
Te trouxe um presentinho.
Estrada (1996)
os de Porão - Na Estrada (1996)
Te trouxe um presentinho.
Obrigado.
Estrada (1996)
Na Estrada (1996)
Obrigado.
Porão - Na Estrada (1996)
Obrigado.

VIVI (MULHER DO JOÃO): Meu nome é Gloria Viviana Torrico. Nasci no norte da Argentina, numa cidade chamada Salta. Meus pais são descendentes de indígenas. Eles se separaram quando eu tinha menos de um ano, e minha mãe foi morar em Buenos Aires. Ela acabou casando de novo, com um homem muito legal, que era mestre de obras e passou a vida viajando pela Argentina, construindo conjuntos habitacionais tipo Cohab. Minha mãe trabalhava com ele, fazendo a alimentação dos operários. Somos cinco irmãos, dois do primeiro casamento da minha mãe e três do segundo.
Meu primeiro contato com o Ratos de Porão aconteceu por causa do meu irmão, Marcos, que era muito fã deles. Em casa, todo mundo ouvia rock pesado. Minha mãe gostava de Ramones, assim como toda a classe média baixa argentina. Quando eu era pequena, lembro que tocava Ramones até no supermercado. O quarto do Marcos era forrado de pôsteres de banda, e um dos pôsteres era do Ratos, uma foto do João em que ele estava supergordo, uma coisa monstruosa. Mas eu ficava olhando praquela imagem e reparei nos olhinhos dele, achei que tinham um brilho especial. Parecia que eu tinha descoberto alguma coisa muito importante.

A Vivi me adorava. Em São Paulo, ela ficava me ligando, mas eu tava em outra, não queria saber de metaleira argentina. Eu só andava com as modeletes clubbers, dando teco e tomando bala, e namorava uma modelo carinhosamente apelidada de Retardadinha, uma menina linda, meio sapata e doida de pedra.

Depois dessa segunda overdose, a Vivi se aproximou ainda mais de mim. Ela percebeu que eu era só um cara muito triste e desorientado e queria me ajudar. A Vivi começou a ir aos ensaios do Ratos e foi com a gente pra um show em Jundiaí. Nesse dia, no camarim, ela disse que gostava de mim, que me amava. Respondi: "Se me ama, então me beija!". Ela disse: "Não, João, não é assim!". E eu retruquei: "Ah, então dá licença!". Eu era muito escroto com ela.

A verdade é que eu não estava pronto pra nenhum tipo de relacionamento mais sério. Um dia, ela me pediu pra ir com ela ao hospital pra tirar um cisto do seio. Eu tava traumatizado com hospital e disse que não ia. Ela ficou arrasada e não me ligou mais. Meus amigos todos diziam que ela era legal, e eu comecei a me sentir péssimo por tê-la tratado tão mal.

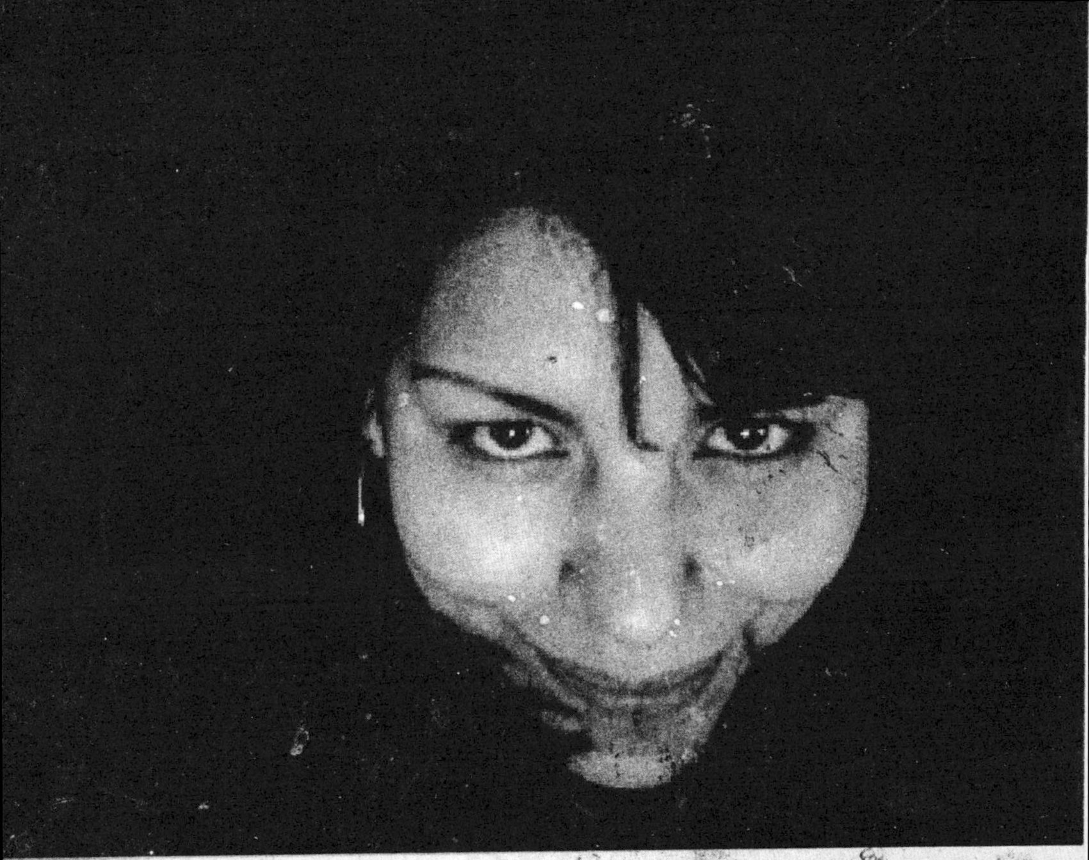

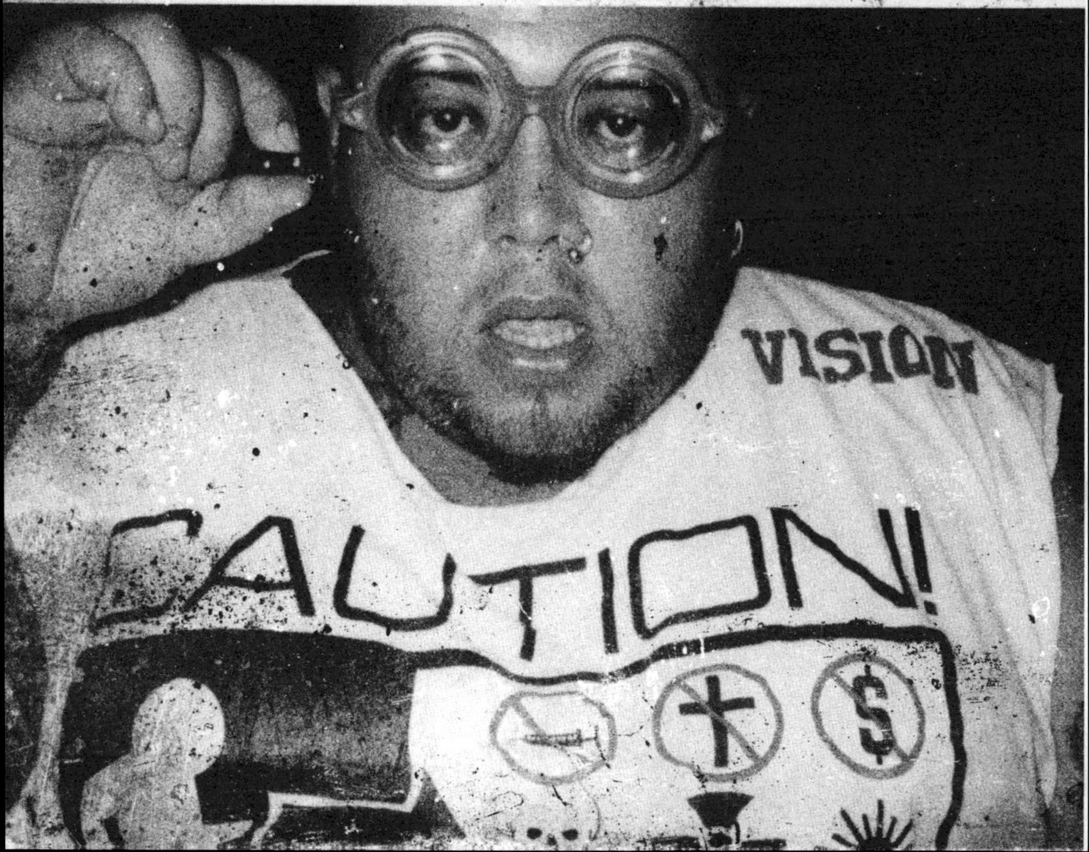
VISION
CAUTION!

Gordo!!
Abraços
do Angeli

Acabamos nos encontrando alguns dias depois e começamos a namorar. A Vivi sempre amou metal, e fomos juntos a vários shows. Foi ela que me levou pra ver o Krisiun pela primeira vez. Lembro que achei o som dos caras o maior pentagrama, uma paulada do inferno.

Nesse dia, eu trombei com a Vânia. Fazia muito tempo que eu não encontrava com ela, e fiquei cabreiro, com medo da mulher. Bebi e tive um chilique com a Vivi. Acho que fiquei abalado com a presença *sinistra* da matriarca dos Cavalera. A Vivi, com seu modo argentino de ver as coisas, me deu um esporro e disse que a Vânia era apenas uma senhora tentando reunir os filhos. Pra mim aquilo teve o efeito de um insight! Desde então, comecei ver a Vânia de modo diferente, e todo aquele "medo sobrenatural" que eu tinha dela passou.

> **VIVI:** Quando conheci o João, ele não tinha nada. Todo o dinheiro que ganhava, gastava em toy art e presentes pros amigos. Ela ia ao shopping todo dia comprar alguma besteira. Ele tava na MTV. Não ganhava uma fortuna, mas tinha um salário que dava pra viver. Mas ele não tinha nada, a não ser uma coleção gigante de brinquedinhos.
> Fiz umas planilhas e mostrei pro João que o dinheiro que ele gastava com aquelas besteiras seria suficiente pra comprar um apartamento. Acho que aquilo mexeu com ele. Naquela época, ele fez uns comerciais pra Kibon, pra Volkswagen e pro Guaraná Antarctica, e o dinheiro deu certinho pra comprar um apê na Vila Madalena.

Pouco a pouco, minha vida começou a ganhar um ar de normalidade. Pensei: agora é tudo ou nada, ou eu tomo jeito, ou morro. Mas eu precisava me cuidar. Eu tava obeso pra caralho e sofria uns ataques de ciático tão fortes que mijava nas calças de dor. Tentei de tudo pra resolver o problema: fui num massagista cego no Ipiranga, mas o cara era meio picareta e não me ajudou em nada. Fiz uma turnê com o Ratos e me deu uma flebite absurda. Minha perna ficou da cor de uma Coca-Cola.

A Vivi e eu resolvemos morar juntos. Eu ganhei uma grana boa com alguns comerciais de TV e demos entrada num apê na Vila Madalena. Com a ajuda dela, parei com tudo que era mais pesado. Parei de beber, de cheirar. Só fumava maconha. Ajudou muito o fato de a Vivi sempre ter sido careta. O máximo que ela tomava era cerveja com Fanta. E eu comecei a me apaixonar por ela de verdade. Minha vida começou a melhorar.

Mas eu ainda sofria uma barreira psicológica terrível. Comprei o apartamento, mas tinha medo dele, ficava apavorado de entrar lá. Era como se eu não estivesse preparado pra responsabilidade de ter um lugar só meu. O que me ajudou muito foi a terapia. Eu comecei a fazer terapia em 1998, no auge da minha doideira, e fiz por quase dez anos. Aquilo me ajudou a lidar com os meus traumas.

Um desses traumas era a minha gagueira. Sou gago por causa das porradas que levei do meu pai. Muita gente nem sabe que eu sou gago. Se eu tô na TV ou dando entrevista, eu emposto a voz, existe uma técnica, e aí eu não gaguejo. Mas, em casa, em situações normais, tenho umas crises brabas de gagueira. Minha mãe achava que gagueira era contagiosa e que eu era assim por causa de uma prima, a Rosa Maria, de Piraju. Quando eu era pequeno, minha mãe chegou a fazer simpatia pra acabar com a minha gagueira. Ela fazia um angu na panelona e me botava pra contar uma história qualquer na frente da panela. Quando eu gaguejava, ela batia com a colher de pau na minha cabeça, com o angu fervendo. Um dia até queimou meu ombro de angu. Ela diz que isso não é verdade, que eu sonhei. Tudo que era ruim ela diz que eu sonhei.

Quando comecei a namorar a Vivi, minha relação com o meu pai e a minha mãe já tinha melhorado. E isso se deve muito a um fato traumático. Minha tia Francisca estava ouvindo a rádio Atual, que só toca forró, quando a emissora deu a notícia da morte do João Gordo. Mas era um outro cara chamado João Gordo, que tinha sido um dos primeiros comerciantes da Feira de São Cristóvão, a feira nordestina do Rio. Minha tia ligou pra minha mãe: "Laura, seu filho morreu! Deu no rádio!".

Minha mãe quase teve um colapso. Ela começou a gritar e chorar feito uma louca. Desesperada, ela ligou pra casa da Fabiana, onde eu morava, mas eu devia estar bodeado de heroína e não ouvi o telefone. Meus pais passaram quase três horas achando que eu tinha morrido.

Depois de um tempão, eles conseguiram falar com a Fabiana. "Pelo amor de Deus, Fabiana, diz que o meu Joãozinho tá vivo!" A Fabiana não sabia de nada e ficou assustadaça. Ela foi até o meu quarto, morrendo de medo de que eu não ia estar lá. Abriu a porta e tava tudo escuro, mas ela me ouviu roncando e conseguiu me acordar: "João, fala com a sua mãe, ela tá chorando!".

Assim que peguei o telefone, minha mãe quase surtou: "Aaaaiiiiii, meu filhinho! Você tá vivo! Obrigada, meu Deus!". Meu pai pegou o telefone e aconteceu uma coisa que eu nunca achei que ia ver: ele teve uma crise incontrolável de choro. Parecia que tinha batido um arrependimento por tudo que ele me fez passar, por todas as surras e humilhações que ele me causou, e ele chorou que nem uma criança: "Meu filho! Meu filho!". Pela primeira vez na vida, tive pena do meu pai. "Eu tô vivo, pai, eu tô vivo!". Depois desse dia, nós meio que reatamos. Eu passei a visitá-los aos domingos e ia almoçar na casa deles de vez em quando.

Voltando ao apartamento: aquilo foi a primeira coisa que eu comprei pra mim que não era droga, boneco ou disco. Eu ficava olhando pro lugar e pensando: essa porta é minha! Essa pia é minha! Esse chão é meu! Batia um medo danado. E não foi só com o apartamento. Eu comprei um computador e ele ficou um mês na caixa, jogado no chão. A verdade é que eu tava apavorado com a responsabilidade de morar com uma menina e ter uma vida nova, de dividir um apartamento com ela. Eu tinha um medo fodido de mudar de vida.

Nossos primeiros dias não foram fáceis. Tivemos brigas antológicas. A Vivi tinha feito uma cirurgia pra retirada de um caroço e eu dei um sedativo, um Dormonid, pra ela. Não sei que reação deu na Vivi, mas ela virou um bicho e começou a brigar comigo, me xingou de tudo que era nome. Eu fui trocar o filtro de água da cozinha, derrubei um bagulho de plástico, e ela começou a gritar comigo, disse que eu era um ridículo que não sabia fazer porra nenhuma e que aqueles pôsteres na parede eram uma merda. Eu explodi: "Ah, é!?". E comecei a quebrar todos os quadros da casa. Ficou uma montanha de caco de vidro na sala. Aí a Vivi tomou mais uns Dormonids e surtou ainda mais. Eu liguei pra minha mãe: "Mãe, me ajuda, por favor! Que merda eu fiz?".

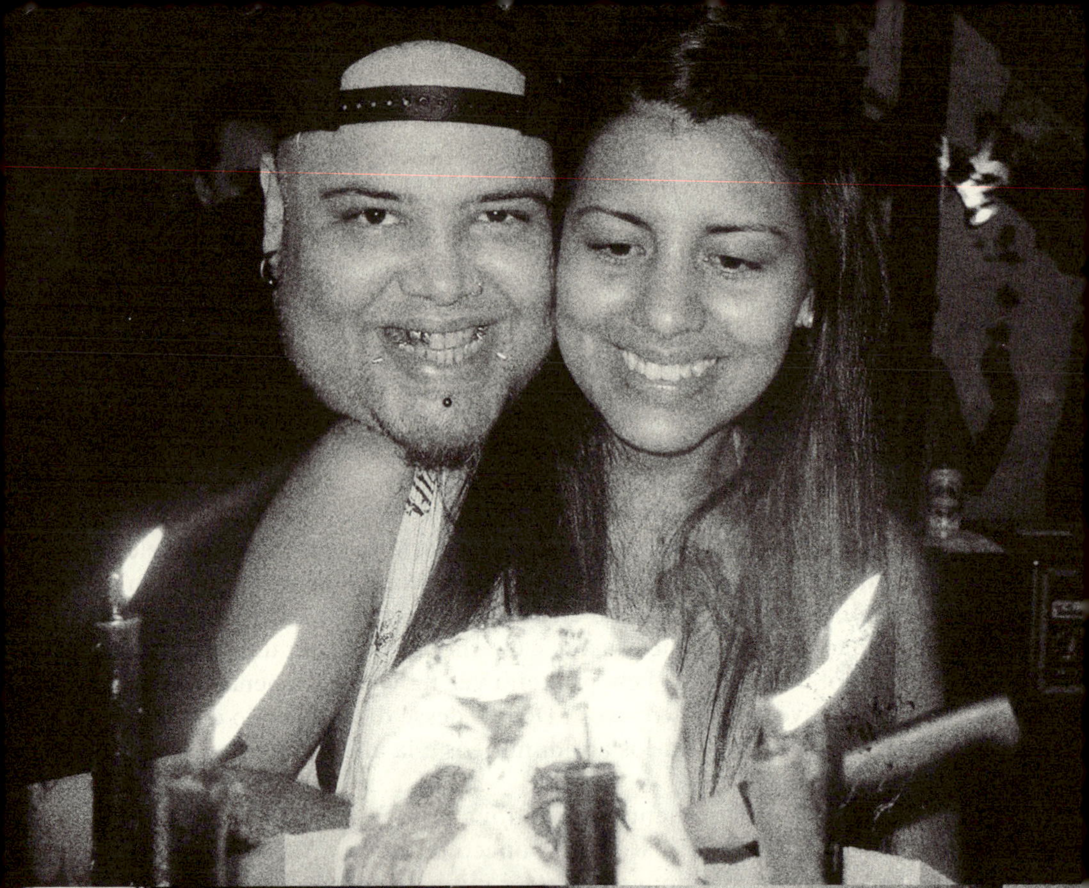
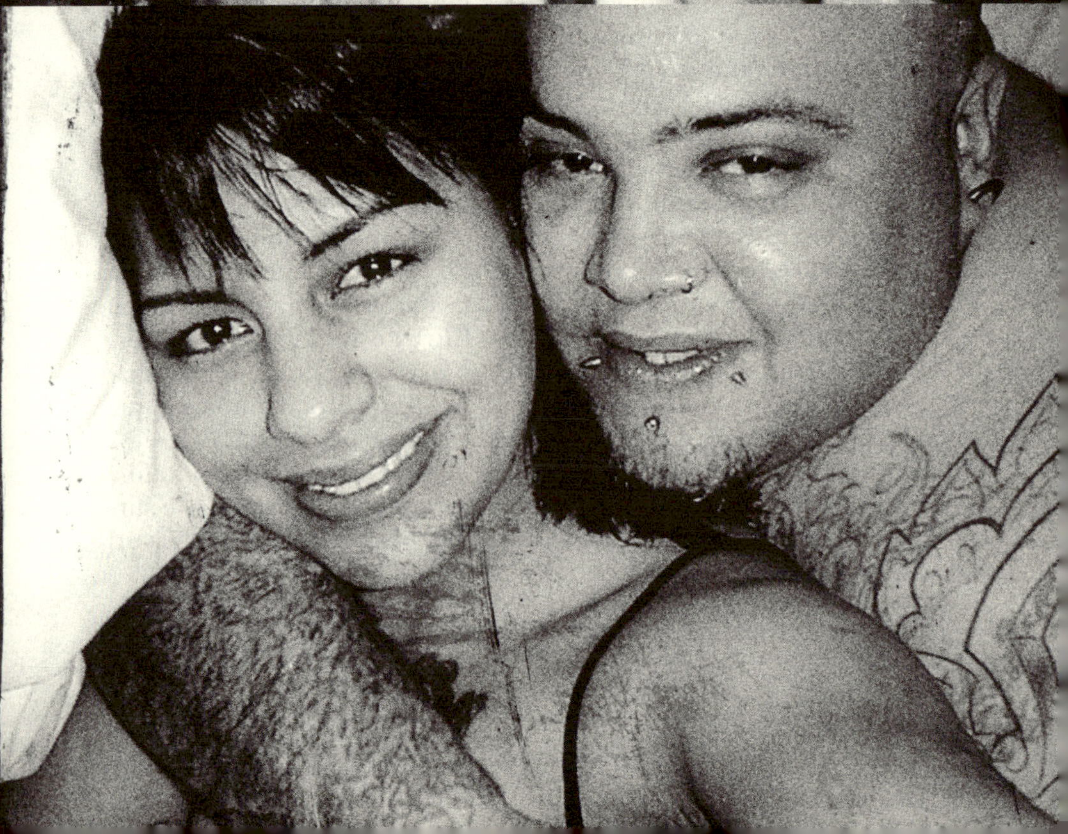

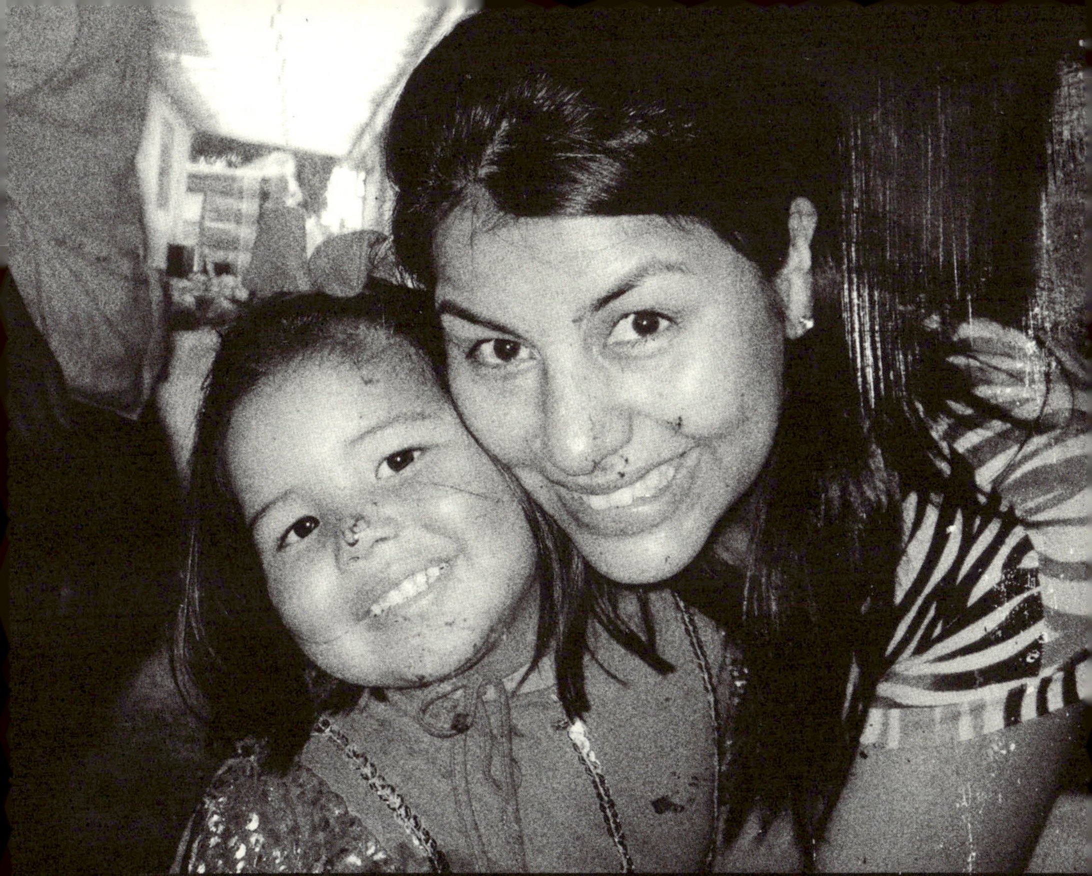

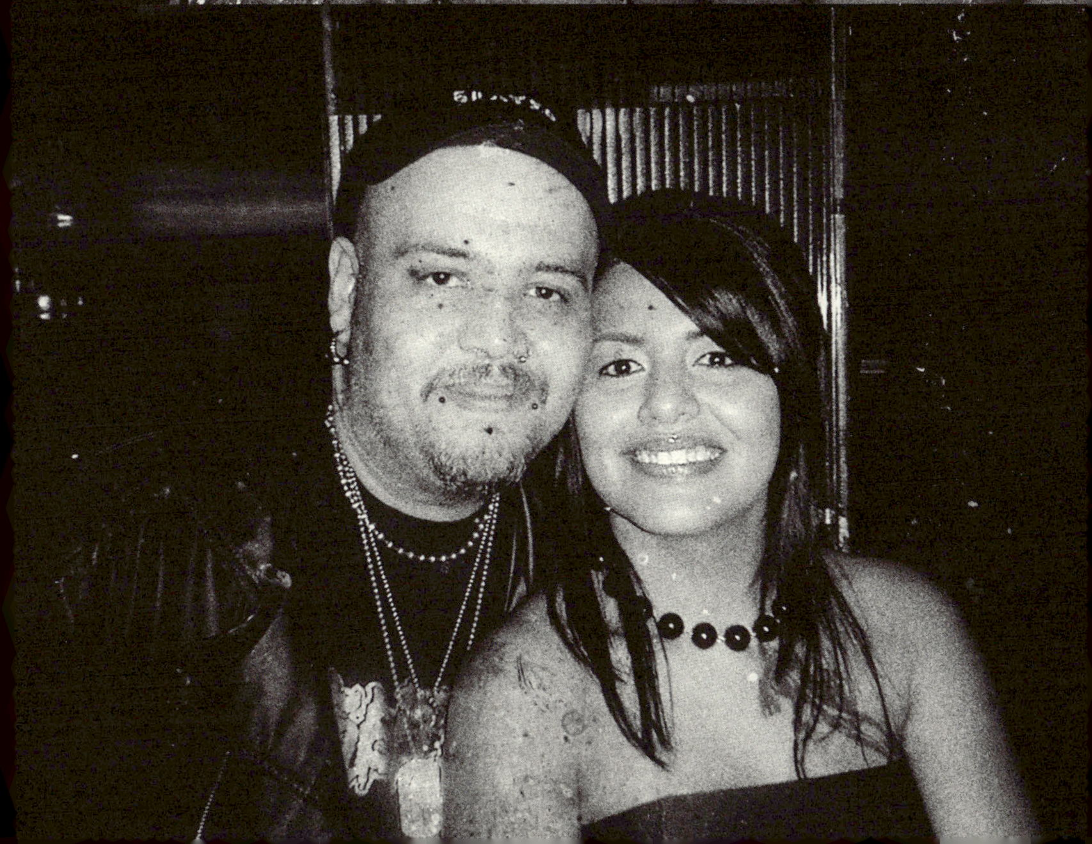

Sempre que eu entrava em depressão, ia passar uns dias no spa Sete Voltas. Aquilo me fazia um bem danado. Um dia, eu tava no spa e soube da morte do Gerson de Abreu, o comediante que fazia o *X-Tudo* na TV Cultura. A gente tinha nascido no mesmo ano — 1964 — e tinha o mesmo problema de excesso de peso. Aquilo mexeu demais comigo. Entrei numa depressão profunda. Eu tinha certeza de que ia morrer também. Eu tinha umas crises de choro, em que ficava gritando que ia morrer, que minha hora tava chegando. Foi ali que decidi fazer a cirurgia de redução de estômago. Operei em 2003, e a operação salvou a minha vida. Na época, eu tava com 190 quilos. E não foi o máximo. Na minha fase mais trash, cheguei a pesar 210.

> **VIVI:** Nossa vida estava começando a melhorar, a ficar mais estável, mas eu sentia o João sempre um pouco triste. E ele estava assim porque queria ter filhos, mas achava que ia morrer sem ter, achava a vida dele uma merda. Ter filhos era muito importante pra ele. Eu disse que também achava, mas que ele não poderia ter filhos naquele estado de saúde, com quase duzentos quilos e diabetes altíssima. Eu disse que os nossos filhos não podiam ter um pai de cadeira de rodas, diabético, que não tivesse saúde pra cuidar deles. Combinamos que ele faria a operação de redução de estômago e depois pensaríamos em ter filhos. Ele fez a cirurgia em 2003, e a vida dele deu um salto enorme de qualidade.

A operação aconteceu na Santa Casa. Depois, passei por um trabalho psicológico imenso, precisei me reeducar completamente. Quando eu morava na casa da Fabiana, meu quarto parecia um depósito de lixo, de tanta caixinha de suco, saco de biscoito, embalagem de comida chinesa e pizza que havia jogado por todo o canto. Eu comia sem parar. Eu tinha um barato de me sentir cheio, meio Jabba the Hutt. Aquilo me dava prazer. Mas, por outro lado, eu tava sempre com dor nas juntas e nos joelhos e enchia o meu corpo de gordura. Eu estava me matando.

Por anos eu tinha criado uma defesa psicológica pra lidar com as piadas de gordo. Porque o preconceito contra gordo no Brasil é uma realidade. Mas quem é gordo aprende a lidar com isso. Você zoa você mesmo antes que alguém te zoe. E eu tinha um mecanismo de autode-

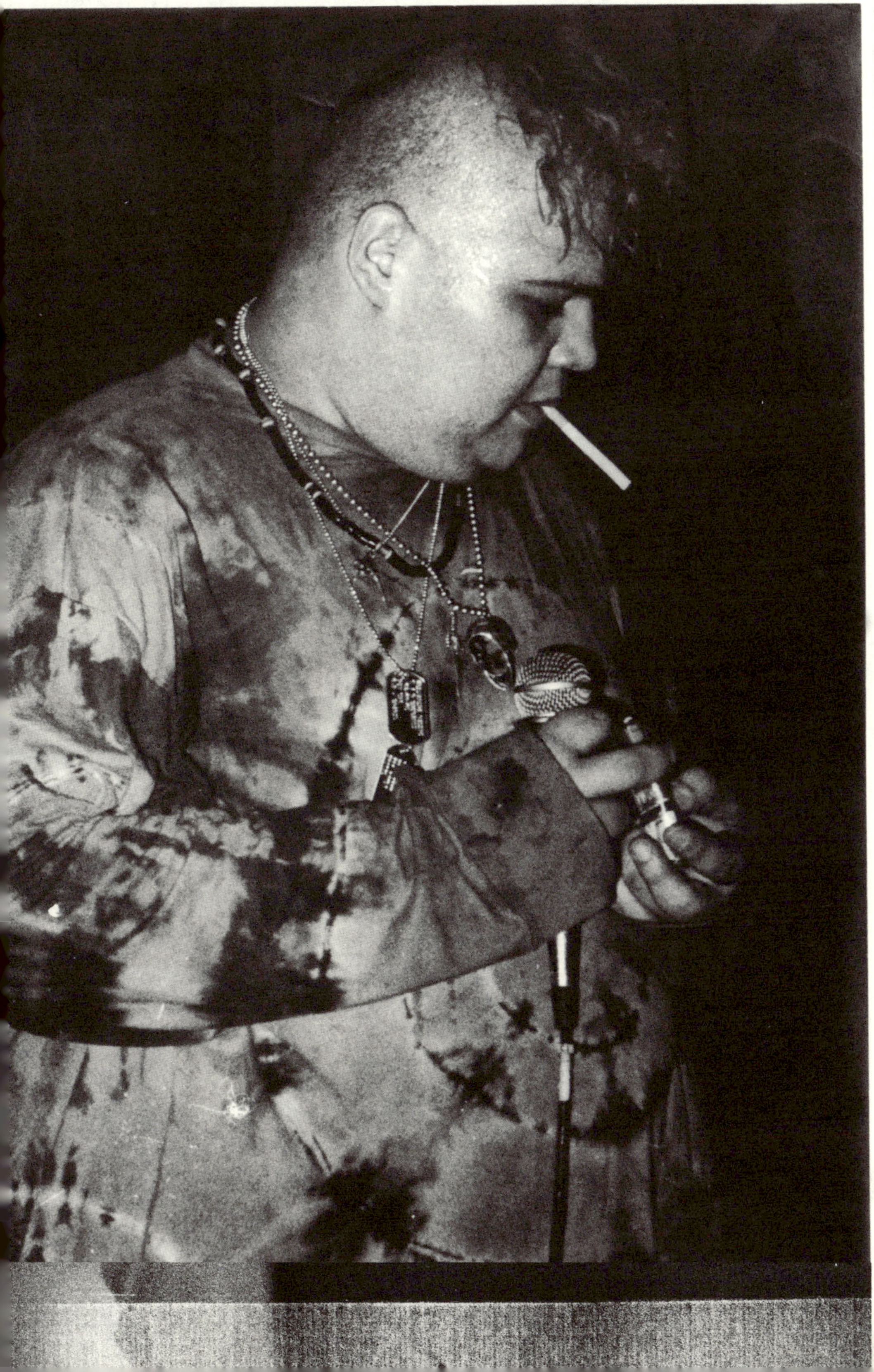

Dia do casório
em 2003

Eu e minha
sobrinha Rebeca

fesa muito aguçado. Eu mesmo fazia as piadas de gordo. Era uma forma de não deixar ninguém me atingir.

Logo depois da operação, entrei numa dieta foda e perdi mais de sessenta quilos. Cheguei a ficar com 120, foi o meu mínimo. E aconteceu uma coisa que eu nunca tinha sentido antes: comecei a pirar nas roupas, a comprar roupa e a gostar de me vestir melhor. Os tênis começaram a servir no meu pé, passei a me sentir bonito. Também comecei a recuperar o apetite sexual. Comecei a gostar de andar pela cidade, de passear. Percebi que eu vivi, por muito tempo, anestesiado.

Outra mudança radical na minha vida aconteceu quando virei vegetariano. Eu andava lendo bastante sobre o assunto e vendo filmes sobre maus-tratos contra animais. Um dia, na MTV, fizemos um programa em que umas gostosas lutavam numa piscina com várias línguas de boi e um monte de groselha. Era nojento o bagulho. Quando cheguei no set e vi aquela podreira, passei meia hora vomitando atrás do cenário. Nunca mais comi carne.

A Vivi e eu decidimos nos casar. Nosso casamento foi lindo. A cerimônia foi no Fórum de Pinheiros, e a festa, num restaurante a quilo. Gastamos seiscentos reais no almoço pra quinze pessoas, foi a festa de casamento mais simples possível. Meus pais estavam felizes da vida. O filho deles, aquele gordo retardado, tinha escapado da morte e agora era um homem casado.

Pra completar a nossa felicidade, só faltava uma coisa: filhos.

Em 2004, tivemos a Victoria e, no ano seguinte, o Pietro. E só quem tem filhos entende como isso muda a vida da gente. Muda tudo: de repente, você é um merda, o que você quer e o que você precisa não importam mais. Só importa o que seu filho quer e o que seu filho precisa. Muda o seu senso de responsabilidade, mudam as suas prioridades.

No dia do parto da Victoria, acompanhei tudo no quarto do hospital. Horas antes, botamos umas músicas do Metallica num boombox e encostamos na barriga da Vivi, pra Victoria ouvir. Quando ela saiu da barriga foi a maior choradeira. Eu caí em prantos, não consegui segurar.

Já depois do parto do Pietro, aconteceu uma coisa muito curiosa: eu comecei a rejeitá-lo. Nem eu percebia no início, mas a Vivi percebeu na hora. Eu ficava horas com a Victoria no colo, mas quase nunca com o Pietro. E aí descobri que eu ainda estava muito marcado pelo relacionamento péssimo que tive com o meu pai.

Pietro, 2005

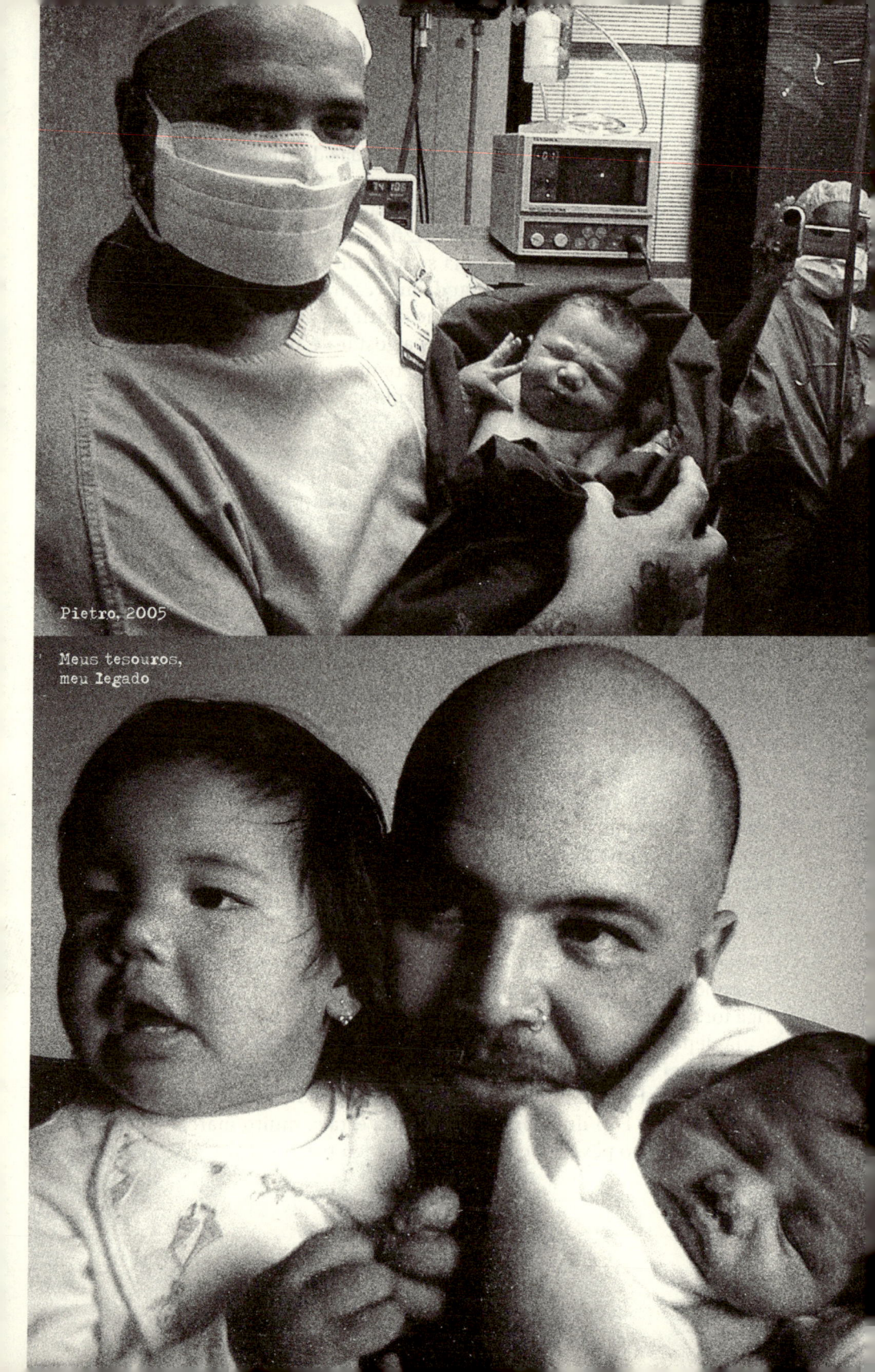

Meus tesouros,
meu legado

Eu e VICKY tirando uma soneca, 2006.

Eu e Pietro, Spa Sete Voltas, 2006.

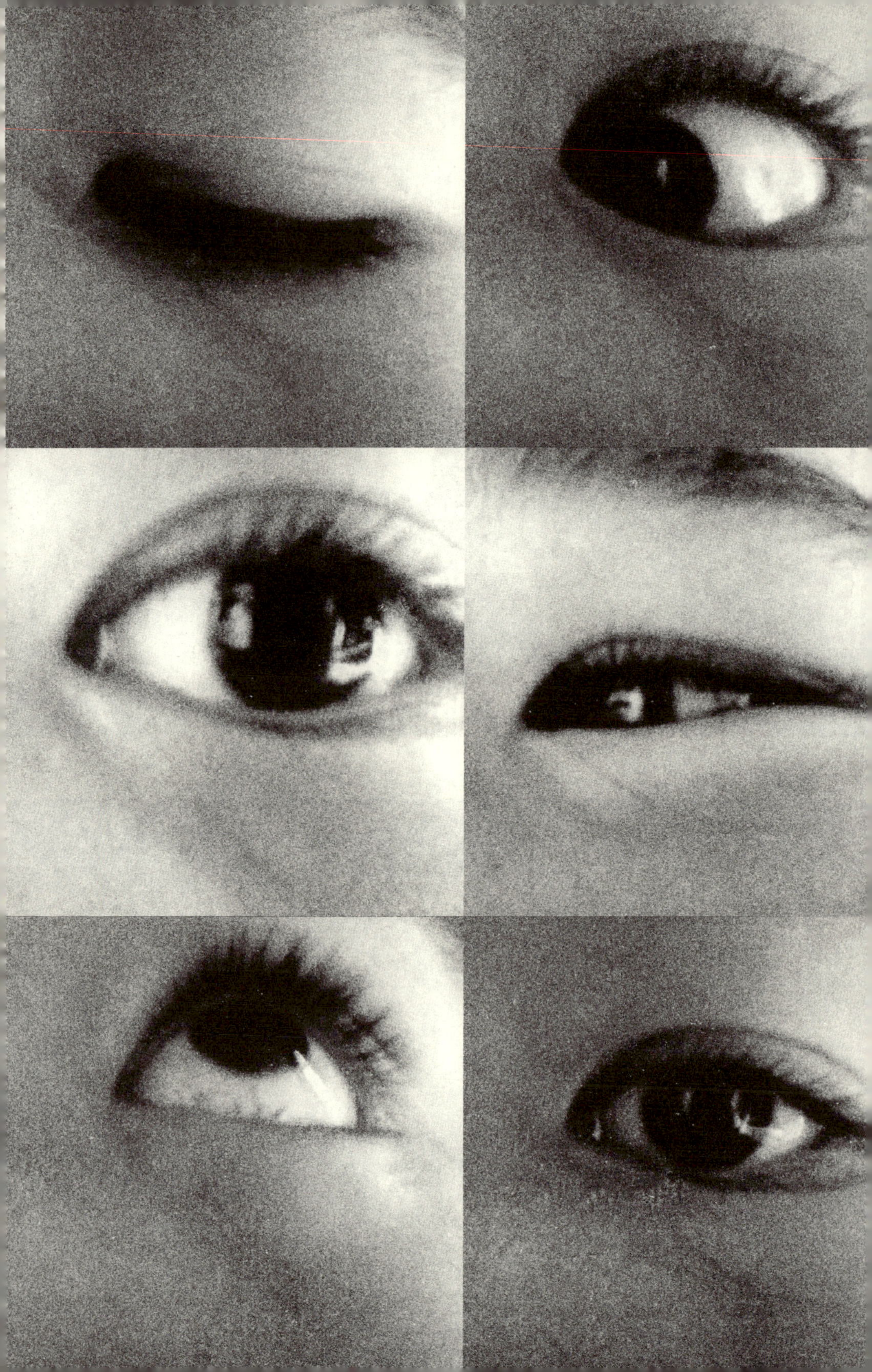

> **VIVI:** O João demorou quase um ano pra abraçar o Pietro de verdade. As questões do João com o pai, o Seu Milton, eram muito brabas. Quando ele me contava as histórias de surras e humilhações que havia passado na infância, eu achava horrível, não conseguia nem olhar direito pra cara do meu sogro. Que ser humano é capaz de bater numa criança? Bater no próprio filho? O João dizia: "Sabe que o meu pai, quando eu tinha cinco anos, me deu um soco na barriga que me deixou sem ar? Eu nunca vou ser capaz de fazer isso com os meus filhos".
> Demorou um bom tempo pro João superar a barreira psicológica e conseguir abraçar o Pietro. E era uma coisa incrível: o Pietro, ainda bebê, parecia que sentia essa barreira, porque esticava os bracinhos pro João, como se pedisse um carinho do pai.
> A situação com o Pietro só se resolveu mesmo quando eu dei um ultimato pro João. Peguei a Vic e o Pietro e levei os dois pra Patagônia, numa vila de trezentos habitantes, onde vivia o meu irmão. O lugar era tão isolado que nem celular pegava. Ficamos lá por duas semanas e, quando voltei, perguntei pro João se ele realmente queria uma família. Nossa ausência mexeu com ele, porque ele virou outra pessoa, acrou nele um apego imenso pela família. Hoje, ele é um grude total com o Pietro e com a Vic. Mas foi barra superar os traumas do Seu Milton.

Eu tinha medo do Pietro. Tinha medo de machucá-lo, tinha medo de fazer mal a ele. Mais uma vez, foi a terapia que me ajudou. Tive que aprender que eu não sou o meu pai e que o meu filho não é eu. Eu sou o João, não o sr. Milton Benedan. Eu não espanco meu filho, não bato nele, não sou um sargento opressor. Demorei um tempão pra entender essa questão, e foi só depois disso que consegui curtir os meus filhos de verdade, sem ficar com medo de machucá-los.

Outra coisa que melhorou muito foi a minha relação com o dinheiro. Eu nunca fui um cara ligado em dinheiro. Até conhecer a Vivi, eu gastava toda a minha grana em brinquedo. Teve uma época em que eu comprava um por dia. Ela chegou a fazer uma planilha, mostrando quanto eu gastava em besteira. "João, esse brinquedo custa o mesmo que um vaso sanitário pra nossa casa!" Depois que tivemos a Victoria e o Pietro, a gente botou na cabeça que precisava poupar, guardar gra-

Lindo papai e linda
menina da Silva Sauro

We are DEVO
desde sempre....

na pra eles poderem ter uma vida legal. E foi o que fizemos: economizamos muito e conseguimos construir uma bela casa na Vila Madalena, que é o nosso tesouro, é o que a gente vai deixar pros filhos depois de morrer. A gente tem uma vida simples. Não compramos joia, não temos carrão, não gastamos com quase nada. A família toda usa camiseta de rock e tênis. Eu só uso cueca do Brás e camiseta de banda.

Essa vontade de deixar algo pros filhos foi uma das principais razões que me levaram a deixar a MTV e, no final de 2009, ir pra Record.

Eu tinha feito um trabalho pra Record no fim dos anos 1990, quando a emissora fez um rodízio de apresentadores da *Escolinha do Barulho* e me chamou pra participar. Eles não pagavam nada, mas eu topei só pra poder ter a chance de trabalhar com aquela turma de comediantes clássicos da TV brasileira. Fiquei louco por conhecer e trabalhar com o Rony Cócegas, o Zé Bonitinho, o Bertoldo Brecha, o Paulo Silvino, o Zé Vasconcellos... Fui mijar no banheiro e o Zé Vasconcellos tava do meu lado: "Porra, Seu Vasconcellos, que honra mijar ao seu lado!".

Na MTV, minha situação tava muito ruim. Eu fiquei lá praticamente com o mesmo salário por oito anos. Enquanto eu não reclamava, eles me trataram superbem, mas, assim que entrei pra agência Colucci e botei minha agente pra renegociar os meus contratos, a MTV começou a ser escrota comigo. Viviam falando mal de mim, dizendo que eu precisava "me reinventar", que a minha imagem não trazia um centavo de patrocínio pra emissora. Eu dava três vezes mais audiência que a Cicarelli e ganhava três vezes menos. Eu e o pessoal do *Hermes e Renato* éramos os menos valorizados ali. Todo programa escroto que eu fazia dava certo, mas não durava mais que uma temporada.

O último programa que fiz na MTV foi o *Gordoshop*. Nessa época, o Marcelo Adnet mandava e desmandava na emissora. Eu não tenho nada contra o cara, acho ele talentoso, mas a verdade é que ele foi o túmulo da MTV, o símbolo da decadência da emissora. A MTV começou a mudar e passou a tratar os artistas muito mal. Além disso, tinha uma chefe que começou a puxar o meu tapete lá, chegou até a gritar comigo. Eu mandei ela tomar no cu, disse que não era filho dela nem estagiário, vai gritar com a puta que te pariu. Na época, o Adnet tava tomando conta. A MTV só queria saber dele e cagou pro resto. Um dia, um amigo, o diretor Geninho Simonetti, disse que ia sair da MTV. Eu fiquei triste porque gostava demais do Geninho. Alguns dias depois, ele me liga, diz que falou com o Marcos Mion e perguntou o que eu achava de ir pra Record trabalhar com eles no *Legendá-*

rios. Eu não acreditei: "Eu, na Record, véio? Tá maluco? Eu odeio essa crentaiada, fiz até música falando mal deles ("Igreja Universal"), não vou nem fodendo".

Mas o Geninho me convenceu a encontrar o Mion. Fui falar com o Mion, um playboyzaço, e ele me convenceu que o programa ia ser do cacete, melhor que o CQC, melhor que o *Pânico*. "Gordo, vamos ter carta branca, uma produção foda, um time de roteiristas, vai ser demais." O salário era o dobro do que eu ganhava na MTV. Pensei: quer saber de uma coisa? Foda-se a MTV, foda-se a minha chefe. Eu vou e pronto!

Assinei com a Record. Dias depois, a MTV me chamou pra renovar. Mandei minha agente avisar que não ia mais e que tinha um contrato com outra emissora. Segundo um amigo que estava na MTV quando a notícia chegou, parecia que tinha caído um piano por lá.

A reação à minha ida pra Record foi a pior possível. Eu tinha uma conta de Twitter com 25 mil seguidores e neguinho me xingou tanto que eu deletei a conta na hora. Diziam que eu tinha virado crente, que eu tinha me vendido pros pastores. Fodam-se.

No *Legendários* me colocaram pra fazer matéria na rua, mas logo ficou claro que eu não funcionava ali. O meu público não via a Record e o público da Record achava que eu só sabia falar palavrão. Aprendi que TV aberta era outra coisa, e eu não sabia fazer aquilo. Tudo que o Mion tinha bolado, tudo que ele disse que ia fazer, um programa inteligente, esperto, cheio de reportagens, caiu por terra.

O que você acha que o público da TV aberta quer num sábado à noite? Se for homem, quer ver bunda; se for mulher, quer ver uns fortões de peitoral depilado. O povão gosta de ouvir sertanejo, pagode e funk, ninguém liga a TV sábado à noite pra pensar. Aliás, se botar o cara pra pensar um pouco, ele muda de canal na hora.

No começo eu ficava frustrado porque minhas matérias não estavam saindo legais. Me colocaram ao vivo na internet, sem produção nenhuma, totalmente *freestyle*, e eu comecei a falar umas bostas. Uma noite, soltei: "Porra, tô sem roteiro, sem porra nenhuma, querem que eu fale o quê? Pergunta aí pra esse bispo do caralho!". Pegou mal demais, e me colocaram na geladeira. Algumas semanas depois, trocaram o diretor do programa, botaram um cara especializado em "noiabizar" qualquer coisa. Esse cara era mestre em tornar qualquer programa o mais popular possível. Ele só manjava de close de bunda e colocar os piores artistas pra cantar. O negócio dele era funk, sertanejo, forró, pagode e balé com bunda. Eu tava frustrado, e já chegava pra trabalhar com uma puta cara de serial killer.

O prazer imensurável em mijar junto com o Zé Vasconcelos, Escolinha do Barulho, Record, 1997.

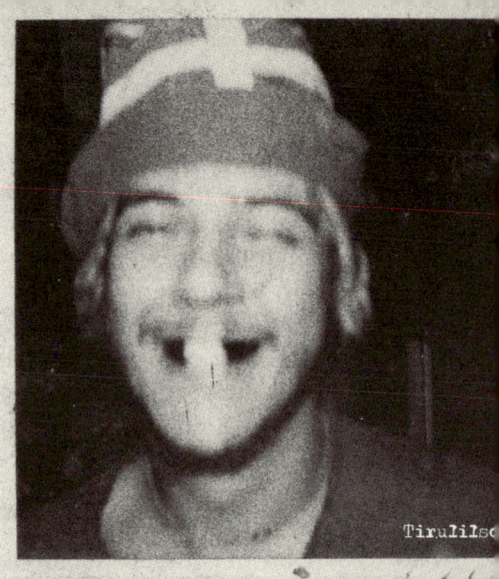

Tirulilso

Com Paulo Silvino como seu Buneca: Dá uma pegadinha aqui... , Escolinha do Barulho, Record, 1998

com Orival Pessine como Patropi... Escolinha do Barulho.. 1998

Qause chorei com Zé Bonitinho, 1998

JG e Roni Cócegas como Galeão Cumbica, 1998

apresenta

João Gordo, meu filho, um beijo paternal

É MENTIRA CHICO?

2ª edição 2007

Meu emocionante encontro com o Chico, meu ídolo... um gênio!

Um dia, a ficha caiu. Pensei: tô ganhando bem, não trabalho quase nada, tô juntando uma grana pra construir nossa casa e ajudar meus filhos... então, tô reclamando do quê? Eu ganhava salário de executivo do McDonald's, de chefe da Volkswagen, salário de desembargador, de alguém que estudou a vida toda pra ganhar aquela grana, mas eu era um sortudo filho da puta que só sabia beber, fumar maconha e cheirar pó. Decidi que, daquele dia em diante, ia me divertir e não levar as coisas tão a sério. Foi o que eu fiz.

Pensei assim: não vou me estressar, vou fazer o que me pedirem, liguei o foda-se e fiquei dois anos dando risada e jogando amendoim na bunda das dançarinas. O Mion teve a ideia de me botar pra cantar com os bregas, e eu cantei com o Luan Santana, o Zezé Di Camargo e o Thiaguinho, dancei "Na Boquinha da Garrafa" com a Claudia Leitte e fiz dueto com a Ivete Sangalo. Pus na cabeça que eu tava lá pela minha família, então era melhor aproveitar. E quer saber? Foi divertido pra caralho.

De todas essas experiências, a mais surreal foi cantar "Galopeira" com o Luan Santana num rodeio em Limeira. Eu fui e conheci o moleque, ele é gente fina, me tratou superbem. Fui com o Luan pro hotel e parecia que os Beatles tinham chegado: ele abriu a janela da van e as minas jogaram umas dez máquinas fotográficas dentro do carro. Ele recebeu todo mundo no camarim: a Miss Uva, depois um monte de deficientes, tirou foto com todo mundo, o cara é profissa. Mas eu tava nervoso, não ia conseguir cantar careta de jeito nenhum. Perguntei pro Luan se não tinha um goró. Ele me deu um litro de uísque e eu tomei tudo. Na hora de entrar no palco, eu tava bêbado que nem uma vaca. Quando entrei no bagulho, parecia o palco do Pink Floyd: o baterista lá longe, o baixista do outro lado, o coral em cima de uma escada, longe pra caralho, e eu bêbado, sem entender nada. Pra piorar, me botaram um fone de ouvido de retorno, mas eu não sei usar aquilo e cantei tudo errado, fora do tempo. Ficou uma merda. Só bêbado pra fazer uma coisa daquelas. Mas ainda acho que é melhor que acordar às cinco da manhã e ir trabalhar numa fábrica.

Desse pessoal todo que é astro pop no Brasil, apesar da música horrível que eles tocam, 97% é gente fina. São todos profissionais. A Ivete é maravilhosa, a Claudia Leitte é linda, o Thiaguinho é classe A, o Zezé Di Camargo e o Luciano são demais, o Luan Santana é o maior moleque bonzinho. Na minha vida, devo ter entrevistado uns dois mil artistas, de famosões a desconhecidos, fui na casa de muita gente legal, e são muito poucos os que são uns babacas e me trataram mal. A maioria é legal. A única lacuna que tenho foi não ter conhecido o Tim Maia e o Raul Seixas.

Também preciso dizer que fui muito bem-tratado na Record, apesar da geladeira. Eu tinha muito preconceito contra os evangélicos, mas conheci algumas pessoas legais, elas gostavam de mim, fiquei na boa. Ninguém me enchia o saco ou reclamava do meu jeito. Sempre fui trabalhar de bermuda, tênis e camisa de capeta, e na Record me tornei mais satânico que nunca. Só usava camisa do Venom, do Immortal e do Marduk, virei o maior black metal; pentagrama e cruz de cabeça pra baixo eram mato. Mas nunca reclamaram ou pediram que eu mudasse.

Como eu disse, o Ratos tem uma música chamada "Igreja Universal", que sacaneia o Edir Macedo, e alguns fãs me encheram o saco, mas a minha opinião continua sendo a mesma da letra. No início, eu sofri muito com isso, mas depois desencanei. A gente tá no Brasil, um país de ladrão, e conseguir ganhar dinheiro sem roubar, traficar ou prejudicar ninguém é uma arte. Eu já estava estigmatizado mesmo, nego já me xingava de qualquer maneira, então parei de me importar. Voto de pobreza quem faz é padre. A verdade é que eu comecei a crescer na MTV porque eu aparecia como eu sou, não porque comecei a usar gravata ou mudei o meu jeito. Eu sou escroto mesmo, falo desse jeito escroto, não sei o nome de ninguém. Até hoje eu sou assim.

O Ratos não deixou de tocar "Igreja Universal" nos shows, até porque eu achava que a música era atual e um puta clássico do metal nacional. E quanto aos manés que ficavam me xingando, eu dizia que era muito fácil ser anticapitalista enquanto mamãe tá sustentando. E o que mais vejo por aí é anticapitalista de iPhone na mão e morando com a mãezinha...

Fiquei três anos na Record. Eu não tinha mais o que fazer ali e me dispensaram. Ainda me colocaram por um tempo como jurado no *Ídolos Kids*, com duas pessoas que eu adorava, a Kelly Key e o Afonso, do grupo Polegar. Mas quando meu contrato terminou, nem eu e nem a Record quisemos renovar. Eu já tinha construído nossa casa, tinha conseguido fazer um pé-de-meia legal e queria sair. Ali não era o meu lugar, eu não me sentia feliz. E estar ali, compactuando com aquele povo, era a maior queimação de filme. Eu, como sócio do capeta, já tava apelando no meu satanismo provocativo. Na real, eu sou um cara do bem, não faço mal a nenhuma pessoa e, no meu modo de pensar, a minha índole já está conectada a algo espiritualmente positivo.

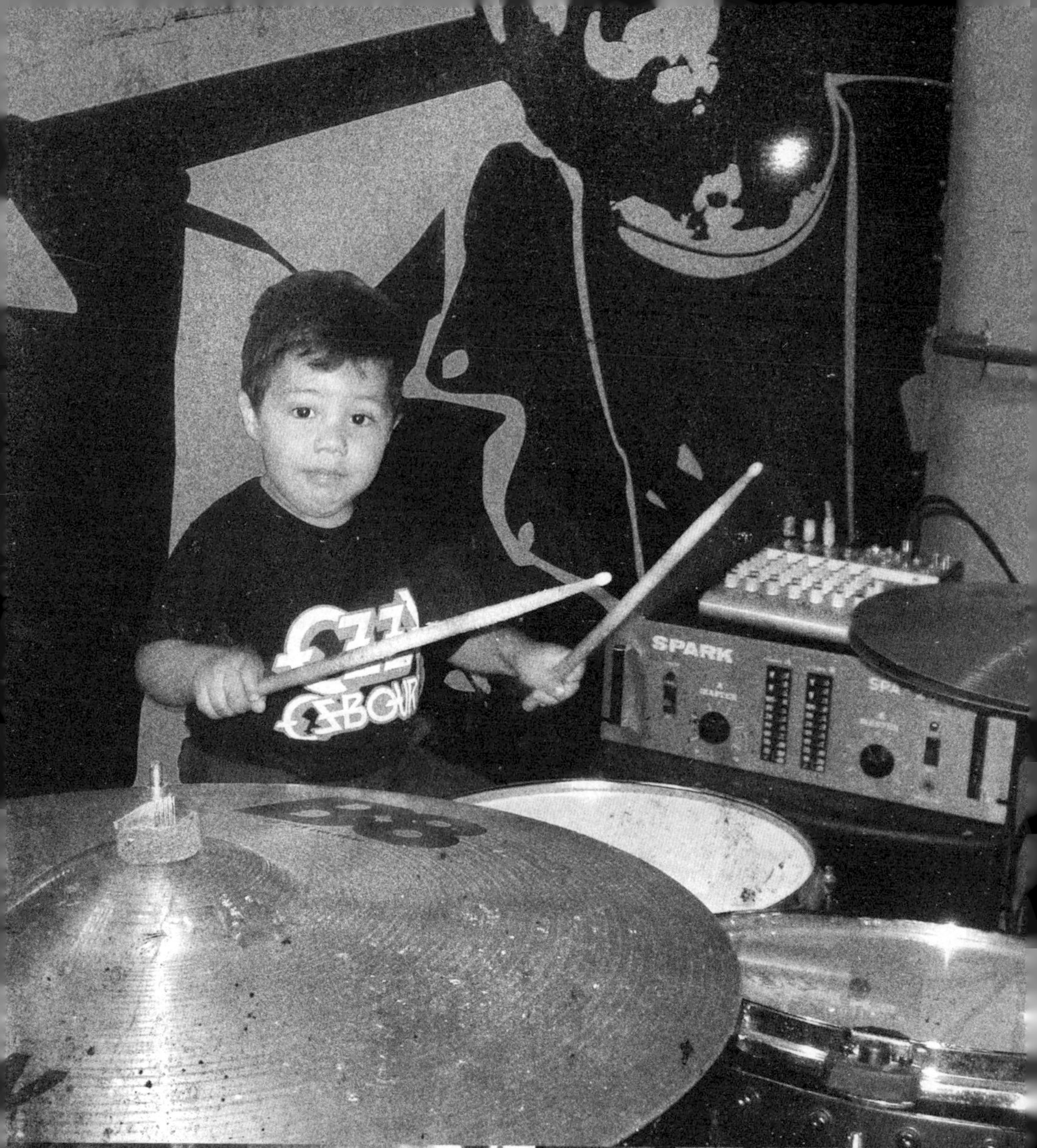
SPARK

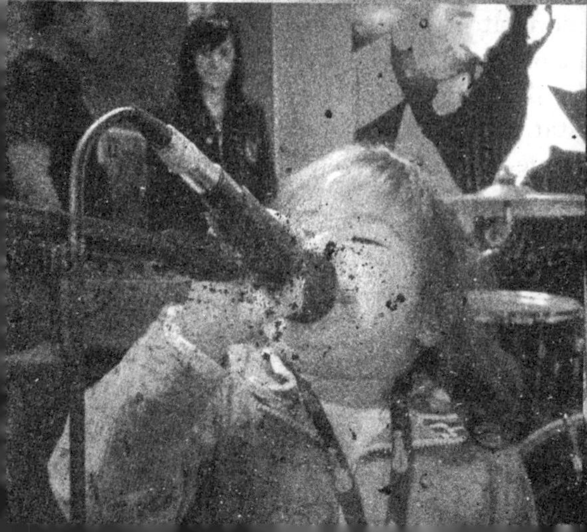

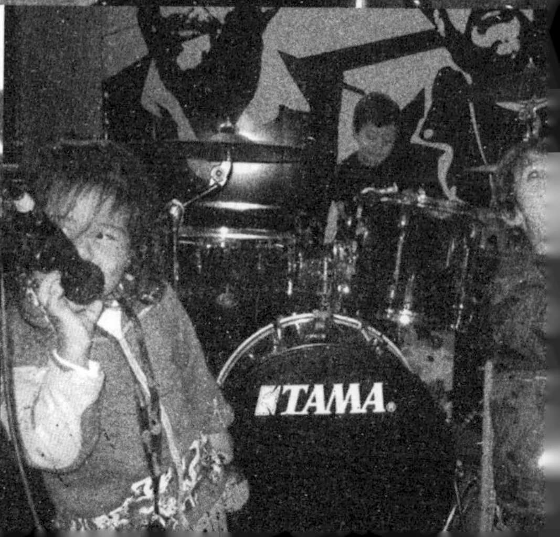
TAMA

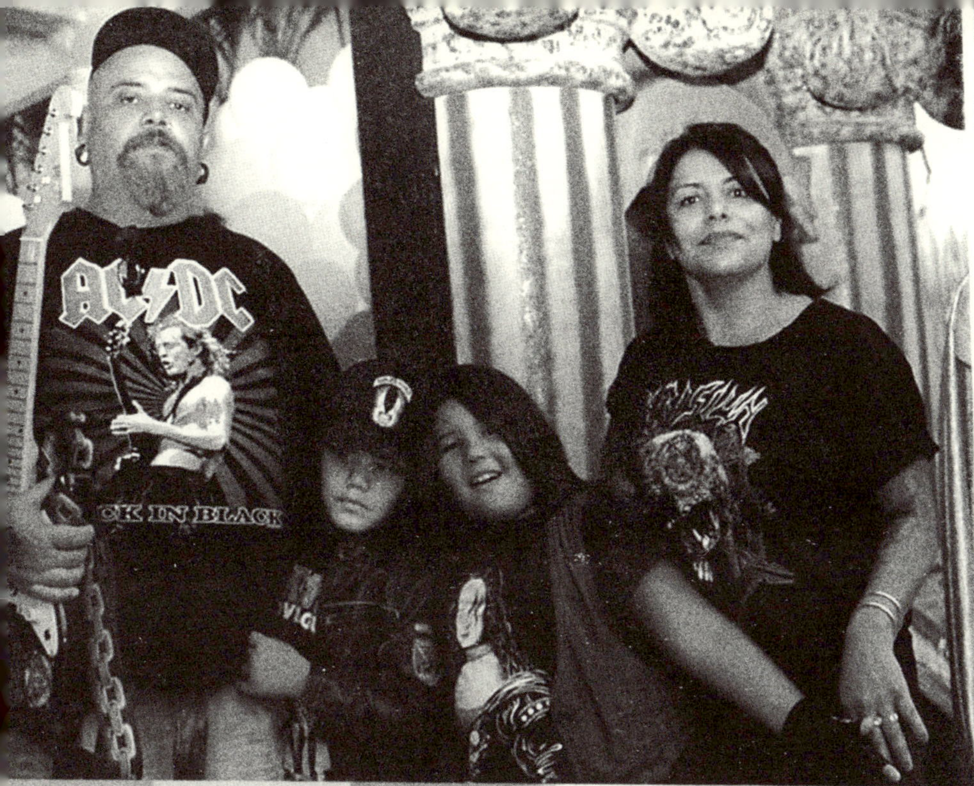
AC/DC

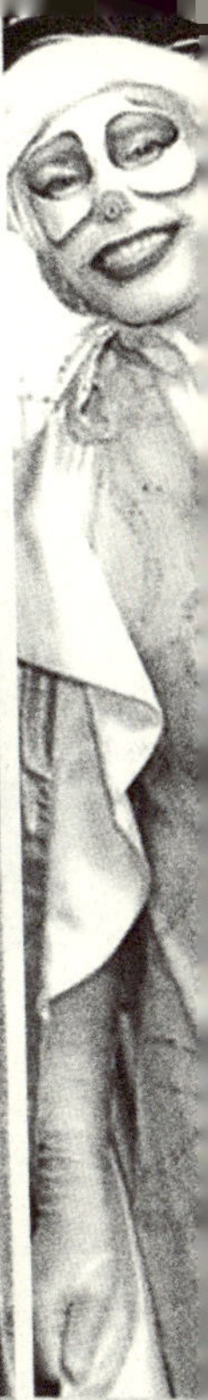

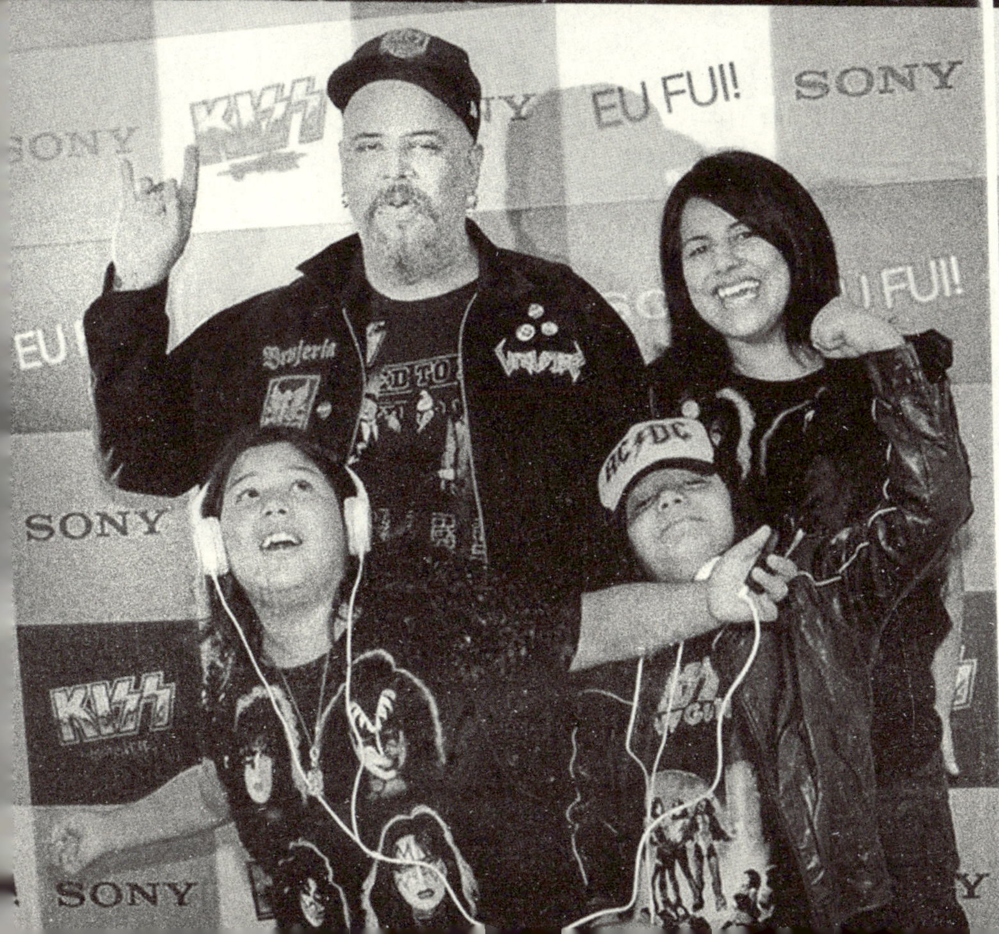
SONY
EU FUI!
AC/DC

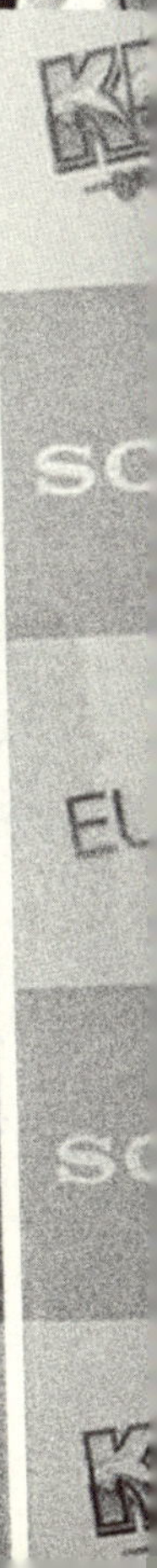

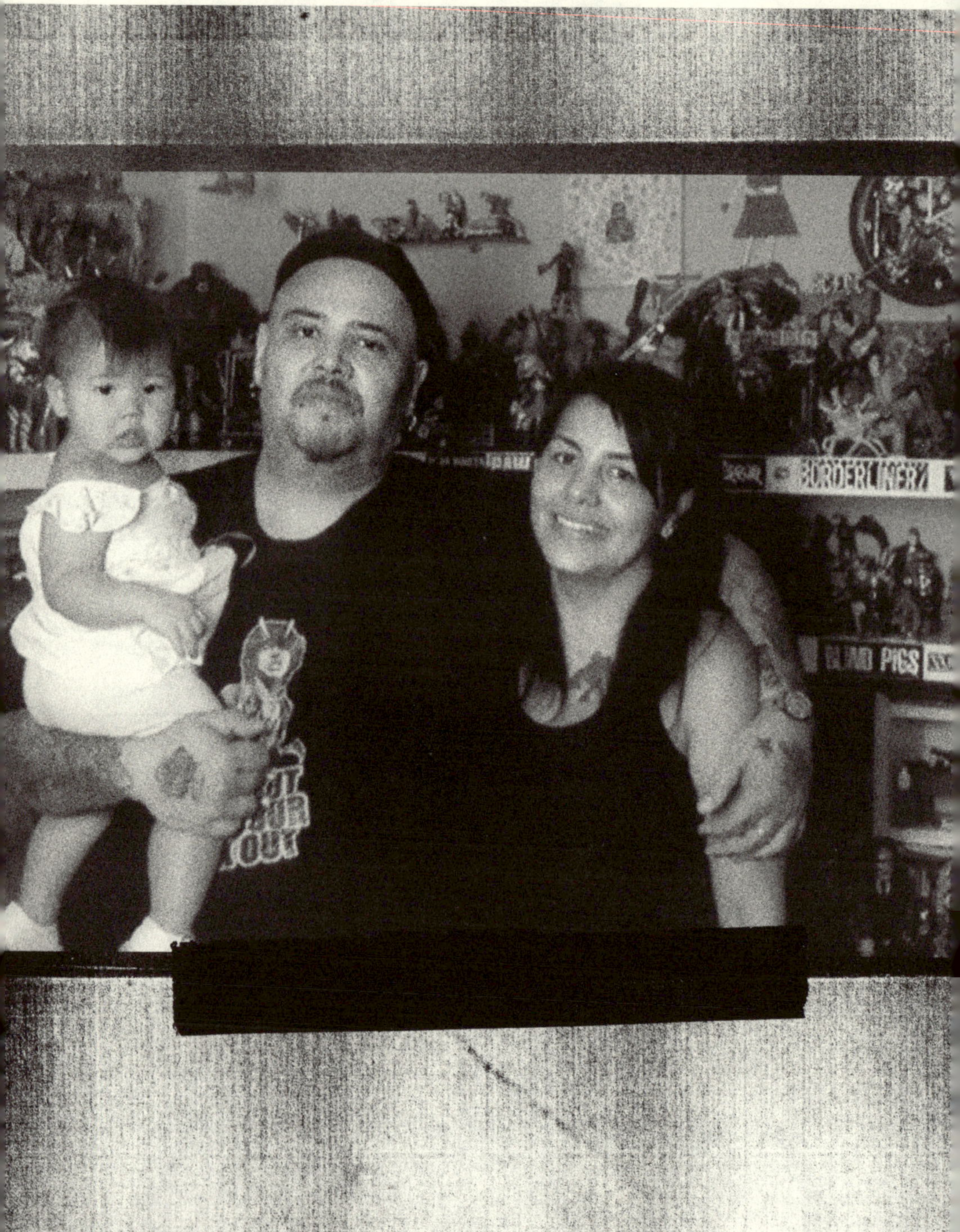
BORDERLINERZ
BLIND PIGS

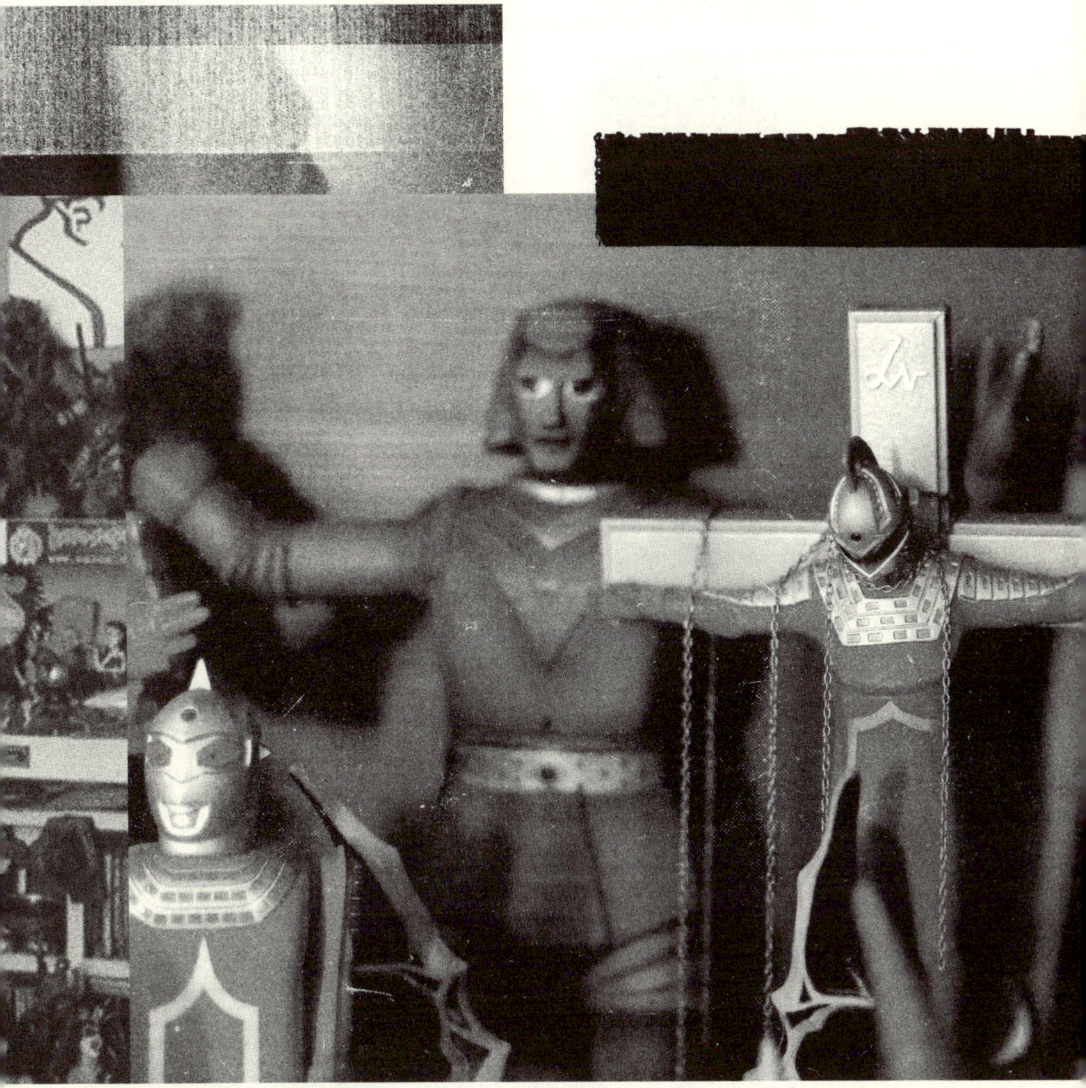

© RACHEL GUEDES

© RACHEL GUEDES

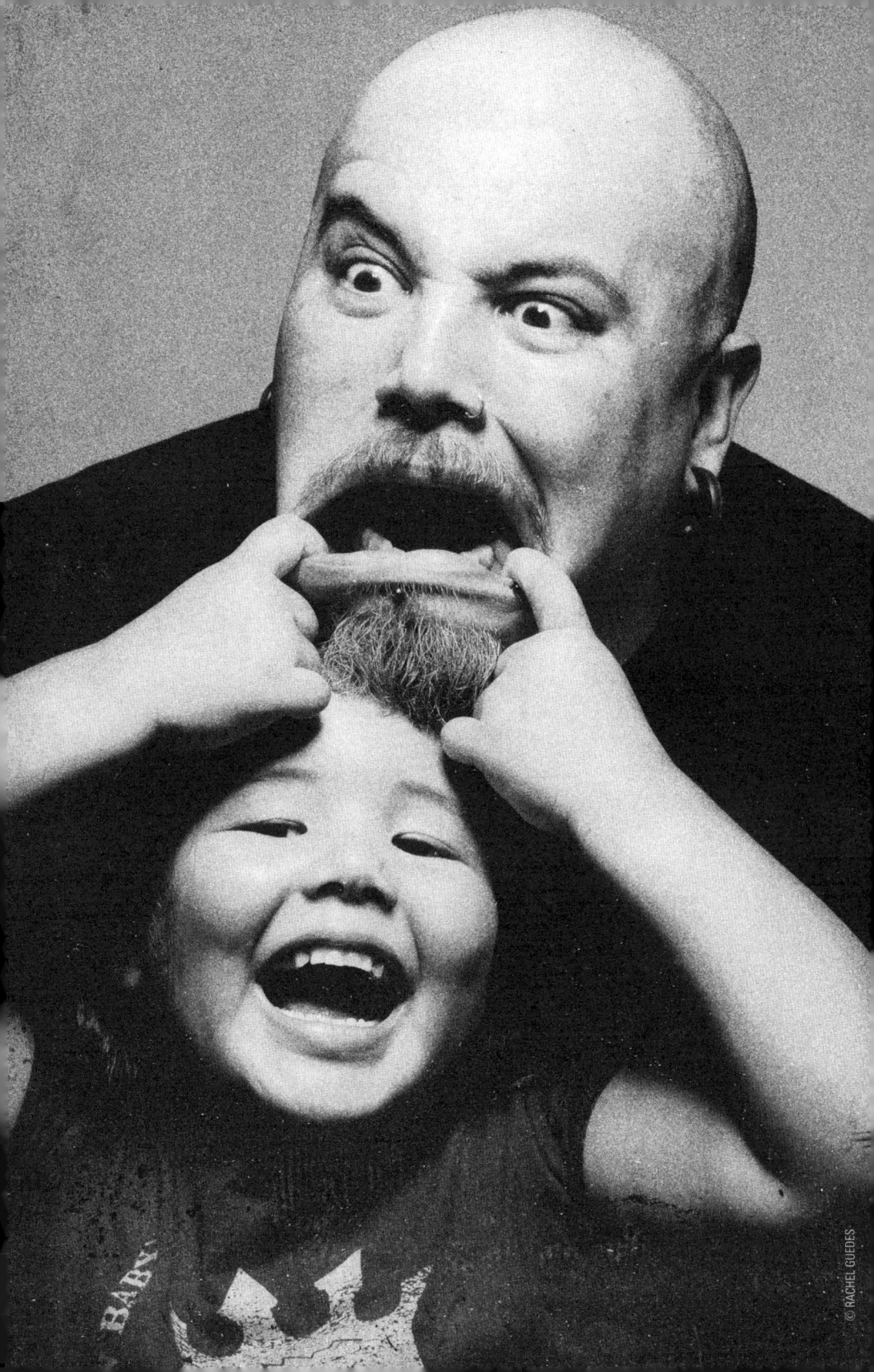

ADRIANE GALISTEU
APRESENTADORA

ARTHUR VERÍSSIMO
JORNALISTA

CAZÉ
APRESENTADOR

MARINHO "OTRA VIDA"
BARBEARIA CAVALERA / BAIXISTA
FUNDÃO
Zé Antonio
-Pin Ups-
RAPPER
Sandra
-Baixista Mercenárias-
Luka Salomão
Locutora
FERRÉZ
ESCRITOR
GO VEGAN
PANELAÇO
com João Gordo
GO VEGAN!

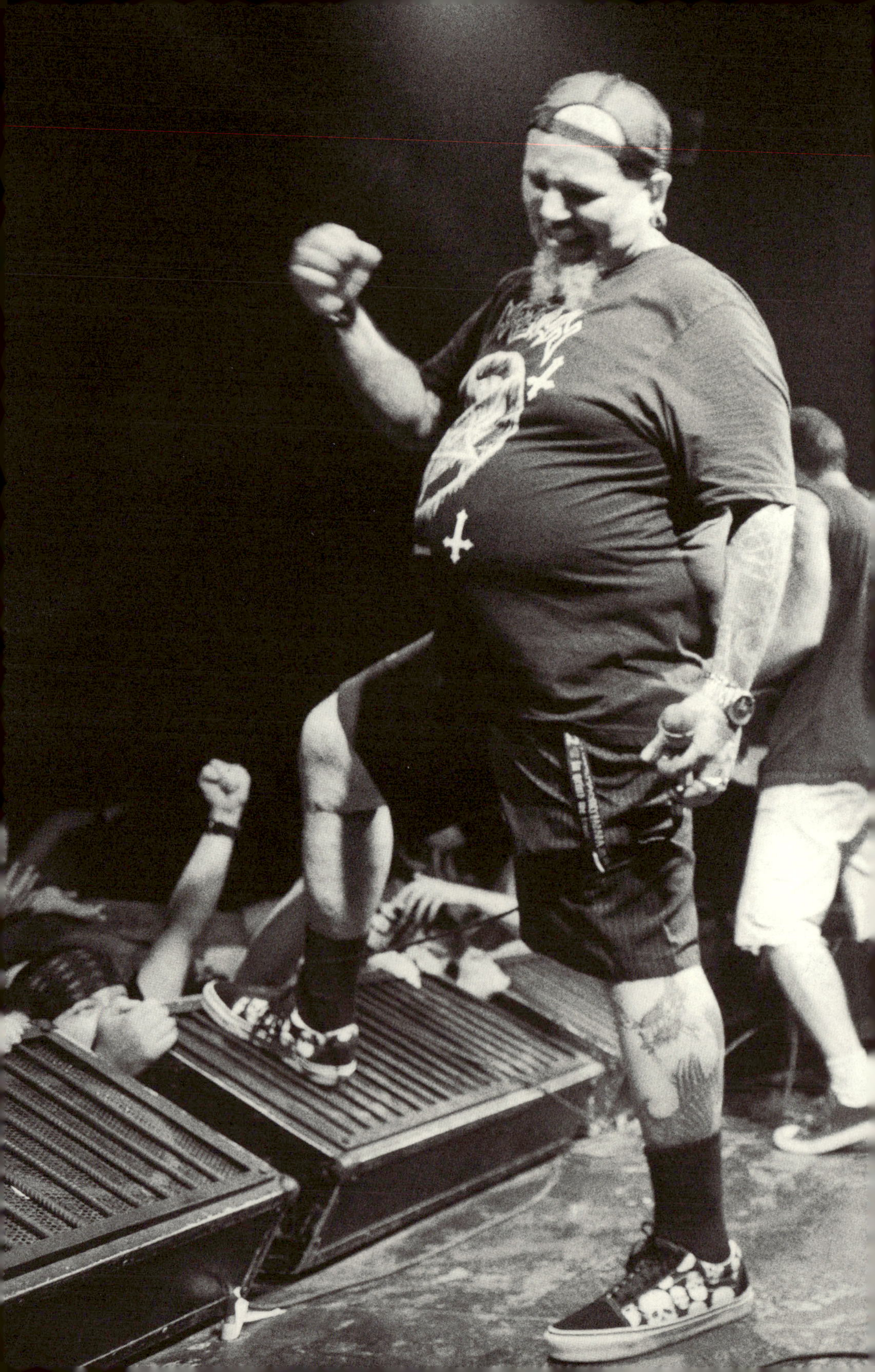

© MATHEUS MONDINI

Ian Mackaye - Dischord
House 2013 Washinton DC

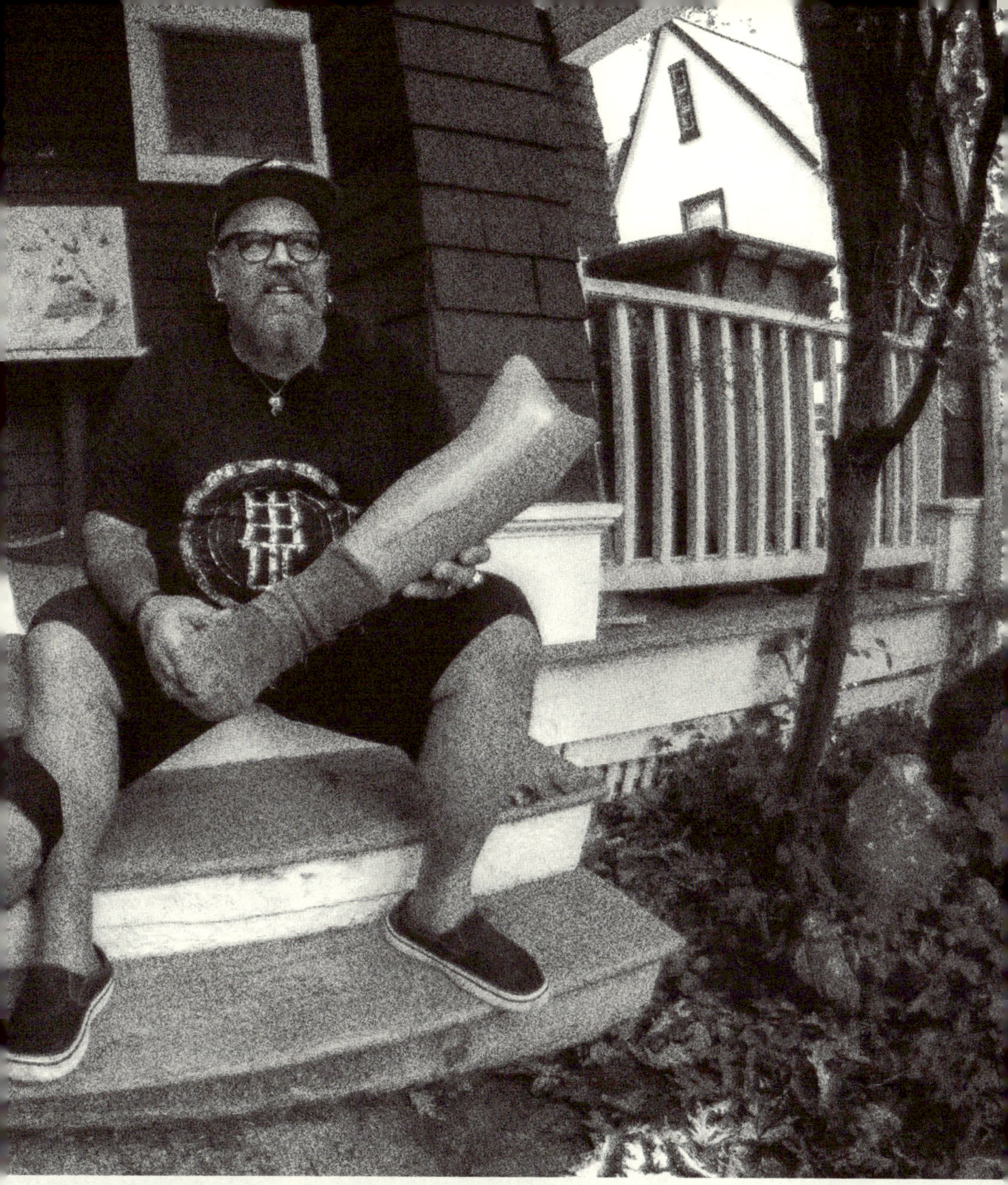

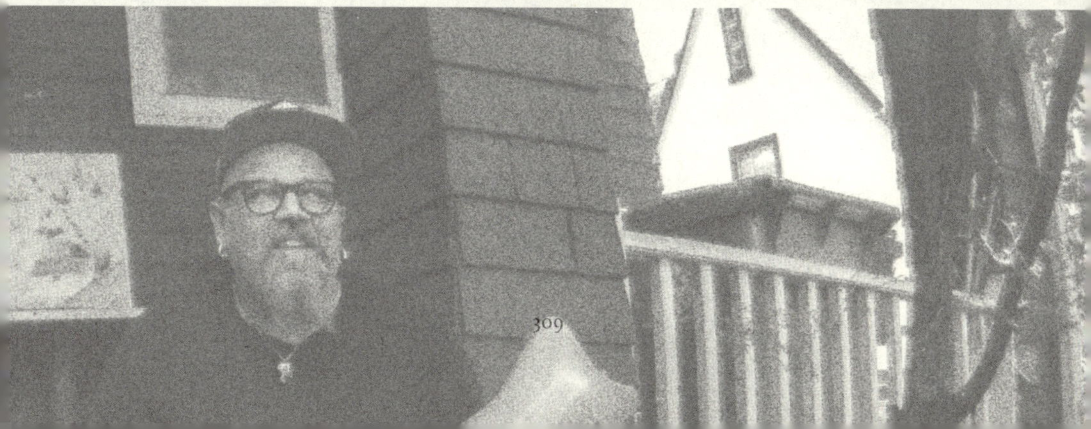

© MATHEUS MONDINI

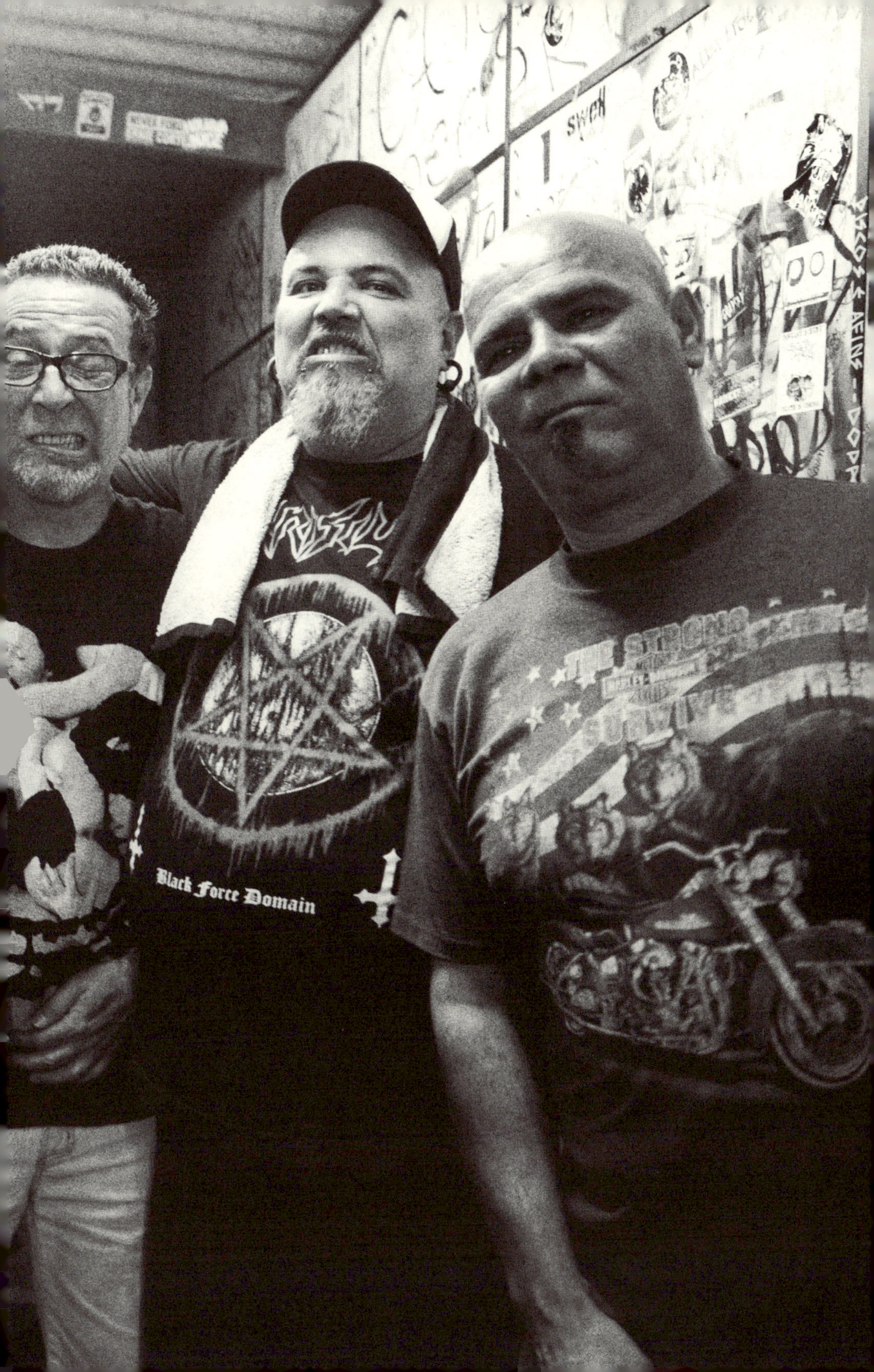
THE STRONG
Black Force Domain

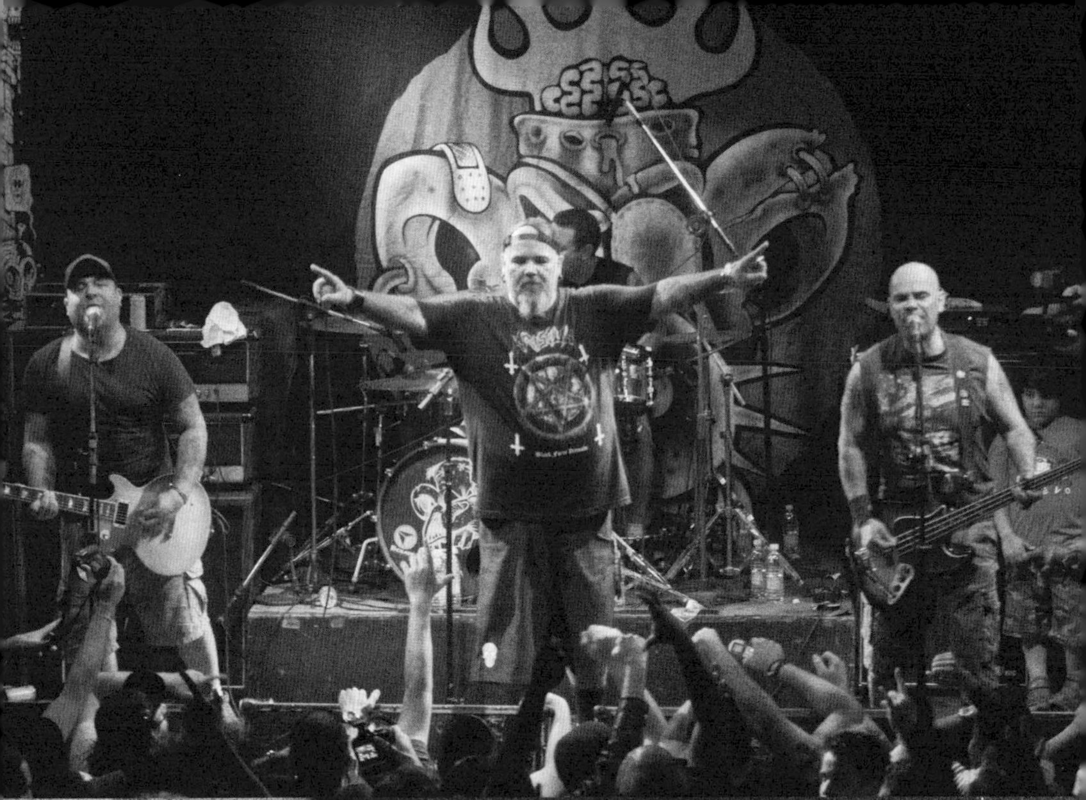

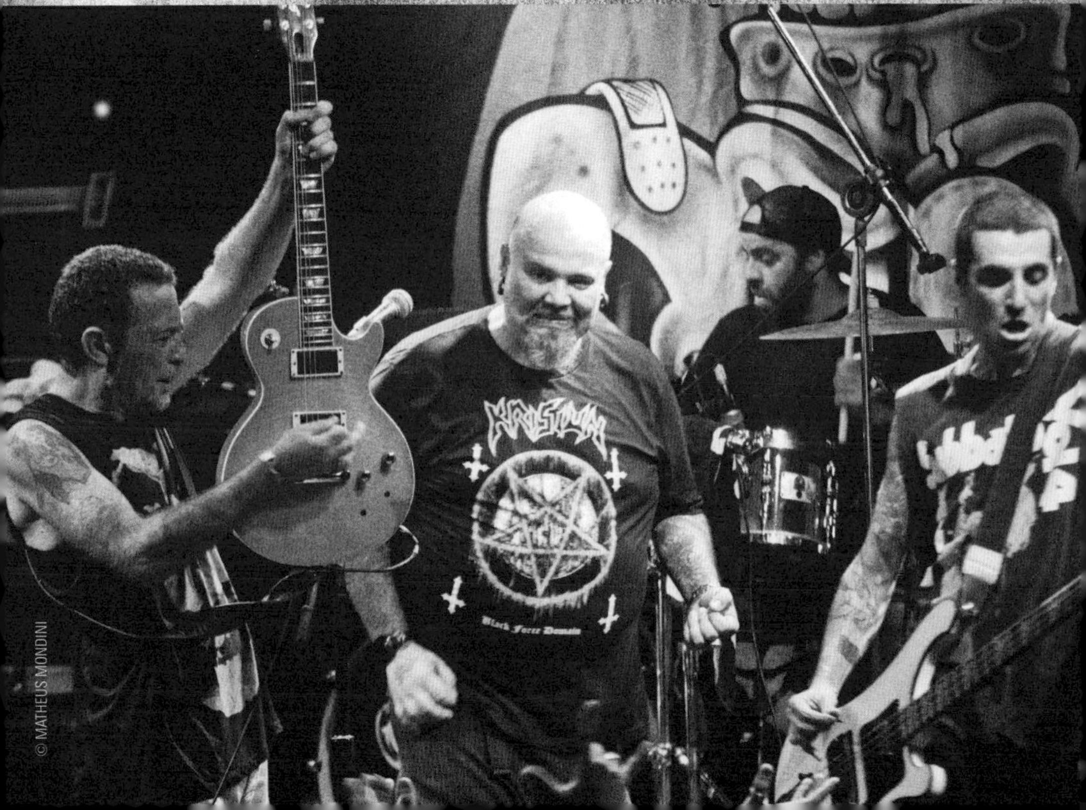
Black Force Domain

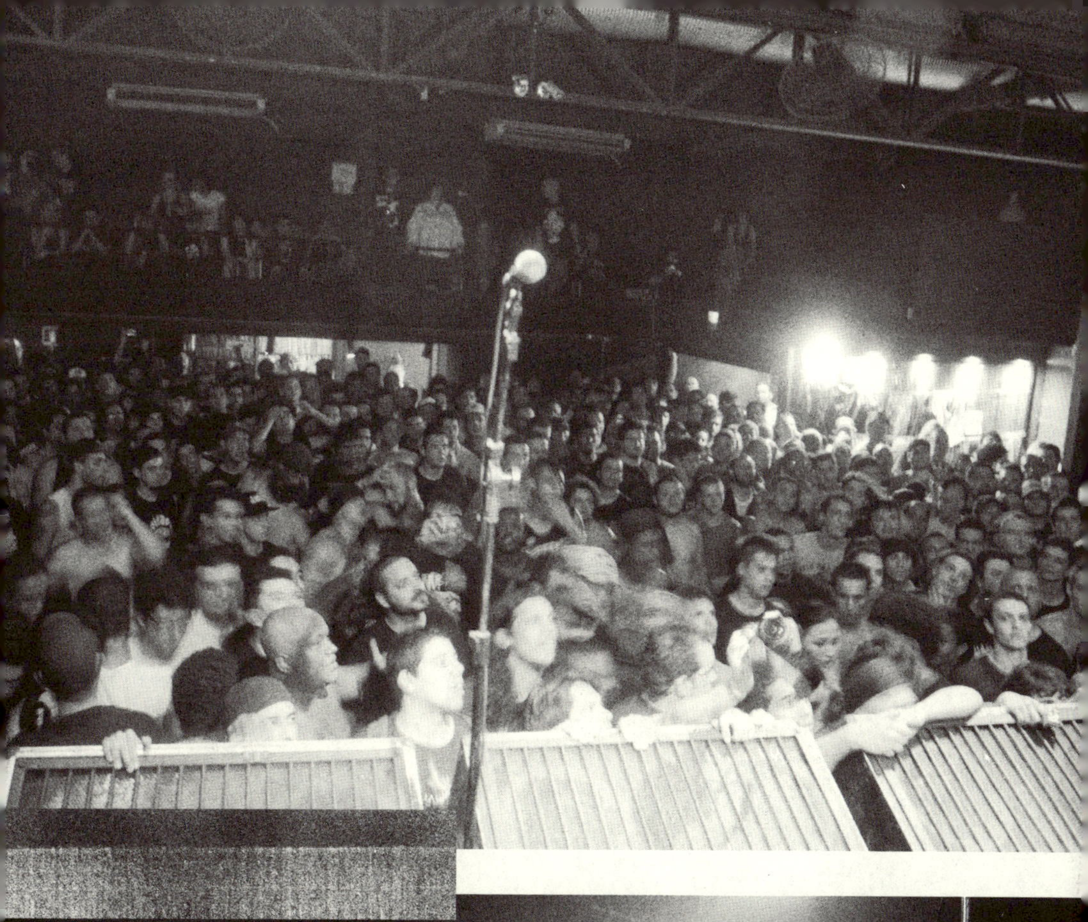

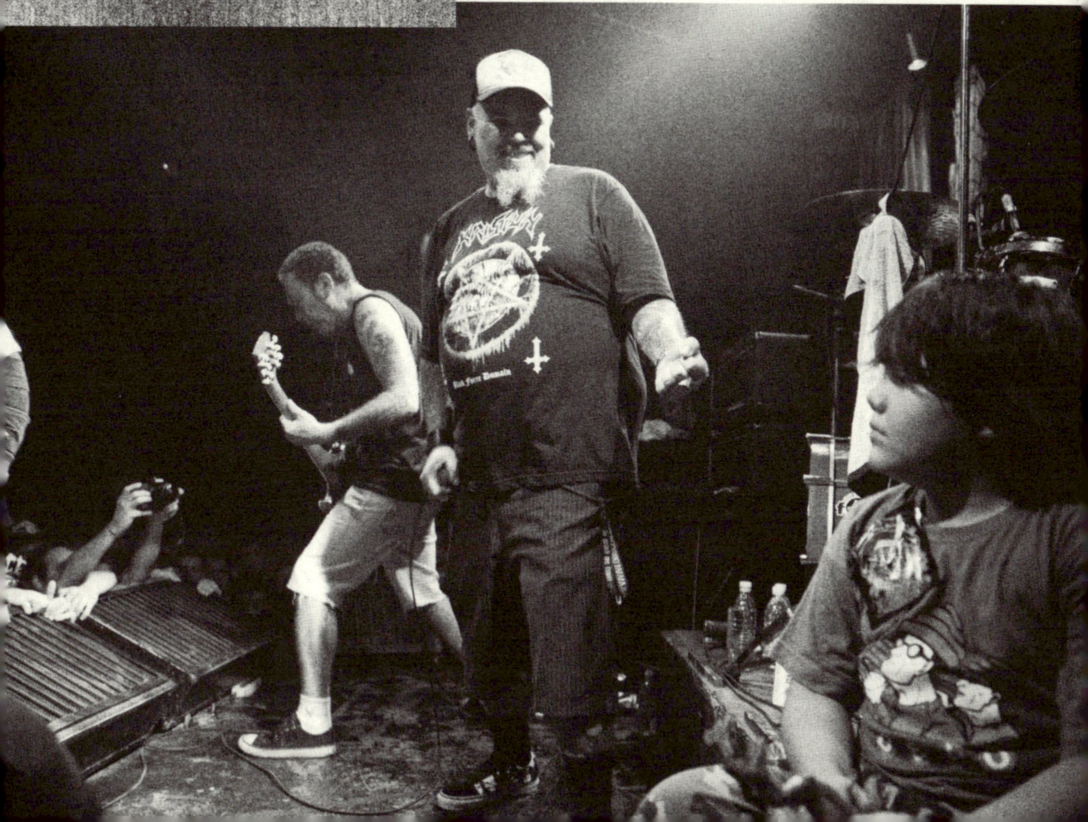

© MATHEUS MONDINI

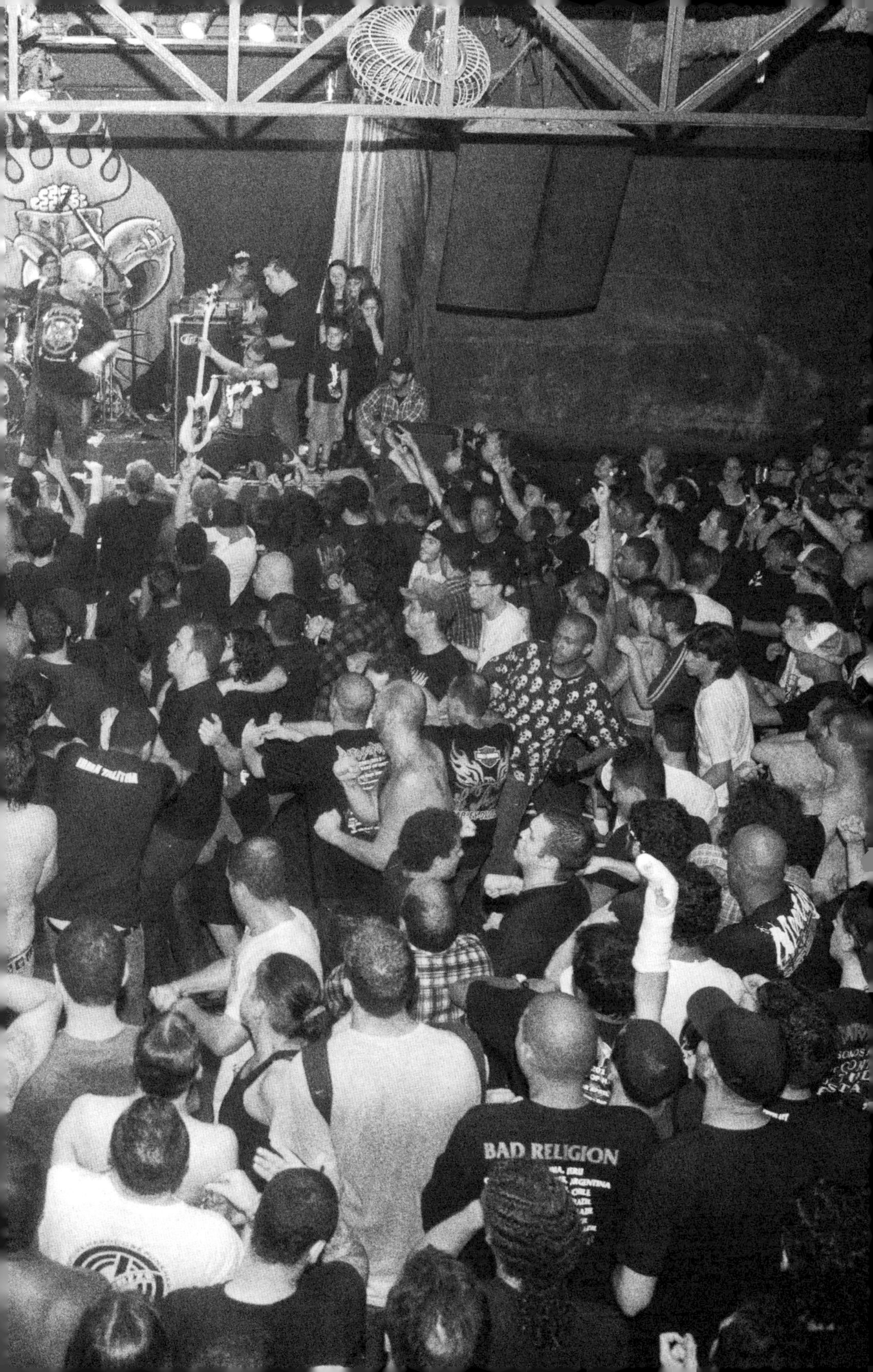
BAD RELIGION

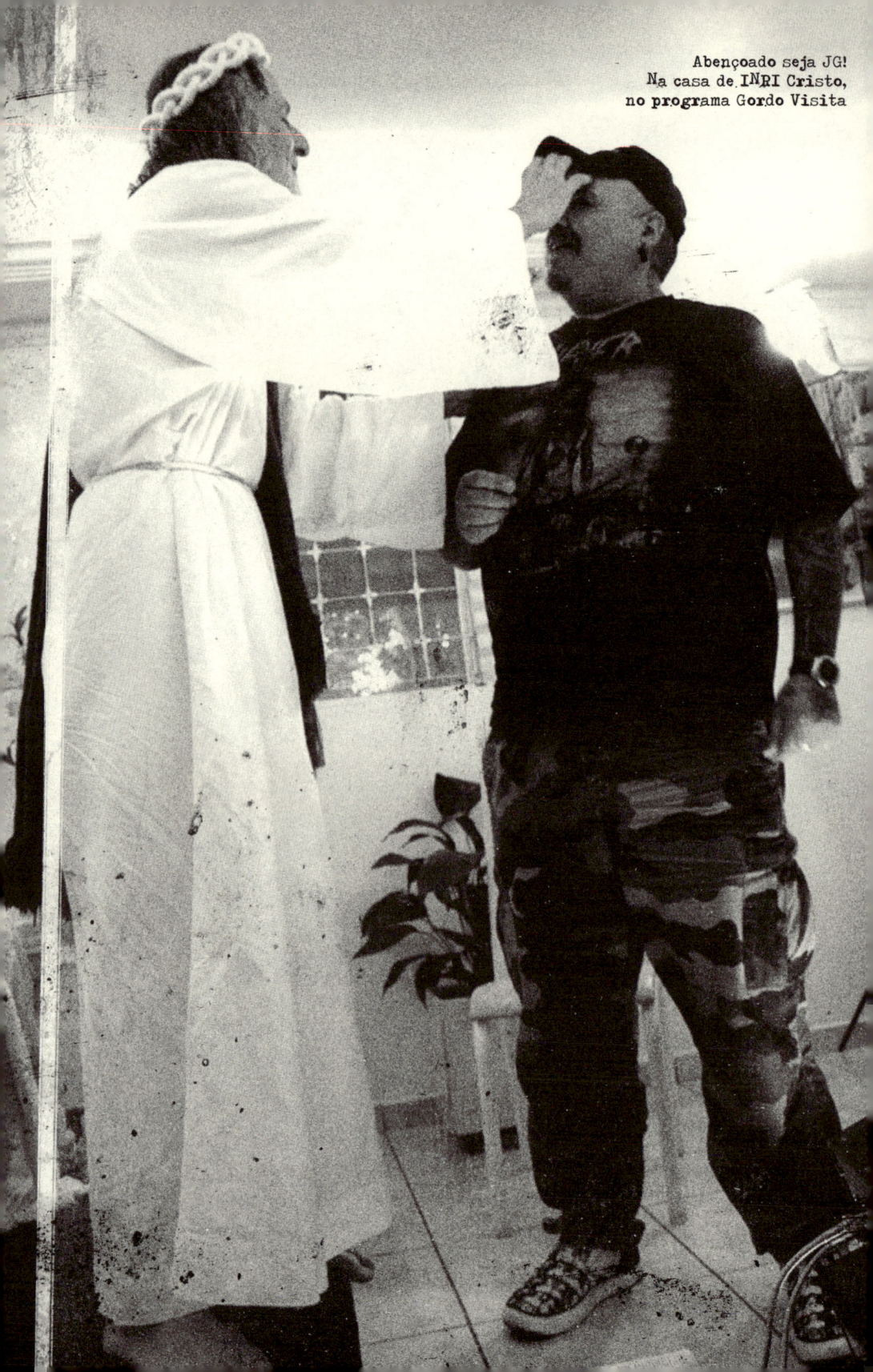

Abençoado seja JG!
Na casa de INRI Cristo,
no programa Gordo Visita

EPÍLOGO
VIVA LA VIDA TOSCA

Lá por 2010, 2011, comecei a perceber que o meu pai não tava bem. Ele falava umas coisas sem sentido, parecia muito distraído e chegou a escovar os dentes com creme de barbear. Uma noite, em outubro de 2011, meu tio me ligou: "João, corre na casa do teu pai, parece que ele teve um AVC!".

Levamos o meu pai pro hospital, e os dois médicos que o atenderam eram fãs do Ratos. Eles pediram uma tomografia. Quando a tomografia ficou pronta, me chamaram num canto: "Dá uma olhada nisso, João...". Meu pai tinha um tumor do tamanho de um tomate no cérebro. Ali mesmo eles disseram que ele não tinha muita chance.

O que me deixa puto é que, em todo esse tempo em que ele tinha problemas e tomava Gardenal, nenhum médico pediu uma tomografia. Se o tumor tivesse sido detectado antes, quem sabe ele não estaria com a gente agora?

Meu pai foi internado. Ele parou de tomar os remédios e passou a ter convulsões. Começou a definhar. Eu fiquei muito mal com a situação, e a Vivi achou melhor tirarmos umas férias pra afastar aquela coisa de morte da cabeça. Quando voltei, fui visitá-lo no hospital e fiquei chocado: meu pai, que sempre foi um cara forte e bonito, de cabelo bem preto, tava o maior Auschwitz: magro, chupado e de cabelos brancos. Parecia um cadáver.

Eu mostrei a ele um iPad, que tinha acabado de comprar numa viagem à Europa. Ele ficou encantado com a tecnologia: "Dá pra ouvir música nisso, João?", e pediu pra ouvir uma música do Carlos Galhardo, um cantor famoso da Era do Rádio, que ele adorava. Eu coloquei a música e ele começou a chorar. "Não chora, pai, não fica triste."

Depois, mostrei um aplicativo que eu tinha baixado e que permitia desenhar no iPad com o dedo. Ele pegou o aparelho e começou a desenhar alguma coisa. De repente, sem dizer nada, me deu o iPad. Estava escrito: "João, te amo".

Fiquei muito surpreso com aquilo. Ele nunca tinha dito que me amava. Era tão travado que nem quando estava morrendo conseguiu dizer isso pra mim. Só conseguiu escrever. Eu devia ter abraçado ele na hora. Era o momento do pai e do filho terem aquela epifania, aquela choradeira de reconciliação, mas eu também era tão travado, tão frio por causa dos anos e anos de brigas, porradas e xingamentos, que só consegui dizer: "Eu também te amo, pai".

Ele ficou em coma por quase dois meses. Chegou um momento em que só conseguia se comunicar com as enfermeiras mexendo o pé. Uma noite, ligaram do hospital: meu pai tinha morrido.

Olhando pra trás, não tenho mais nenhuma raiva dele. Tudo que eu aprendi, mesmo que tenha sido o oposto do que ele ensinou, foi por causa dele. Ele nunca disse que me amava, mas eu digo isso todo dia pros meus filhos e pra Vivi.

Meu pai era ausente e violento, mas eu sou um pai presente e carinhoso. Pego os meus filhos na escola, ponho eles pra dormir, estudo com eles, faço tudo pra eles. Essa minha geração nunca amou tanto os filhos. Somos pais modernos, abertos, compreensivos, bem diferentes dos nossos pais.

Sou um sobrevivente. Sobrevivi à obesidade mórbida, sobrevivi ao pó, sobrevivi a punks e Carecas que queriam me matar, sobrevivi à polícia, sobrevivi ao sistema de um país injusto e corrupto e, principalmente, sobrevivi ao meu pai, superando todas as nossas diferenças. Lógico que, se não fosse ele, minha vida teria tomado outro rumo, talvez hoje eu fosse um operário infeliz na Vila Gustavo ou, quem sabe, até um PM. A opressão me fez mergulhar de cabeça no mundo do rock. Fui pra onde o vento me levou...

Numa vida de tristezas e banhada na inconsequência, a felicidade e a paz só bateram na minha porta depois que casei com o meu amor, a Vivi. Ela me tirou do fundo do poço, me deu dois filhos lindos e me deu um norte, um motivo pra viver. Ver os meus filhos crescerem gentis, espertos, descolados e felizes é uma dádiva. Curto a paternidade e estou deixando boas lembranças pra eles. Sou grato a Deus, a Buda, a Ganesha, a Alá, ao Universo e a todas as forças do bem que conspiram ao meu favor. Embora muitos achem que eu seja totalmente ateu ou até satanista, eu consegui estar do lado certo da minha vida errada.

Sou o que eu sou: pessimista pra caralho, roqueiro até as últimas consequências. Tenho certeza de que meu nome está escrito nas páginas da história do rock desse país de memória curta. Fiz a minha parte no quesito da música porrada, e talvez muitos por aí jamais se esqueçam de mim.

Quero que todos os fascistas, que destilam ódio e preconceito pela internet e acreditam nas próprias mentiras, se fodam. Eles não passam da escória do Terceiro Mundo. Minhas crianças serão testemunhas de um apocalipse lento e cruel, assombrado por fanáticos religiosos, políticos psicopatas e uma polícia assassina que, em vez de proteger, massacra a população em nome do sistema.

Infelizmente, é assim.

João te amo!

A última mensagem
do seu Milton, 2011

[Fralda e Juliana, minha afilhada e filha do Jão]

Todos os esforços foram envidados para localizar os detentores dos direitos autorais das imagens utilizadas neste livro; todas as omissões serão corrigidas em futuras edições. Todos os direitos encontram-se devidamente reservados. As visões e opiniões expressas pelos entrevistados neste livro não são necessariamente as opiniões do autor ou do editor. O autor e o editor não aceitam a responsabilidade por erros ou omissões de terceiros, e negam especificamente qualquer responsabilidade, perda ou risco, seja de maneira pessoal, financeira ou qualquer outra decorrida em consequência, direta ou indireta, do conteúdo deste livro.